Édition : François Perreault
Révision : Patricia Juste
Correction : Brigitte Lépine
Infographie : Chantale Landry

Catalogage avant publication de Bibliothèque et
Archives nationales du Québec et Bibliothèque et
Archives Canada

Creusot, Daniel

À qui profite le crime ? : deux enquêtes du sergent
Mark Bourque de la GRC

Comprend des références bibliographiques et un
index.

ISBN 978-2-7619-4258-4

1. Blanchiment de l'argent - Enquêtes. 2. Crime
organisé - Enquêtes. 3. Bourque, Mark, 1948-2005.
I. Titre.

HV8079.M64C73 2015   364.16'8   C2015-940316-2

Crédits photographiques du cahier photo :
p. 1 : Sovimage ; p. 2 : (hg) Gendarmerie royale du
Canada, (hd) Texas Department of Public Safety –
TDPS, (bg) documentaire *Pour un X de trop*, tous droits
réservés, (bd) Texas Department of Public Safety –
TDPS ; p. 3 : (hg) Texas Department of Public Safety –
TDPS, (hd) Texas Department of Public Safety – TDPS
(b) Département de la Justice du Texas ;
p. 4 (hg) Archives Daniel Creusot (hd) GRC (b) Palais
de Justice de Montréal ; p. 5 (hg) Police vénézuélienne
(hd) Lee Lamothe (bg) GRC (bd) Police de Montréal ;
p. 6 GRC ; p. 7 (hg) Ben Soave (hd) Tony Saldutto
(bg) Bill Sciammarella (bd) Bill Sciammarella ;
p. 8 (h) Lee Lamothe (c) *La Repubblica* (b) Orbi XXI

Nous avons fait tous les efforts possibles pour indi-
quer correctement la source ou le détenteur des droits
de chaque photo. Les Éditions de l'Homme s'excusent
pour toute erreur ou omission à cet égard.

03-15

© 2015, Les Éditions de l'Homme,
division du Groupe Sogides inc.,
filiale de Québecor Média inc.
(Montréal, Québec)

Tous droits réservés

Dépôt légal : 2015
Bibliothèque et Archives nationales du Québec

ISBN 978-2-7619-4258-4

DISTRIBUTEURS EXCLUSIFS :

Pour le Canada et les États-Unis :
MESSAGERIES ADP*
2315, rue de la Province
Longueuil, Québec J4G 1G4
Téléphone : 450-640-1237
Télécopieur : 450-674-6237
Internet : www.messageries-adp.com
*filiale du Groupe Sogides inc.,
filiale de Québecor Média inc.

Pour la France et les autres pays :
INTERFORUM editis
Immeuble Paryseine, 3, allée de la Seine
94854 Ivry CEDEX
Téléphone : 33 (0) 1 49 59 11 56/91
Télécopieur : 33 (0) 1 49 59 11 33
Service commandes France Métropolitaine
Téléphone : 33 (0) 2 38 32 71 00
Télécopieur : 33 (0) 2 38 32 71 28
Internet : www.interforum.fr
Service commandes Export – DOM-TOM
Télécopieur : 33 (0) 2 38 32 78 86
Internet : www.interforum.fr
Courriel : cdes-export@interforum.fr

Pour la Suisse :
INTERFORUM editis SUISSE
Case postale 69 – CH 1701 Fribourg – Suisse
Téléphone : 41 (0) 26 460 80 60
Télécopieur : 41 (0) 26 460 80 68
Internet : www.interforumsuisse.ch
Courriel : office@interforumsuisse.ch
Distributeur : OLF S.A.
ZI. 3, Corminboeuf
Case postale 1061 – CH 1701 Fribourg – Suisse
Commandes :
Téléphone : 41 (0) 26 467 53 33
Télécopieur : 41 (0) 26 467 54 66
Internet : www.olf.ch
Courriel : information@olf.ch

Pour la Belgique et le Luxembourg :
INTERFORUM BENELUX S.A.
Fond Jean-Pâques, 6
B-1348 Louvain-La-Neuve
Téléphone : 32 (0) 10 42 03 20
Télécopieur : 32 (0) 10 41 20 24
Internet : www.interforum.be
Courriel : info@interforum.be

Gouvernement du Québec – Programme de crédit
d'impôt pour l'édition de livres – Gestion SODEC –
www.sodec.gouv.qc.ca

L'Éditeur bénéficie du soutien de la Société de développement des entreprises culturelles du Québec
pour son programme d'édition.

Conseil des Arts   Canada Council
du Canada   for the Arts

Nous remercions le Conseil des Arts du Canada de
l'aide accordée à notre programme de publication.

Nous reconnaissons l'aide financière du gouvernement du Canada par l'entremise du Fonds du livre du
Canada pour nos activités d'édition.

DANIEL CREUSOT

Préface d'André Cédilot

À QUI PROFITE LE CRIME ?

Deux enquêtes du sergent Mark Bourque de la GRC

LES ÉDITIONS DE
L'HOMME

Une société de Québecor Média

« Il faut que tout change pour que rien ne change. »

Giuseppe Tomasi di Lampedusa,
Le Guépard

Préface

Il y a trois ans, j'ai reçu un appel de Daniel qui m'a dit écrire un livre sur Mark Bourque. « Bonne idée ! » lui ai-je répondu, un peu étonné, en me demandant tout bas ce qu'il pourrait nous apprendre de plus sur ce policier, sinon de parler des deux grandes enquêtes ayant marqué sa carrière à la GRC. Même là, je restais sceptique, tellement ces deux fabuleux dossiers avaient fait l'objet de nombreux récits.

Sachant le respect et l'admiration que Daniel voue à Mark Bourque, je me suis contenté de l'encourager. Ce que je n'ignorais pas non plus, pour avoir travaillé avec lui sur quelques téléséries documentaires, ce sont ses qualités de conteur et l'importance qu'il donne à la recherche. Sans compter, dois-je ajouter sans ambages, l'acharnement maniaque qu'il met à réaliser un projet, quelle qu'en soit la difficulté.

C'est ainsi, fort de toutes ses rencontres avec Mark Bourque, d'abondants rapports de police et de maintes entrevues réalisées en marge de deux documentaires que Daniel a tournés pour la télévision – *La Filière libanaise* et *La Famille* –, qu'il a pondu un véritable « thriller » qui nous montre comment le milieu interlope de Montréal a pu être influencé par la politique internationale.

Voici donc, à titre d'auteur, que Daniel Creusot apporte maintenant une lumière crue sur les difficultés des enquêtes policières, ponctuées d'imprévus, d'obstacles bureaucratiques, d'embûches juridiques et de failles dans nos lois. Assez pour décourager bien des flics, mais certainement pas un limier aussi tenace et abrasif que Mark Bourque. À la lecture du livre, on comprend que ce dernier a mené les deux enquêtes presque seul, en se battant à la fois contre ses patrons et contre le système judiciaire canadien.

Mark Bourque est décédé dans des circonstances tragiques en 2005, au cours d'une mission humanitaire en Haïti. N'en reste pas moins, au travers des mots de l'auteur Daniel, que c'est Mark lui-même qui nous emmène dans les entrailles d'enquêtes qui ont eu des retentissements dans plein d'autres pays. C'est là la preuve d'une grande amitié entre les deux hommes, et un bel hommage à Mark Bourque.

À lui seul, le titre du livre, *À qui profite le crime ?*, suscitera à n'en pas douter les commentaires les plus variés, allant du cynisme pour les uns, à l'interrogation pour d'autres. Une chose est sûre, il est amplement justifié.

ANDRÉ CÉDILOT
Ancien chroniqueur judiciaire
à *La Presse* et coauteur de *Mafia Inc.*

Préambule

Mark Bourque[1] était préoccupé par le décalage qui existe, trop souvent à son goût, entre le droit et la justice. En effet, le droit n'est pas toujours la justice. Par certaines omissions, la loi se fait parfois complice par défaut d'activités criminelles. Dans le cas du blanchiment d'argent, c'est sciemment qu'elle est complice. Au cours des années 1980, Mark Bourque a dirigé deux des plus importantes enquêtes menées par la GRC. Chacune de ces enquêtes a entraîné des coûts de plusieurs millions de dollars.

Après la saisie de 7 tonnes de cannabis et la découverte d'un complot en vue d'assassiner le «président de la République du Liban», la première enquête relatée dans cet ouvrage a permis à Mark de participer, au Canada et au Texas, à l'anéantissement de la plus puissante filière de drogue depuis la French Connection, à l'arrestation, puis à la condamnation du parrain de la Mafia de Houston.

La deuxième enquête a mené à la chute de la famille la plus active de la Mafia sicilienne des années 1970-1990, la famille sicilo-canadienne des Caruana-Cuntrera. L'enquête de Bourque a permis de renforcer les preuves sur les centaines de millions de dollars blanchis dans le système économique mondial par ces puissants mafiosi surnommés «les Rothschild de la Mafia». À la suite de l'enquête de Mark Bourque, et en partie grâce à elle, le parrain et les responsables de la famille ont été arrêtés au Venezuela et jugés en Italie.

De longues séances de travail et une amicale complicité m'ont amené à écrire ce livre sous forme de mémoires, des mémoires de Mark Bourque. C'est pourquoi j'ai emprunté le «je» de Mark. J'ai choisi le présent de l'indicatif pour raconter ces histoires comme si elles étaient tirées d'un journal écrit par Mark lui-même au moment de ses enquêtes. Parmi le matériel de base, je me suis appuyé sur nos conversations et sur de longues entrevues données par Mark dans des documentaires pour la télévision.

Comme dans tous les mémoires, une part de subjectivité entre inévitablement dans le fil du récit. Certaines personnes ayant vécu en même temps que Mark les aventures qu'il raconte peuvent avoir sur de mêmes événements des souvenirs plus ou moins différents. Les mémoires n'ont jamais été des sources infaillibles et objectives pour les historiens et les historiennes. Quoi qu'il en soit, l'honnêteté et la subjectivité ne sont pas a priori contradictoires.

Des proches de Mark, notamment Lise Bourque, sa veuve, et Michel, son frère, ont lu le manuscrit. Pour eux deux, il ne fait aucun doute que le contenu et la forme de ce livre auraient obtenu son approbation et son adhésion pleine et entière.

Autant que faire se pouvait, j'ai placé tous mes efforts dans le respect scrupuleux de son action et de sa pensée.

DANIEL CREUSOT

- I -

La filière libanaise

CHAPITRE 1

Joseph Abizeid arrive à Montréal

La vie à Montréal est très sécuritaire. L'indice de violence attribué à la métropole est l'un des plus bas des grandes cités de l'Amérique du Nord. En même temps, Montréal a toujours eu la réputation d'être une porte d'entrée privilégiée de la drogue en Amérique du Nord. Au fil des décennies, le port de Montréal et, à un degré moindre, ses aéroports ont laissé passer et laissent toujours passer, très clandestinement, des centaines, voire des milliers de tonnes de stupéfiants de toutes natures.

Mercredi 19 mars 1980

Je sors doucement de la maison, il est 6 h du matin, j'ai bien fait attention de ne pas réveiller Lise et les garçons. Je prendrai mon déjeuner en arrivant à la GRC. Le ciel est clair. La neige recouvre les pelouses et reflète la lumière de la lune. Dans deux jours, ce sera le printemps mais, ce matin, il y a moins six au thermomètre. C'est encore un peu frais et l'air froid me pince le visage. Je relève le col de mon manteau, je marche jusqu'au garage attenant à la maison pour démarrer et réchauffer la voiture. J'habite Richelieu, une petite ville de la Rive-Sud au bord de la rivière du même nom, à une quarantaine de kilomètres de Montréal. À 6 h, pas trop d'encombrement sur la route, avec ma puissante Buick Lesabre, j'en ai en gros pour une demi-heure, trois quarts d'heure jusqu'au quartier général de la GRC à Westmount, dans l'ouest de Montréal.

Ce matin, je pars plus tôt que d'habitude parce que j'ai un dossier important qui traîne et je veux absolument le terminer pour vendredi prochain. En fin de semaine, j'ai des travaux importants à faire dans la maison. De l'eau coule dans la cave, sans doute un problème d'étanchéité. Je vais régler ça avec mon chum Gérald. Il bricole mieux que moi. Mais la solidité de la maison me préoccupe tout de même. Sans trop d'encombre, je passe le pont Champlain. À l'approche du fleuve, la circulation devient de moins en moins fluide, il est temps que j'arrive au QG. J'y suis un peu avant 7 h. Je gare ma voiture dans le stationnement extérieur réservé aux membres de la GRC et j'entre par le 4225 du boulevard Dorchester[1]. Personne ou presque dans l'immeuble, seulement des membres de l'équipe de nuit qui s'apprêtent à partir. Je monte au cinquième, un étage presque totalement occupé par un vaste espace ouvert dans lequel s'alignent des dizaines de bureaux. Personnellement, il y a longtemps que je ne vois plus le décor. Mais, parfois, j'aime bien taquiner mes journalistes préférés en leur disant que je travaille dans un cadre semblable à celui d'une salle de nouvelles, mais avec défense absolue de publier.

À l'époque, je suis adjoint à la Brigade des stupéfiants de Montréal et enquêteur principal. Quand j'arrive devant ma table de travail, bien en évidence, un message de la secrétaire de mon patron m'attend. Je dois passer voir le boss dès que possible. Le message a dû être déposé la veille au soir après mon départ. Je descends au quatrième. Mon patron n'est pas encore arrivé. La secrétaire non plus, elle n'arrivera sans doute qu'à 9 h avec le reste du personnel civil. Je laisse sur son bureau un message demandant qu'elle me prévienne dès que le boss sera là et je me rends à la cafétéria du deuxième. Je prends un grand café et un muffin à la banane, puis je remonte à mon bureau pour plonger dans le dossier à terminer.

Il est presque 9 h 30 quand la secrétaire m'avertit par téléphone que mon boss m'attend. Je descends immédiatement.

— Bonjour, Mark. Mike Consavage, de la DEA[2] à l'ambassade américaine à Ottawa, a laissé un message hier soir à notre section des stupéfiants. Il nous demande de leur donner un coup de main pour surveiller un trafiquant de drogue libanais qui doit arriver à Montréal dans l'après-midi à Dorval[3]. Le message enregistré est à votre disposition, l'enquête est à vous, prenez du monde et réglez ça. Ça ne devrait pas prendre trop de temps.

Cependant, l'enquête démontrera rapidement que la filière libanaise a deux entrées en Amérique du Nord, avec comme client principal les États-Unis. La première entrée est à Montréal et la deuxième, au sud des États-Unis, au Texas, à Houston. La drogue arrivant à Houston transite d'abord par le Mexique. Le côté vexant de la chose, c'est que nous n'avons rien vu venir. Et pourtant, l'enquête révélera que le réseau était déjà en activité depuis une bonne dizaine d'années, et ce, sans qu'Américains ou Canadiens aient pu le repérer. Au moment où mon boss me confie le dossier, j'ignore que l'enquête que je commence démantèlera finalement, et après bien des péripéties, la plus puissante filière de drogue opérant en direction des États-Unis depuis la fameuse French Connection, la filière française. Et comme si cela ne suffisait pas, cette même investigation permettra de révéler un complot manqué de peu contre un candidat à la présidence du Liban de 1982. Seront impliqués dans cette enquête et à des degrés divers, côté canadien, la GRC et le ministère des Affaires étrangères et, côté américain, la CIA[4], la DEA, le département d'État, le FBI ainsi que la police de l'État du Texas[5]. La justice du Canada et celle du Texas entreprendront une série de procès aux développements longs et surprenants.

Mais, pour l'instant, je n'ai pas le moindre soupçon de ce qui m'attend. Je ne dois surveiller qu'un trafiquant libanais, la routine. Sortant du bureau du patron, je descends au rez-de-chaussée à la salle d'enregistrement pour écouter le message de Mike Consavage de la DEA :

— Notre bureau de New York nous informe qu'un important trafiquant libanais est en route pour Montréal. Selon notre source, il serait l'un des plus grands fournisseurs libanais. Son nom est Joseph Abizeid. – Joseph Abizeid ? – Oui, A-bi-ze-id[6].

L'avion du Libanais est attendu dans l'après-midi. Nous mettons rapidement en place une équipe pour prendre l'homme en filature dès son arrivée à l'aéroport de Dorval. Le service des écoutes électroniques est en alerte pour brancher les téléphones dont pourraient se servir le trafiquant et ses complices, et pour préparer les micros à poser dans les endroits stratégiques. Du côté judiciaire, nous nous assurons d'obtenir l'autorisation d'un juge pour écouter en toute légalité l'individu. Sans négliger pour autant mon Libanais, je me dépêche de terminer mon dossier en retard.

En début d'après-midi, accompagné de deux agents en civil, je me rends à Dorval, à l'aéroport, curieux de voir par moi-même la tête de ce fameux trafiquant. En chemin, il me revient que j'ai déjà vu ce nom, Abizeid. Ça me dit vaguement quelque chose. Je vérifierai ça demain. Quand nous arrivons à l'aéroport, l'avion vient juste de se poser. Pour le contrôle des passeports et pour la douane, j'ai donné des directives : Joseph Abizeid doit passer sans encombre.

Nous l'observons alors qu'il récupère sa valise au carrousel et sort de l'aérogare. Il prend un taxi que nous suivons de loin. Direction le centre-ville. Le taxi le dépose devant l'hôtel quatre étoiles Le Château Champlain.

Dans le hall d'entrée, deux hommes l'accueillent avec chaleur, Joannis « Johnny » Skoulikas, un Canadien d'origine grecque, et Stamatios Psaroudis, un citoyen grec vivant à Montréal. À ce moment, ces deux hommes sont totalement inconnus de nos services, mais Abizeid, lui, visiblement les connaît bien. Nous allons découvrir très tôt que Johnny Skoulikas est le principal interlocuteur d'Abizeid à Montréal. En fait, il lui sert d'intermédiaire auprès de bandits plus importants, principalement des membres du puissant groupe criminel montréalais connu sous le nom de « gang de l'Ouest ». Dès cet instant, Skoulikas et Psaroudis deviennent des habitués de nos équipes de surveillance téléphonique et de filature. Grâce à un mandat, nous obtenons le concours des services de sécurité de l'hôtel. Profitant des retrouvailles de nos trois présumés trafiquants dans un restaurant du centre-ville, je fais poser des micros dans la chambre du Libanais, et placer le téléphone sur écoute.

Une fois leur repas terminé, nous raccompagnons chacun des convives là où il doit passer la nuit. La filature de Psaroudis nous fait cadeau d'une belle information. Nous découvrons qu'il habite à Dollard-des-Ormeaux chez l'un des boss présumés du gang de l'Ouest, Dean Papatakis. Nous apprendrons bientôt que Psaroudis et Papatakis sont beaux-frères.

Johnny Skoulikas, lui, loge chez sa blonde dans l'ouest de Montréal, à Côte-Saint-Luc, avenue Prince-of-Wales. Il va sans dire que les téléphones des résidences des deux Grecs sont aussi placés sur écoute. Ignorant alors si la petite amie de Skoulikas fait ou non partie de la bande, je demande un mandat pour pouvoir l'enregistrer elle aussi.

Puis, voilà, comme souvent, une complication imprévue ! Les conversations que nous enregistrons peuvent se tenir en anglais ou en français. Mais elles peuvent aussi bien être en arabe et même en grec entre Skoulikas, Psaroudis et Papatakis. Étant parfaitement bilingue, je m'occupe du français et de l'anglais. Mais je dois engager deux interprètes officiels agréés par la justice : Pierre Xenopoulos pour le grec et Sana Ladki pour l'arabe.

Enregistrer, écouter et transcrire est un travail long et fastidieux. À l'époque, les enregistrements se font avec des magnétophones volumineux, à l'aide de bandes magnétiques d'un quart de pouce. Avec précaution, il faut placer la bande sur l'appareil. Elle se déroule d'un cylindre en plastique et s'enroule sur un cylindre identique après être passée sur les têtes d'enregistrement et de lecture. Pour écouter, on utilise un magnétophone identique. Avant, arrière, avant, arrière, avant… il faut passer et repasser la bande magnétique plusieurs fois pour écouter un extrait et bien comprendre tout ce qui se dit. Sana et Pierre relèvent le texte original à la main, puis, phrase par phrase, toujours à la main, écrivent la traduction. Suivant la même méthode, je m'occupe des textes anglais et français. Ensuite, nous donnons nos textes à une secrétaire pour qu'elle les dactylographie[7]. Heureusement, les lourdes machines à écrire, les lourdes «dactylos» IBM à boule, sont des bijoux de modernisme à côté des vieilles machines entièrement mécaniques où il fallait renvoyer le chariot à la main et dont on se servait à peine quelques années plus tôt. Notre travail se révélera finalement très productif.

À peine arrivé dans sa chambre, Joseph Abizeid téléphone à un certain Salim Bitar, un jeune étudiant libanais inscrit à McGill. Nous écoutons. Ils parlent arabe. La traduction de Sana Ladki nous permet d'apprendre qu'en fait, Salim Bitar est le neveu d'Abizeid et qu'ils prennent rendez-vous pour le dîner du lendemain. Surpris que ce Salim Bitar soit la première personne appelée par le Libanais et persuadé que l'étudiant fait partie de la filière, je donne son nom au dossier que j'ouvre[8].

Le lendemain matin, en arrivant à la GRC, ma priorité est de retrouver ce que ce nom d'Abizeid me rappelle. Où et dans quelles circonstances l'ai-je déjà lu ou entendu? Mes recherches aux archives me conduisent quelques années plus tôt. Un dossier déjà ancien contient *in extenso* les textes de conversations téléphoniques enregistrées par la GRC au début des années 1970. L'interlocuteur de Montréal était en fait un très gros poisson; il s'agissait de Frank Cotroni qui n'était rien de moins à l'époque que le frère du parrain de la Mafia de Montréal, Vic Cotroni. Et au Liban, le correspondant de Frank Cotroni; s'appelait Antoine Abizeid – ma mémoire n'est pas trop mauvaise. Je poursuis la lecture des transcriptions. Passionnant. Les deux hommes parlaient à mots à peine couverts de 500 livres de résine de cannabis à livrer à Montréal. Après avoir pris connaissance de cette conversation, la GRC a demandé à son antenne de l'ambassade du Canada au Liban de faire enquête pour savoir qui pouvait bien être cet Antoine Abizeid, alors totalement inconnu de nos services. La recherche menée à Beyrouth a stupéfié les enquêteurs.

L'énormité de cette information a exigé une vérification approfondie. Antoine Abizeid, l'interlocuteur libanais de la mafia montréalaise, téléphonait du palais de Baabda, le siège de la présidence de la République du Liban à Beyrouth. Abizeid était en fait l'un des très proches hommes de confiance du président de la République du Liban de l'époque, le chrétien maronite Soleimane Frangié[9]. Sans statut officiel, Abizeid se voyait chargé de missions des plus discrètes, des plus secrètes.

Poursuivant ma lecture des archives de la GRC, je découvre qu'un peu plus tard, ce même Antoine Abizeid a envoyé l'un de ses fils à Chypre pour y rencontrer un correspondant montréalais du clan Cotroni et finaliser avec lui la livraison des 500 livres de drogue. La GRC a par la suite enregistré une conversation dans laquelle le clan Cotroni confirmait bel et bien la commande de hachich. Malheureusement, la piste de la drogue a été perdue. Grâce aux écoutes électroniques, on a appris plus tard que la drogue était bien partie du Liban et surtout bien arrivée à Montréal dans deux grandes malles. Mais on n'a jamais su comment les malles étaient arrivées à bon port ni quel chemin elles avaient bien pu prendre.

Je continue ma lecture. Bingo ! Dans le dossier que je consulte, il est noté que le fils d'Antoine Abizeid qui a rencontré le messager du clan Cotroni à Chypre se prénomme Joseph. Il est à parier que le Joseph pris en filature à Montréal et qui vient d'arriver de New York est bien le même homme. Élégant, dans la jeune trentaine, issu d'une famille de la bonne bourgeoisie libanaise chrétienne, ce n'est ni un mafieux, ni un gangster, ni un trafiquant au sens habituel du terme. Les bandits du genre mafieux ou les membres de cartels s'adonnent au trafic de drogue uniquement pour récolter un maximum d'argent et ont un seul objectif: leur profit personnel. Joseph Abizeid est l'exemple d'un nouveau genre de trafiquants apparus après la Seconde Guerre mondiale lors de conflits civils importants. Le trafic de drogue doit servir, avant tout, à amasser rapidement et facilement de considérables sommes de devises pour acheter des armes. Et, l'être humain restant un humain, comme il y a énormément d'argent en jeu, une partie de ce magot finit souvent dans des comptes personnels.

En quatre jours d'écoutes, nous apprenons que Joseph Abizeid va quitter incessamment Montréal pour le Liban avec la plus importante commande de drogue jamais passée jusqu'alors, 7 tonnes de hachich, un record absolu pour l'époque. Le financement de cette cargaison est assuré par un cartel de différents membres du crime organisé montréalais sous la responsabilité de Johnny Skoulikas. Je sais maintenant que l'affaire est beaucoup plus importante que je ne l'avais pensé d'emblée.

Ce que nous avons découvert jusqu'ici, et qui nous paraissait déjà très important, n'est en fait que la pointe d'un énorme iceberg.

Sa mission accomplie, Joseph Abizeid retourne chez lui, au Liban. Mais, comme tout bon policier aux premiers jours d'une enquête, je me dois d'en savoir plus sur ce qu'Abizeid fait là-bas, sur son entourage, sur le cadre de son existence. Et dans tout cela, personnage tout aussi important, il y a le Liban lui-même. Un pays dont j'ignore alors à peu près tout, sinon qu'il est déchiré par une terrible guerre civile dont je vois périodiquement des scènes au téléjournal.

CHAPITRE 2

Guerre civile au Liban

« Si vous avez compris quelque chose au Liban,
c'est qu'on vous l'aura mal expliqué[1]. »

En 1980, bien ou mal, on ne m'a encore rien expliqué sur ce pays et je suis loin d'être le seul Canadien à ne pas comprendre ce qui se passe au Liban et à la guerre civile qui déchire le pays. En plus, je dois avouer que ce n'est pas mon premier centre de préoccupation. Ce que j'entends, ce que je retiens, m'amène à la conclusion qu'il s'agit d'un conflit sanglant, comme le sont d'ailleurs toutes les guerres civiles. Une lutte de pouvoir politique sur fond de guerre de religions. Comme mon enquête m'entraîne dans cette partie du monde, je suis obligé d'en savoir un peu plus. J'ai demandé à un ami connaissant bien la région de me briefer sur le sujet. Voici l'essentiel de ce que j'en ai retiré.

Le Liban est le plus petit pays du Proche-Orient méditerranéen. En 1980, il y a environ 2,5 millions d'habitants, des Arabes à 90 %, Arabes libanais, Druzes, Arabes syriens, égyptiens et même irakiens. Pour les groupes minoritaires non arabes, seuls les Kurdes et les Arméniens dépassent chacun les 4 % de la population, ce qui fait un peu plus de 8 % de non-Arabes.

Lointains héritiers de la civilisation marchande phénicienne, les gens du Liban sont très entrepreneurs et entreprenants et, de ce fait, il existe une vaste diaspora libanaise active dans de nombreux pays à travers le monde. Au Canada et en particulier au Québec parce qu'ils sont souvent francophones, il y a un grand nombre d'immigrés en provenance de ce pays.

Le Liban est un pays riche. Longtemps, on l'a surnommé « la Suisse du Proche-Orient ». L'endroit pourrait être, devrait être, un paradis. Mais il y a une réalité malheureuse, une sorte de malédiction dans ce pays magnifique : les différentes communautés religieuses ont la plus grande difficulté à vivre ensemble, en paix et sans conflits meurtriers.

Les deux grands courants religieux monothéistes sont le christianisme et l'islam. L'islam est lui-même divisé en deux communautés : les sunnites et les chiites. On trouve aussi des Druzes dont le dogme est un dérivé de l'islam chiite. Et puis, il y a le christianisme et ses multiples conjugaisons. La communauté chrétienne la plus nombreuse est celle des maronites.

Musulmans plus chrétiens, ça donne 17 communautés différentes. On comprend la difficulté de gouverner une telle diversité religieuse, paradoxalement croyant en un seul dieu unique.

Maintenant, en ce qui concerne la politique proprement dite, à l'intérieur des communautés religieuses, surtout chez les chrétiens maronites, il existe des clans, des familles qui peuvent s'allier un jour contre un ennemi commun et le lendemain devenir de féroces ennemies qui vont jusqu'à s'entretuer et à se massacrer sans aucune pitié.

Le partage du pouvoir politique entre les diverses communautés religieuses a été décidé au moment de l'indépendance en 1943 avec l'adoption du Pacte national. Étant alors les plus nombreux, les chrétiens ont obtenu que le président soit toujours l'un des leurs, un maronite choisi dans l'une des familles chrétiennes. Deuxièmes en nombre, les sunnites se sont vu accorder le poste de premier ministre. Aux chiites, à l'époque moins nombreux, a été réservée la présidence de l'Assemblée nationale.

Là où ça se complique encore un peu plus, c'est lors de la création de l'État voisin d'Israël, en 1948, qui a provoqué une vague d'immigration palestinienne importante. Le Liban a accueilli les Palestiniens, mais ne les a pas intégrés. Ils vivent dans des camps qui leur sont réservés. Dans les années 1970, environ 300 000 Palestiniens se retrouvent au Liban. Leur chef s'appelle Yasser Arafat.

La guerre civile a commencé le 13 avril 1975 par un affrontement entre les Palestiniens et la puissante famille chrétienne dirigée par Pierre Gemayel. Un attentat raté contre celui-ci, le matin même, a amené une vengeance immédiate. L'après-midi, la milice armée de la famille Gemayel mitraillait un autobus transportant des miliciens palestiniens. Vingt-sept d'entre eux ont été tués, les 27 premiers morts d'une guerre qui allait durer 14 ans et faire des milliers de victimes de part et d'autre.

Au Liban, Yasser Arafat a créé une véritable armée, très bien équipée avec des canons et des armes lourdes. Face à cette force impressionnante, les milices des familles chrétiennes ne faisaient pas le poids. Balayant leurs différends, en 1976, unanimes, les chrétiens ont fait appel à la Syrie pour mater les Palestiniens. La Syrie est intervenue et a rétabli la paix, mais une paix bien éphémère. Elle ne va durer que quelques mois.

Très vite, les divers clans et familles de toutes obédiences ont tenté de nouveau d'imposer leur pouvoir. Les provocations, les attentats, les meurtres se sont multipliés et les guérillas ont recommencé. Il fallait de l'argent pour acheter des armes. La drogue, le cannabis surtout, très facilement cultivable au Liban, représentait alors le meilleur moyen de se procurer rapidement les deux à la fois, l'argent et les armes. À l'époque au Liban, tous les groupes, toutes les milices, toutes les familles, tous les clans, musulmans, chrétiens, Druzes, Palestiniens « faisaient » de l'argent avec la drogue. Chaque clan, chaque grande famille libanaise contrôlait et sécurisait sa zone, ses convois de drogue et les ports de départ de ses cargaisons. Il est arrivé que des chargements soient attaqués et piratés par un clan ennemi. Mais il y avait un accord tacite entre toutes les factions pour produire et commercialiser la drogue et acheter des armes… dans le but de s'entretuer.

Par mes recherches dans les archives de la GRC, nous savons que le boss de Joseph Abizeid, Soleimane Frangié, le chef sans partage de la famille, utilise le trafic de drogue, du hachich principalement, pour se procurer de l'argent et armer sa milice. Or, Soleimane Frangié a toujours nié énergiquement que sa famille se livrait à un quelconque trafic de ce genre. En réponse aux nombreux démentis de Soleimane Frangié, John Gunther Dean, ambassadeur des États-Unis au Liban de 1978 à 1981, a profité d'une interview[2] pour remettre les pendules à l'heure. Depuis longtemps, les services de renseignements américains savaient que la famille Frangié possédait une filière de drogue, et que Soleimane Frangié lui-même la supervisait.

Ainsi, John Gunther Dean a déclaré :

En 1975, Soleimane Frangié, le président du Liban, est venu à New York pour parler devant les Nations Unies. Et des chiens de la douane américaine, en reniflant ses bagages, se sont comportés comme si ceux-ci contenaient de la drogue. [...] [Les douaniers] ont alors pensé que le président Frangié transportait quelque chose qu'il était peut-être illégal de faire entrer dans le pays. Ça a provoqué un froid majeur entre l'ambassadeur américain à Beyrouth et le président de la République du Liban. [...]

> Jamais, jamais Frangié n'a pardonné ça aux Américains et il a tenu l'ambassade américaine à Beyrouth pour directement responsable de ce qu'il considérait comme une insulte[3].

En tout cas, en dépit des dénégations de son chef, la famille Frangié fait bien entrer des tonnes de hachich en Amérique du Nord, là où la demande est la plus forte.

Les agents américains ont déjà repéré le Libanais qui s'occupe du trafic en provenance du Liban et passant par le Mexique et savent qu'il s'appelle Paul Frangié et est un très proche parent de Soleimane Frangié. Mais ce sont les écoutes électroniques pratiquées à Montréal qui démontrent que Joseph Abizeid et Paul Frangié travaillent dans la même équipe.

C'est ainsi, en comparant nos renseignements avec ceux des Américains de la DEA et du FBI, que nous pouvons faire le lien entre les deux points d'entrée de la filière libanaise : Montréal et Houston, et surtout que nous apprenons que Joseph Abizeid supervise la totalité du trafic dans les deux métropoles.

Les services américains découvriront un peu plus tard que la drogue qui provient du Mexique passe la frontière mexicaine à Hidalgo, au Texas. Elle est dissimulée dans des marchandises importées, le plus souvent des meubles ou des tapis, et dédouanées par un transitaire tout ce qu'il y a de plus officiel et totalement étranger au trafic.

Malheureusement pour la DEA, les preuves contre Joseph Abizeid sont loin d'être suffisantes pour que l'on puisse l'inquiéter quand il vient à Houston. Les conversations entre lui et Paul Frangié sont trop codées pour être incriminantes.

Au cours d'un de mes voyages au Texas, je rencontre un trafiquant américain qui est un ami de Joseph Abizeid. Ce dernier l'a invité plusieurs fois au Liban, notamment à Zghorta et à Ehden, les deux principaux bastions de la famille Frangié, dans le nord du pays. Les services américains ont arrêté cet homme pour trafic de drogue juste au moment où ils découvraient le rôle de Joseph Abizeid dans la filière libanaise. Ils en ont profité pour le retourner, comme on dit dans la police, et le faire parler de ses voyages au Liban et de Joseph Abizeid. En contrepartie, il a eu droit à une immunité complète et a été placé dans le programme de protection des témoins. On comprendra donc qu'il m'est impossible de donner le moindre renseignement, la moindre description permettant de le reconnaître. Je ne peux parler de lui que comme « Mister X ».

Mister X

Nous roulons dans Houston. Un agent américain de la DEA est venu me chercher à l'hôtel. Il m'emmène rencontrer Mister X. Une seule idée occupe mon esprit : je vais enfin en savoir un peu plus sur Joseph Abizeid. La voiture s'immobilise devant un immeuble à l'écart du centre-ville, un bâtiment de quelques étages, isolé et anonyme. Dans le hall d'entrée, derrière son comptoir, un gardien jette un œil rapide sur l'insigne de mon collègue américain que, de toute évidence, il connaît parfaitement. Il scrute un peu plus longuement ma carte de la GRC et me fait signer un registre. Puis nous nous dirigeons vers l'ascenseur. Deux étages plus haut et quelques mètres de couloir plus loin, nous nous arrêtons devant une porte. Quand nous entrons, deux hommes nous attendent, assis dans un petit salon ; ils se lèvent. Le premier à nous tendre la main est un membre du United States Marshals Service, chargé entre autres de veiller sur les personnes placées dans le programme de protection des témoins. Je me présente en lui serrant la main.

— Mark Bourque de la GRC.

— Heureux de vous rencontrer.

— De même pour moi[4].

Puis le marshal se tourne vers l'autre homme pour simplement me le présenter en souriant :

— Monsieur Bourque, voici monsieur… X[5].

Mister X me tend la main en souriant également. Sourire complice que je lui rends de bon cœur. Nous savons tous que je n'aurai aucun autre renseignement sur son identité. Avant de commencer la conversation, je me sers une tasse de café préparé à l'avance dans un grand thermos trônant sur une table collée le long du mur, un lait, deux sucres. Nous nous asseyons ensuite dans les fauteuils en cuir placés autour de la table basse. Mister X et moi l'un en face de l'autre. Le marshal est assis à côté de lui, et l'agent de la DEA à côté de moi. Je repenserai souvent à cette scène et à son atmosphère à la fois détendue, secrète et aseptisée.

L'agent de la DEA s'adresse à Mister X :

— Comme je te l'ai dit, Mark voulait te rencontrer pour que tu lui parles de Joseph Abizeid et de tes voyages au Liban[6].

La conversation à sens unique va durer près d'une heure. Mister X raconte comment Joseph Abizeid lui a expliqué la façon dont il s'y prend pour faire passer en Amérique d'énormes chargements de hachich. En général dans des cargaisons de meubles ou de tapis. Abizeid lui a aussi confié n'avoir aucun problème pour approvisionner le marché.

Il lui a même raconté comment il a été obligé de faire jeter à la mer, en pleine nuit, 4 tonnes de cannabis parce que le radar du navire transportant la drogue avait repéré un bateau garde-côte fonçant vers eux à toute vitesse. Finalement, le bateau en question n'était pas un garde-côte. Mister X a alors demandé à Joseph Abizeid ce qu'il avait dit au client. Abizeid lui a répondu : « Tu ne crois tout de même pas qu'on est à 4 tonnes près. Il y a bien eu un peu de retard dans la livraison, mais nous avons scrupuleusement respecté le contrat. »

Dans son témoignage, Mister X me décrit les plantations de chanvre et les lieux de fabrication du hachich qu'il a visités. Il a pénétré dans plusieurs entrepôts. Du plancher au plafond, ceux-ci étaient remplis de sacs de cannabis. Il y en avait des tonnes. Mister X a aussi vu les installations de transformation du cannabis en hachich. Tout ou presque était artisanal, mais ça fonctionnait jour et nuit avec un très bon rendement.

Durant ses séjours au Liban, Mister X a pu vérifier cette règle universelle : où il y a de l'argent d'origine douteuse, il y a corruption, et plus il y a d'argent, plus la corruption est étendue. Joseph Abizeid en était parfaitement conscient ; il avait même dit à Mister X : « On peut mesurer le degré de corruption dans une région au nombre de Mercedes neuves qui y circulent. »

Finalement, Mister X me confie en riant que, comme les énormes sommes d'argent tirées du commerce de la drogue permettent d'acheter des armes, les consommateurs américains et canadiens du célèbre *Lebanese gold* entretiennent, sans s'en douter, une guerre civile qui déchire le Liban et fait des milliers de morts. Il me raconte ça en 1981. Le massacre va encore durer presque une dizaine d'années. Le temps de fumer quelques joints. Pour ma part, je commence à comprendre un peu mieux ce qui se passe au Liban.

Une autre surprise m'attend durant ma rencontre avec Mister X. Il raconte qu'à Houston, Joseph Abizeid fait affaire avec un bandit américain, Samuel Anthony Cammarata, mieux connu comme Sam Cammarata. Celui-ci joue un rôle capital dans toute cette histoire ; et il ne s'agit pas d'un deux de pique, c'est le parrain de la Mafia de Houston.

Sam Cammarata

Mon enquête et les écoutes téléphoniques de la GRC vont confirmer les dires de Mister X : à Houston, Abizeid fait bien affaire avec Sam Cammarata. L'homme est né le 29 octobre 1929 à Cambridge, près de Boston dans le Massachusetts. Avant de venir s'installer à Houston, il a touché un peu à tous les métiers. Dans les années 1950, il a été le manager de Rocky Marciano, l'un des plus grands champions poids lourds américains. Avec 43 knock-out, Rocky Marciano a gardé son titre de champion du monde pendant 4 ans, de 1952 à 1956. Il est toujours, jusqu'à aujourd'hui, l'unique champion du monde de cette catégorie à avoir accompli toute sa carrière sans aucune défaite. Il est, avec Cassius Clay alias Mohamed Ali et Joe Louis, l'un des plus prestigieux boxeurs américains de tous les temps.

C'est dire que lorsque Cammarata s'est fixé à Houston dans les années 1960, il était auréolé de la gloire de son ancien poulain. À son arrivée au Texas, il a rapidement noué des liens étroits avec des criminels importants de l'endroit, puis a pris la tête de la Mafia de Houston, dont il est devenu le parrain. Cammarata mène ses activités criminelles sans entrave. Il contrôle la distribution de narcotiques en utilisant comme couverture son bar-boîte de nuit le High Rollers' Club, situé au 2907 de la route Vollmer à Houston. Prudent, Cammarata a mis le club au nom de Hogan J. Stripling, l'un de ses associés. Une fois installé, l'empire de Cammarata n'a cessé de grandir. Le FBI, mais aussi les agents de l'US Postal et de l'US Customs[7] de Houston ont apporté de multiples preuves que le parrain de la ville est lié à des membres importants, voire célèbres, de la Mafia et du crime organisé américain, comme le très puissant parrain de La Nouvelle-Orléans, Carlos Marcello, avec lequel il est associé dans des trafics de drogue ou des paris pour les courses de chevaux. La toile de ses relations et de ses associations s'étend sur tous les États-Unis. Il travaille avec des membres du crime organisé et des mafias du New Jersey ou de Seattle dans l'État de Washington. Il fait affaire avec la famille de Frank Ammirato de Floride et avec Anthony Joseph Anastasia, célèbre tueur de la famille Gambino de New York. Deux fils d'Anastasia ont établi une ligne de commerce maritime à Galveston, le port de Houston, et travaillent avec Cammarata.

Au moment où je prends connaissance du dossier Cammarata, le FBI détient des informations encore secrètes sur les activités du chef de bande Michael Travis d'Atlanta, avec lequel travaille également

Cammarata et dont les activités mêlent prostitution, pornographie et trafic de drogue. Les services américains ont établi une longue liste d'entreprises, de magasins et de clubs appartenant à Cammarata, mais inscrits sous des noms d'emprunt. Sophia, la femme de Cammarata, dirige deux de ces commerces, une boutique de mode, Fantasy Fashion, et une entreprise de traiteur, de livraison de repas et d'organisation de noces et de banquets.

Trafic de drogue – coke, hachich, méthamphétamine –, vol, racket, mais aussi assassinats. Cammarata fait supprimer les personnes qu'il soupçonne à tort ou à raison de le flouer ou de le trahir. Le 18 février 1981, il fait assassiner un concurrent, Jorge Manuel Diaz Barrera; un mois plus tard, le 17 mars, deux de ses propres hommes, Stuart Kevin Carter et Enrique Escamilla; et enfin, le 13 septembre, l'un de ses plus proches collaborateurs, Lou Sinople. Il a fait faire le travail par Jimmy Dean Hopper, le gérant de son High Rollers' Club. Plus tard, le dévoilement des circonstances de ce dernier assassinat pèsera lourd dans le destin de Sam Cammarata.

À l'époque, le policier texan qui dirige l'enquête et surveille Cammarata est l'inspecteur Lee Pagel. Au cours de ma longue enquête, je vais plusieurs fois à Houston et à Austin, où je fais la connaissance de Pagel. Nous devenons des amis très proches. Lee a mis le High Rollers' Club sous surveillance permanente. Les téléphones du mafioso sont sur écoute, mais la police n'a pas été capable de placer des micros dans l'établissement. La paranoïa de Cammarata amplifiant sa prudence, impossible de pénétrer dans la bâtisse sans qu'il en soit averti. Pour surveiller le club, la police a loué une maison juste en face. Les enquêteurs y surveillent jour et nuit les visiteurs du bar et prennent des photos de tous ceux et celles qui le fréquentent. Mais la police du Texas n'arrive pas à prendre Cammarata en flagrant délit. Il faudra les témoignages de complices arrêtés pour le faire tomber. Le parrain de Houston déjoue Lee Pagel durant des années. Celui-ci aura besoin de beaucoup de temps pour accumuler les preuves contre le chef mafieux, arrêter des complices, les convaincre de parler et finalement mettre Cammarata hors d'état de nuire.

Mon ami Lee a élégamment reconnu que l'enquête de la GRC menée à Montréal a fortement contribué à la condamnation à la prison à vie de Sam Cammarata par la justice du Texas. L'enquête Cammarata est encore à ce jour la plus longue, la plus complexe et la plus dispendieuse jamais menée par la police de cet État.

Lee Pagel m'a expliqué la principale raison pour laquelle l'enquête a été plus longue que prévu. Il a mis lui-même un certain temps à comprendre pourquoi Cammarata paraissait intouchable, comme protégé. La police du Texas a longtemps ignoré qu'en dehors de son trafic, Sam Cammarata agissait comme informateur pour deux organismes fédéraux, la DEA et le FBI, qui, en échange de ses précieux renseignements, le protégeaient. Sa collaboration leur était indispensable. Cammarata était en relation avec des pays cibles pour la politique étrangère américaine, notamment le Liban. Cammarata informait le FBI et la CIA sur tout ce qu'il apprenait de plus ou moins secret sur ces pays et, en contrepartie, les policiers fédéraux faisaient en sorte qu'on le laisse le plus tranquille possible.

Mais revenons à notre enquête de la GRC. À Montréal, Johnny Skoulikas attend avec impatience le chargement de drogue, mais la guerre civile ralentit sérieusement la livraison. Il doit expliquer à ses commanditaires montréalais que ce conflit rend plus difficiles l'organisation et l'expédition de rien de moins que 7 tonnes de drogue. Ça aurait déjà posé d'importants problèmes de logistique et d'intendance en temps de paix, alors, en situation de guerre civile, c'est encore bien plus compliqué. Des actions armées, une tension de quelques semaines peuvent bloquer le départ de la cargaison. Le chargement peut être piraté par une faction libanaise ennemie, ou encore détruit dans une action de guerre ou de guérilla, voire par une attaque ciblée israélienne. Tous ces éléments à prendre en compte compliquent et retardent les opérations beaucoup plus que prévu.

Le temps passe, mais pas pour la drogue, l'argent et les armes

Les 7 tonnes de drogue vont mettre 10 mois avant de pouvoir enfin sortir du Liban. Afin de calmer l'impatience de ses clients, au cours de cette longue attente, Joseph Abizeid vient cinq fois à Montréal. Il en profite pour faire son marché.

L'argent de la drogue sert avant tout à acheter des armes, et l'un des plus grands exportateurs d'armes de la planète est le voisin du Canada. Au mois de juin 1980, nous sommes mis au courant par les Américains d'une très importante commande d'armes reliée à notre enquête. Dans les années 1980, une étude de la GRC estime que 90 % du hachich introduit au Canada arrive par bateau. Très souvent, les mêmes cargos qui apportent la drogue repartent vers le Liban chargés d'armes et de munitions. Le contrôle effectif du port est impossible. Trop de trafic, trop de conteneurs, trop de complicité.

En arrivant ce matin-là, je trouve sur mon bureau un document du FBI transmis à la GRC. Les services américains ont découvert qu'un trafiquant de drogue cherche à faire aboutir à Montréal un échange de drogue contre des armes fabriquées aux États-Unis. Un important entrepôt d'armes de Boston vient d'être dévalisé et tout indique qu'armes et munitions sont passées en douce au Canada et se trouvent dans la région de Montréal.

Le FBI joint au message la liste des armes commandées. Il y a plus de 3000 fusils de guerre, en majorité des M16, les fusils d'assaut de l'armée américaine. On y trouve également des fusils à pompe calibre .12. Est jointe à la commande la liste de plusieurs millions de cartouches pour ces armes. Il y a aussi des grenades et des explosifs de toutes sortes dont la plus grande partie est composée du redoutable plastic C4.

Je ne suis pas directement responsable de cette enquête, mais, en tant qu'adjoint à la Brigade des stupéfiants de Montréal, je la suis avec d'autant plus d'attention qu'une conversation téléphonique à mots couverts, enregistrée entre Abizeid à Montréal et un certain Habib au Liban vient de nous révéler le nom du client pour ces armes ; il s'agit tout simplement de Joseph Abizeid. Mais le temps nous manque pour que l'enquête puisse aboutir et pour que l'on puisse saisir les armes. Le message du FBI date déjà de plusieurs jours quand il arrive à la GRC. Si l'on ajoute à cela le temps nécessaire pour retrouver l'enregistrement de la conversation entre Abizeid et Habib, il est impossible d'exploiter le renseignement sur-le-champ. Le bateau avec la cargaison – et d'abord, allez savoir quel bateau ! – est déjà très loin de Montréal.

L'une des particularités de la guerre civile du Liban est qu'elle se déroule en grande partie dans les villes, spécialement à Beyrouth. Les fusils les plus utilisés par les groupes armés sont les AK 47, les célèbres kalachnikovs soviétiques. Mais, pour les combats de rue, ces fusils d'assaut ne sont pas forcément les plus performants. Joseph Abizeid est à la recherche d'un fusil mieux adapté à la guérilla urbaine.

C'est alors qu'à Houston, le parrain de la Mafia, Sam Cammarata, lui parle d'un fusil d'un tout nouveau genre beaucoup mieux adapté à ce type de combat : l'Atchisson Assault 12. Un fusil de chasse de calibre .12 capable, avec un chargeur circulaire de 23 cartouches, de tirer en rafales des munitions très meurtrières bourrées de chevrotines.

Une arme super efficace dans les combats de rue parce qu'elle arrose littéralement l'endroit visé et peut tuer ou blesser gravement plus d'un ennemi à la fois. Autre particularité par rapport aux armes de guerre classiques, le AA-12 n'a pas d'effet de recul comme les fusils d'assaut et il ne se déporte pas non plus sur le côté quand il est utilisé en rafales. C'est une arme d'une efficacité impressionnante. Les terribles blessures occasionnées par les chevrotines ont d'ailleurs fait interdire leur usage par la Convention de La Haye dès la fin du XIXe siècle. Ce qui n'a jamais empêché leur utilisation dans les guerres les plus sanglantes qui soient, les guerres civiles. En général, dans ce type de guerre, on se préoccupe peu des conventions internationales.

La proposition de Cammarata séduit Joseph Abizeid. Mais, n'étant pas spécialiste en armes, celui-ci envoie un message au Liban pour demander que Habib[8], un haut responsable de la milice armée de la famille Frangié, vienne à Houston afin de vérifier par lui-même. C'est Cammarata qui paye tous les frais du voyage.

Lee Pagel est averti de la venue du Libanais grâce aux conversations de Cammarata que la police du Texas enregistre. Habib est repéré dès son arrivée à Houston. Pagel le prend en filature et le suit jusqu'à la ville voisine de Pasadena, au centre de tir du Cooper's Firing Range. Là, il peut observer le Libanais faire des essais avec le fusil AA-12. Pagel est impressionné par les dégâts occasionnés sur les cibles par les chevrotines. À moins de 15 mètres, d'épais panneaux de bois sont déchiquetés, littéralement pulvérisés. Comme Joseph Abizeid me le confiera plus tard, Habib, vivement impressionné par les possibilités de ce fusil, décide d'en faire l'acquisition et même d'en préfinancer le développement et la fabrication. Mais il ne pourra jamais mettre ce projet à exécution. Cependant, les liens d'affaires entre Habib et Cammarata se resserrent sérieusement à cette occasion. Les écoutes téléphoniques américaines révèlent que Cammarata envoie Habib à Sydney, en Australie, afin de régler un achat important de drogue. Pour le chef mafieux, c'est une immense marque de confiance. Surtout qu'il le fait à ses frais.

Pendant ce temps, à Montréal, les trafiquants mais aussi la police attendent impatiemment la livraison de la drogue. Nous continuons à écouter et à suivre Johnny Skoulikas, Psaroudis et leurs complices montréalais. Les agents de filature notent en souriant un comportement bizarre de Skoulikas. Celui-ci est d'une prudence frisant la paranoïa. Lorsqu'il rentre chez sa blonde en taxi, à Côte-Saint-Luc, il se fait déposer assez loin de sa maison et il continue à pied par toutes sortes de chemins, parcourant chaque fois au moins 300 ou 400 mètres. Quand les agents de filature voient ça, ils vont directement prendre leur planque pas trop loin de la maison et ils le regardent arriver.

Pour ma part, je profite de l'accalmie liée à l'attente de la drogue pour continuer à éplucher les archives de la GRC. Je découvre ainsi qu'en 1973, cette même filière libanaise était déjà en action. Et que la livraison de 1 tonne de hachich à Montréal avait donné lieu à une suite d'événements tragiques.

CHAPITRE 3

Montréal, la filière libanaise en 1973

L a journée commence mal. À 5 ou 6 kilomètres du pont Champlain, je m'arrête brusquement ; la circulation est bloquée. Toutes les voitures sont arrêtées. On fait du surplace et ça dure. Je change de poste de radio pour avoir des nouvelles. Rien, le Québec, le Canada, le monde tournent sans s'occuper du pont Champlain. Ça prend près d'un quart d'heure avant que les voitures recommencent à bouger. Et encore, c'est au rythme chenille. On avance, on roule de plus en plus vite. Puis on freine sec jusqu'à l'arrêt. On attend et on repart et on freine, on s'arrête et on repart. Un bon kilomètre avant la montée du pont, il n'y a plus que la seule voie de droite vers Montréal. Ce n'est plus la chenille, c'est l'escargot. On roule à 5 kilomètres à l'heure. J'aperçois enfin la cause de ce gigantesque embouteillage. Un camion est arrêté dans la voie de gauche. En approchant, je me rends compte qu'il a perdu une partie de sa cargaison, des cartons de vêtements dont certains se sont éventrés. Des hommes protégés par des policiers finissent de dégager la chaussée. Naturellement, pour arranger les choses, les voitures ralentissent afin que chauffeurs et passagers puissent observer la scène. Il y aura au moins une histoire à raconter au travail et ce soir en rentrant à la maison.

J'arrive avec trois quarts d'heure de retard. Je vais passer une bonne partie de la matinée à la salle des archives. Je tiens à vérifier une information que m'a donnée mon collègue le caporal Raymond Boisvert. Il m'a parlé d'une affaire dont il s'était occupé sept ans auparavant, en 1973. Une affaire de drogue en provenance du Liban. Il s'agissait de la saisie de 1 tonne de hachich entrée à Montréal en un seul chargement, un record pour l'époque. À la GRC, tout le monde se souvient de cette affaire parce que la saisie de la cargaison a provoqué le massacre de deux personnes innocentes et, en retour, une terrible vengeance meurtrière.

Ces sanglants événements ont fait la une des journaux pendant des semaines. Raymond était l'un des policiers chargés de cette enquête. Selon les renseignements recueillis à l'époque, la cargaison était partie du Liban et la filière était alors dirigée dans ce pays par un certain Antoine Abizeid. C'est donc bien la même filière libanaise qui nous occupe maintenant.

Toutefois, oh, surprise ! La tonne de hachich était arrivée par avion, à Dorval, alors qu'en général, une quantité semblable aurait dû voyager par bateau. Les dizaines de milliers de conteneurs débarqués chaque année dans le port de Montréal rendent quasiment impossible un contrôle efficace si l'on n'a pas de renseignements précis pour trouver la drogue. Sinon il faudrait ouvrir tous les conteneurs et, ça, ce n'est même pas envisageable. Pour être certain de tomber sur la drogue, il est toujours nécessaire de connaître le nom du bateau et le numéro du conteneur. C'est pourquoi il est étonnant que cette cargaison de 1 tonne ait pu être transportée par avion. Le risque de se faire repérer était plus important.

Quoi qu'il en soit, dans le cas présent, la GRC disposait de toutes les informations nécessaires pour repérer la cargaison. En effet, pas de chance pour les trafiquants, depuis le début de ce projet, grâce aux écoutes téléphoniques à Montréal et grâce aussi aux renseignements recueillis au Liban, la GRC avait enregistré toutes les phases de l'opération. Raymond Boisvert faisait partie de l'équipe de la GRC chargée de suivre les trafiquants, de les arrêter et de saisir la tonne de drogue à l'arrivée de l'avion à Montréal. L'appareil qui apportait la drogue a atterri. À Dorval, dans la zone de fret, les policiers ont repéré trois hommes effectuant le transfert de la cargaison dans un camion. Des directives avaient été données à la douane pour alléger le contrôle. Une fois le camion sorti de l'aéroport, les policiers n'avaient plus qu'à le suivre discrètement. Ils ont ainsi été conduits jusqu'à la rue Lepailleur, une rue typique et peu connue de l'est de Montréal. Le camion a pénétré dans un petit entrepôt. Dans l'esprit des policiers, il restait tout de même un petit doute : la drogue se trouvait-elle bien dans le chargement ? Une fois la porte refermée, ils se sont approchés discrètement et Raymond Boisvert a alors entendu l'un des hommes s'extasier joyeusement à haute voix : « On a du bon stock. » Plus de doute, les gendarmes ont fait irruption dans l'entrepôt et arrêté les trois hommes un rien stupéfaits. Fataliste, l'homme qui venait de s'extasier et de constater la qualité du stock s'apitoyait maintenant sur son sort et celui de ses deux complices : « On est faites, on est faites. » Les trois hommes en effet bien *faites* se nommaient Édouard « Eddy » Chiquette, Robert DeCourcy et Jacques Picard. Ils étaient bien évidemment des seconds couteaux, des petits truands. Ils étaient au service du commanditaire du chargement, un certain Donald Côté.

Donald Côté était un homme à double face. Fiché par la police comme un intermédiaire de la pègre canadienne-française auprès d'autres organisations criminelles, il était, dans la journée, le respectable propriétaire d'une petite bijouterie de la rue Bélanger à Montréal. Mais, le soir venu, il était en contact avec des hommes très loin d'être respectables. La bijouterie servait à Côté de quartier général et les truands y allaient de jour comme de soir. Le bijoutier faisait des affaires avec l'incontournable Frank Cotroni, le frère de Vic, le parrain de la Mafia de Montréal. Il était également en contact avec des membres importants du puissant gang de l'Ouest. Ce gang, issu de la communauté irlandaise[1], contrôlait une partie importante du trafic du port. On lui a attribué des importations de cocaïne évaluées à plusieurs millions de dollars. En dépit des nombreux soupçons et des ouï-dire sur les trafics de Donald Côté, la police ne détenait aucune preuve pour le poursuivre.

Les archives portant sur cette intervention me révèlent que Donald Côté était à l'époque en relation d'affaires au Liban avec Antoine Abizeid. Celui-ci l'avait même invité à Zghorta, une ville importante de la zone chrétienne maronite du nord Liban et, comme nous l'avons vu plus haut, l'un des bastions de la famille Frangié. Et ce n'était pas le bijoutier qu'Antoine Abizeid avait invité.

L'antenne des services secrets canadiens au Liban avait eu connaissance que Donald Côté était venu au Liban afin d'être rassuré sur ses approvisionnements en drogue et particulièrement en hachich. Dans un rapport de la GRC que j'ai sous les yeux, il est noté que Côté se faisait beaucoup d'amis au Liban grâce aux généreux pourboires qu'il distribuait partout où il passait. Un exemple précis parle d'un chic restaurant de Zghorta, très à la mode et établi au bord d'une rivière. Le bijoutier y a été remarqué plusieurs fois. Selon les informations recueillies par les services secrets canadiens, les serveurs du restaurant traitaient Donald Côté avec beaucoup de respect et d'attention.

Les archives révèlent également qu'en 1973, pour acheter la tonne de cannabis qui allait être saisie à son arrivée à Montréal, Donald Côté avait réuni 300 000 dollars[2]. Pour rassembler cette somme, il avait fait appel à plusieurs gros bonnets du crime organisé. Il y avait de l'argent de la Mafia et de membres du gang de l'Ouest. L'opération en valait vraiment la peine. La revente devait rapporter 8 millions de dollars[3], plus de 27 fois la mise.

Il va sans dire qu'après la saisie, dans l'est de Montréal, les commanditaires n'étaient guère heureux que les trois hommes chargés de sortir la drogue de Dorval se soient fait prendre par la GRC. Autre élément propre à attiser le ressentiment de Côté, le juge avait fixé la caution pour chacun des trois accusés à 50 000 dollars[4]. Eddy Chiquette, Robert DeCourcy et Jacques Picard ont attendu trois semaines avant que ne soient versées leurs cautions. Pour eux, ces 21 jours en prison ont été de trop. Ils étaient bien décidés à se venger.

Massacre et vengeance à Montréal

Dimanche 11 novembre 1973, 1 h du matin. Il fait beau, le ciel est clair, mais le temps est sec et l'air, frais ; il fait moins cinq. Eddy Chiquette, Robert DeCourcy et Jacques Picard sont sur la route de Sainte-Anne-des-Plaines, située à une cinquantaine de kilomètres au nord-ouest de Montréal. Direction la résidence secondaire de Donald Côté. Quand ils arrivent, il est 2 h. Ils ont bu, beaucoup bu, ils sont ivres et fous de rage. Ils ont apporté avec eux un fusil de chasse. Dans la maison, tout est calme et endormi. Au rez-de-chaussée, Donald Côté dort dans la chambre principale avec sa femme et son fils de cinq ans. Marcel Lévesque, associé et ami de Donald Côté, est installé sur un divan dans le salon qui jouxte le hall d'entrée. Lui aussi dort profondément. Les trois hommes défoncent la porte et font irruption dans la maison. Marcel Lévesque n'a pas le temps de réaliser ce qui se passe : il est tué net d'une décharge de chevrotines. Les trois intrus se dirigent ensuite vers la chambre principale. Donald Côté a été réveillé par le coup de feu. Il a juste le temps de se cacher sous le lit que les trois lascars entrent dans la pièce. La femme de Donald Côté et son plus jeune fils de cinq ans n'ont pas le temps de réagir. Ils sont abattus, déchiquetés par des tirs de chevrotines. N'ayant pas vu Côté, les trois hommes quittent la maison et repartent pour Montréal. Ce qu'ils ignorent, c'est que Donald Côté, lui, les a entendus et sait qui ils sont.

À l'occasion des obsèques de sa femme et de son fils, Donald Côté fait passer une information dans le milieu. C'est clair, les hommes qui ne viendront pas au salon mortuaire rendre hommage aux défunts seront considérés comme suspects. Voulant écarter tout soupçon, Eddy Chiquette et Robert DeCourcy se présentent au salon funéraire. Lucidité ou instinct de survie, Jacques Picard a refusé de les accompagner. C'est plutôt une bonne idée parce que Donald Côté a préparé sa vengeance. Il a fait venir des États-Unis le parrain de son fils assassiné, Rinaldo « Ray » Reino. Mais ce dernier n'est pas seulement le parrain du fils de Côté, il est aussi un important membre de la Mafia du New Jersey. Ray Reino n'est pas venu seul. Il est accompagné de son fils Ray junior et d'un tueur de son gang, Jose Rodriguez.

Arrêté plus tard par la police américaine et contre promesse d'une réduction de peine, Jose Rodriguez acceptera de raconter devant une commission rogatoire comment Eddy Chiquette et Robert DeCourcy ont été liquidés. Alors qu'ils sont dans le salon d'exposition, on demande à Chiquette et à DeCourcy de descendre au sous-sol du complexe funéraire sous un faux prétexte. Les tueurs américains les forcent alors à monter dans une grosse voiture pour les conduire rue Bélanger, à la bijouterie de Donald Côté. La confession de Rodriguez continue. Il raconte que Chiquette a été abattu sur-le-champ d'une balle dans la tête. Par contre, la fin a été beaucoup plus effroyable pour DeCourcy. Donald Côté qui a vu sa femme et son fils assassinés sait que DeCourcy est l'instigateur de la tuerie de Saint-Anne-des-Plaines. DeCourcy est longuement, lentement torturé avant d'être achevé d'une balle dans la tête. Les corps calcinés des deux hommes seront retrouvés quelques heures plus tard dans le coffre arrière d'une voiture abandonnée dans le stationnement du Castel Tina, un cabaret de Saint-Léonard appartenant à un influent mafioso montréalais.

Deux ans plus tard, à la suite de la confession de Rodriguez, Donald Côté sera arrêté, emprisonné et accusé du meurtre de Chiquette et de DeCourcy. Après 13 semaines de procès, il sera acquitté aux applaudissements de la salle. Dans l'esprit des jurés, l'assassinat de la femme de Côté et surtout celui du bambin ont pesé plus lourd que le sort réservé aux meurtriers.

Le troisième homme, Jacques Picard, a fui aux États-Unis, où il est arrêté après avoir participé à un hold-up. Il est condamné à 10 ans de prison. C'est un répit ; là, il est à l'abri de toute vengeance. Hasard qu'il croit alors providentiel, il est incarcéré avec Frank Cotroni[5], emprisonné pour trafic de drogue[6]. Il lui explique qu'il a été entraîné dans la tuerie par DeCourcy et qu'il n'a tué personne. Frank Cotroni le rassure et lui dit qu'il connaît très bien Donald Côté. Il promet qu'il va intervenir en sa faveur et lui éviter la fin terrible réservée à ses deux complices.

En 1980, Jacques Picard est libéré par les Américains et expulsé vers le Canada, où il est toujours accusé dans l'affaire d'importation de la tonne de hachich en 1973. Dès son arrivée à Dorval, il est arrêté et déféré devant un juge. Il plaide coupable. En attendant la sentence, son avocat demande sa libération sous caution. Connaissant le sort tragique réservé à Chiquette et à DeCourcy, le juge propose à Picard de le garder en prison pour sa propre sécurité. Picard refuse. Il ne risque plus rien, explique-t-il, parce que quelqu'un de haut placé a parlé à Donald Côté. Le juge insiste. Picard refuse encore. Il n'a plus rien à craindre, puisque c'est Frank Cotroni lui-même, rentré de prison des États-Unis un an plus tôt, qui est intervenu en sa faveur.

Une chose est certaine, ou Cotroni n'a rien fait, ou alors son intervention n'a eu aucun effet. Le 23 décembre 1980, Picard est abattu devant chez lui, à Le Gardeur, alors qu'il revient de magasiner pour Noël en compagnie d'un de ses neveux. Contrairement à ses deux complices, il a simplement bénéficié d'un sursis de sept ans. Le tueur ne sera jamais arrêté.

Donald Côté a longtemps cherché où pouvait bien habiter Picard. Bernard Provençal, un gros bonnet de la drogue devenu délateur, révélera plus tard à la police que l'adresse a été fournie au bijoutier par un célèbre avocat, maître Sidney Leithman. Défenseur de personnalités importantes du crime organisé, dont Frank Cotroni, Leithman jouera un rôle important plus tard dans notre histoire[7].

Hasard ou coïncidence, Frank Cotroni est alors en prison à Laval pour son implication dans l'assassinat d'un membre de son gang qu'il soupçonne d'être un informateur de police.

Pour les amateurs de morale et d'histoire, il est à relever que Donald Côté sera tout de même condamné à huit ans de prison. Ce ne sera ni pour des meurtres ni pour du trafic de drogue, mais, lointaine référence à Al Capone qui était tombé pour fraude fiscale, Côté sera arrêté en 1978, pour... un vol d'obligations du Canada de 975 000 dollars[8].

CHAPITRE 4

Les Syriens au Liban

Nous sommes au mois de juin 1980 et toujours pas de chargement de drogue en vue. Quelque chose doit coincer au Liban. La situation politique s'est sérieusement dégradée et, comme si cela était encore possible, elle est devenue encore un tout petit peu plus compliquée.

Les Syriens venus mettre au pas les Palestiniens ne font plus l'unanimité chez les chrétiens qui ont fait appel à eux. En 1978, la puissante famille dirigée par Pierre Gemayel est devenue farouchement anti-syrienne, et s'est rapprochée d'Israël. Ce n'est pas du tout le cas de la famille de Soleimane Frangié. Elle vit sous la protection directe des Syriens dans son bastion du Liban Nord, spécialement dans les villes de Zghorta et de Ehden. Pour couronner le tout, Soleimane Frangié est un ami personnel du président syrien Hafez el-Assad. La guerre sanglante qui oppose les deux familles chrétiennes ennemies s'est intensifiée. Et elle va devenir encore plus sanglante. Les deux familles possèdent de puissantes milices armées : d'un côté, la brigade Marada pour la famille Frangié et, de l'autre, les Kataëb, ou Phalanges libanaises, pour la famille Gemayel.

Le 13 juin 1978, une unité des Kataëb attaque la petite ville d'Ehden. C'est là que se trouve le palais où réside Antoine « Tony » Frangié, le fils aîné de Soleimane. Tony Frangié est le dauphin de la famille et un futur sérieux candidat aux élections présidentielles de 1982. Durant l'assaut des Kataëb, plusieurs habitants d'Ehden sont tués. Le groupe armé pénètre en force dans la cour de la résidence de Tony Frangié. Dans l'attaque, une trentaine de gardes du corps et de collaborateurs présents sont abattus. Les Kataëb entrent dans la demeure et assassinent non seulement Tony Frangié, mais également son épouse Vera et leur petite fille Jihane, âgée d'à peine trois ans.

La vengeance des Frangié sera terrible. Dans les semaines qui suivent cette tuerie, plus de 200 membres du clan Gemayel sont éliminés par les troupes de la famille Frangié. La cassure est maintenant définitive. Les Gemayel sont désormais le bras armé d'Israël au Liban et les Frangié celui de la Syrie. Ce dernier point m'a été personnellement confirmé par Mister X.

Au cours de ses séjours au Liban, Mister X a voyagé en voiture avec Joseph Abizeid. Il m'a raconté qu'ils allaient et venaient entre la Syrie et le Liban sans aucune contrainte. De Damas à Zghorta, ils traversaient une bonne vingtaine de barrages syriens. À chaque poste de contrôle, quand les soldats voyaient Joseph Abizeid, ils le saluaient de la main et laissaient passer la voiture sans le moindre contrôle.

Avec ses attentats aveugles, la guerre civile est sans aucun doute la plus horrible, la plus cruelle, la plus implacable, la plus inhumaine des formes de conflits, et spécialement au Liban. La vengeance y applique sans pitié aucune, de façon insensée, le précepte biblique du œil pour œil, dent pour dent. Le 23 février 1980, la voiture de Béchir Gemayel, fils cadet de Pierre Gemayel et chef de la milice des Kataëb, les Phalanges libanaises, roule dans Beyrouth. Une bombe de très forte puissance cachée dans un véhicule garé au bord du trottoir est mise à feu au passage de sa voiture. L'attentat échoue parce que Béchir Gemayel n'est pas dans l'auto, mais sa fille Maya de 18 mois est tuée sur le coup avec les 2 gardes du corps qui l'accompagnent. Six passants sont également tués et une vingtaine d'autres, blessés plus ou moins grièvement. Dix voitures sont détruites par l'explosion.

Étrange coïncidence, Maya, la fille de Béchir Gemayel, est née le 13 juin 1978, le jour même de l'assassinat de Jihane, la fille de trois ans de Tony Frangié, par les troupes commandées par Béchir Gémayel. Quoi que puissent en penser les décideurs et les auteurs de l'attentat, cela ne donne aucune légitimité à l'assassinat de Jihane Frangié.

Quelques mois plus tard, en juillet 1980, les commanditaires montréalais de la cargaison de drogue commencent vraiment à s'impatienter. Johnny Skoulikas prévient Joseph Abizeid de l'inconfort grandissant provoqué par la situation. Pour le faire patienter, Abizeid l'invite, avec sa blonde, à Paris pour quelques jours de détente. Mis au courant grâce aux écoutes électroniques, je vais les suivre en France, accompagné d'un collègue de la GRC.

Voyage à Paris

Johnny Skoulikas et sa copine sont descendus au grand hôtel Concorde-Lafayette, à la porte Maillot, où Joseph Abizeid est déjà inscrit. Mon collègue et moi y louons des chambres également. La GRC a demandé officiellement l'aide de la police française. Elle a été immédiatement accordée. Des micros ont été installés dans la chambre du couple, et le téléphone a été placé sur écoute. Des policiers français suivent Skoulikas et sa compagne, et les surveillent toute la journée. Le couple est à Paris pour s'amuser, et l'enquête va se poursuivre sans une seule révélation. Aucune rencontre, aucun message, aucune conversation, rien sur la filière de drogue.

En ce qui concerne mon collègue de la GRC et moi-même, nous ne profitons que du confort de l'hôtel. Impossible ou presque de sortir. Nous devons rester constamment disponibles au cas où les policiers français auraient besoin de nous. Bref, sans grand résultat, sans avoir fait progresser l'enquête, cette opération engendre tout de même des coûts de plus de 15 000 dollars[1], une somme tout de même appréciable à l'époque.

À mon retour à Montréal, je vais prendre une toute petite décision d'ordre administratif qui va passer à deux doigts de faire échouer toute l'enquête…

CHAPITRE 5

L'enquête est sérieusement menacée

Le voyage de Paris a au moins montré clairement que la blonde de Johnny Skoulikas n'est en rien sa complice dans l'affaire en cours. En rentrant à Montréal, je décide de la retirer de la liste des personnes à écouter dans le but d'alléger les coûts. En effet, les écoutes mobilisent des techniciens, des interprètes, des secrétaires, des moyens techniques; elles coûtent très cher.

Malheureusement, une succession de petits oublis et de tracasseries administratives vont mettre en jeu l'avenir même de toute l'enquête. La police n'a pas le droit d'intercepter de son propre chef les conversations téléphoniques d'un citoyen. Les séries policières sont assez nombreuses à la télévision pour qu'à peu près tout le monde sache que l'on n'écoute pas le téléphone des gens comme ça, qu'il y a tout un protocole à respecter. Il faut obligatoirement un mandat signé par un juge. Toute conversation enregistrée sans un tel document est inutilisable comme preuve dans un procès.

En plus, en droit canadien, on n'écoute pas un appareil téléphonique; on écoute une personne en particulier. Si l'appareil est utilisé par plusieurs personnes, les policiers n'ont le droit d'écouter et d'enregistrer que la ou les personnes pour lesquelles ils ont reçu l'autorisation d'un juge. Or, la compagne de Johnny Skoulikas utilisait le même téléphone que lui, puisqu'il habitait chez elle. En conséquence, je donne l'ordre que l'on cesse d'écouter et d'enregistrer la jeune femme, et c'est là que je fais, bien malgré moi, une erreur qui pourrait avoir des conséquences désastreuses pour la suite de l'enquête.

Au Canada, s'il existe un protocole pour écouter des gens, il y en existe un autre tout aussi incontournable pour cesser de les écouter: il faut les avertir qu'ils ont été sur écoute. Cependant, me trouvant pour la première fois de ma carrière dans une telle situation, j'ai oublié cette disposition de la loi. On a en fait 90 jours, après la suspension de l'écoute, pour avertir la personne concernée. Si je n'avais pas oublié ce point du protocole, je ne demanderais certainement pas l'arrêt de l'écoute de la compagne de Skoulikas. Je craindrais trop qu'elle en parle à son chum et que toute l'enquête s'écroule. Je l'imagine rentrant chez elle et lui disant : « Tu sais, chéri, la police m'a avertie que mon téléphone avait été mis sous écoute. » Quand après la suspension de son écoute, le service juridique de la GRC me rappelle que j'ai 90 jours pour l'avertir, cette fois-ci en toute connaissance de cause, je choisis d'attendre. Il reste à peu près 70 jours. J'ai deux mois devant moi, et je me dis que l'enquête sera terminée d'ici là et que je n'ai pas à m'en soucier. J'ai tort.

Malheureusement, la guerre civile au Liban retarde encore le départ de la drogue. Les jours s'écoulent. Le date limite pour informer la compagne de Skoulikas est presque arrivée. Je commence à m'inquiéter sérieusement. C'est alors que le service juridique de la GRC m'apprend qu'il y a une porte de sortie. La loi prévoit qu'en cas de nécessité, on peut demander à un juge de prolonger les délais. Voilà la solution ! Tout content, je demande un rendez-vous à mon supérieur, le surintendant Kennedy, pour lui demander de faire prolonger le délai. Je lui explique la situation et surtout le risque pour l'enquête qu'il y a à avertir la jeune femme. La réponse me pétrifie littéralement. C'est non. Pas question de demander une prolongation à un juge.

— Mais…

— Y a pas de mais, avertissez-la et au plus tôt.

Même en profond désaccord avec mon supérieur, je suis tenu d'exécuter cet ordre. J'ai la rage au cœur. Je risque tout simplement de saboter des mois de travail.

Contraint et forcé, je convoque la jeune femme à la GRC. Je demande à un collègue d'être présent pour servir de témoin. Très intriguée, un peu craintive, la compagne de Skoulikas entre dans le petit bureau fermé que j'ai réservé pour cette rencontre. Elle ne sait pas précisément pourquoi on lui a demandé de venir. Je la rassure et l'invite à s'asseoir. Je lui explique qu'elle a été placée sous écoute. Chaque mot que je prononce me terrorise. Chaque phrase creuse la tombe de notre enquête.

— Mais pourquoi j'étais sur écoute ?

— Je ne le sais pas exactement moi-même. C'est secret et je ne peux pas vous le révéler. Mais l'enquête a démontré qu'il n'y avait aucune raison de continuer.

En partant, elle semble rassurée. Quant à moi, je suis paniqué. Je pense vraiment que l'enquête est à l'eau. Pour m'en convaincre, je me précipite dans la salle de réception des écoutes téléphoniques, certain que la jeune femme va immédiatement prévenir Johnny Skoulikas. Un quart d'heure, vingt minutes plus tard, elle est de retour chez elle. Et comme je le crains, elle téléphone tout de suite à Skoulikas. Il sait qu'elle avait été convoquée.

— Alors, pourquoi ils t'ont convoquée?

Quand elle commence à parler, je m'entends murmurer:

— Cette fois, c'est foutu.

Elle raconte avec précision comment la scène s'est déroulée. Elle semble avoir cru ce que je lui ai dit. Elle ajoute tout de même:

— Mais j'ai pas encore compris pourquoi on m'avait écoutée. C'est peut-être à cause de toi.

Ça y est; ce coup-ci, c'est fini. Skoulikas va faire le rapprochement avec ses activités. Je suis tendu comme un arc, j'attends la réponse. Les secondes me semblent durer des heures. Mais les mots que prononce Skoulikas sont les plus réconfortants que j'ai entendus depuis très longtemps.

— S'ils t'ont avertie, c'est que t'es plus sur écoute. Je ne suis donc pas visé moi non plus.

Et il ajoute:

— Écoute, s'ils savaient quelque chose, ils n'auraient tout de même pas été assez cons pour te dire que tu étais écoutée.

Sur ce point, il a tort: quelqu'un à la GRC a insisté pour qu'on le lui dise.

Pour me détendre, je décide d'aller faire une demi-heure de badminton. Mon partenaire habituel, Raymond Pageau, n'est pas là; je vais bien trouver quelqu'un pour jouer avec moi. J'ai besoin de frapper fort, de courir, d'arrêter brusquement de frapper et de courir et de frapper, de frapper.

CHAPITRE 6

Wouah! Un contrat sur le président du Liban?

Retour en arrière sur un événement qui m'a complètement échappé sur le moment. À l'automne 1980, l'enquête est au point mort et les 7 tonnes de drogue sont toujours bloquées au Liban. Ce qui ne m'empêche pas d'être en contact permanent avec la DEA et surtout avec Lee Pagel, de la police du Texas. La GRC leur fait parvenir régulièrement le contenu des écoutes électroniques que nous enregistrons entre Abizeid et ses correspondants libanais au Mexique ou avec leurs complices américains à Houston. Donc, les Américains ne perdent pas de vue les trafiquants de la filière libanaise passant par le Mexique. Ils sont prêts à agir lors d'une prochaine livraison de drogue.

Par contre, ce que nous ignorons tous, DEA, police du Texas, FBI ou GRC, c'est qu'au même moment, aux États-Unis, à Houston précisément, un complot visant à assassiner de hautes personnalités libanaises est en gestation. Il faudra attendre l'arrestation de Sam Cammarata, le chef de la Mafia de Houston, et surtout celle de Jimmy Hopper, l'un de ses principaux complices, pour que la police du Texas découvre les détails du complot. Mais ce n'est que lorsqu'elle prendra connaissance de l'importance des cibles visées qu'elle en mesurera toute la gravité.

D'après les archives de la justice du Texas que j'ai consultées, deux Libanais, Habib, celui qui est venu à Houston à la recherche d'armes de combat de rue, et Joseph Abizeid, cherchaient une équipe entièrement composée d'Américains pour assassiner « *the président and the vice-president*[1] » de la République du Liban dans un attentat à la voiture piégée, une caractéristique terrifiante de la guerre civile du Liban.

À l'époque, le président de la République du Liban se nomme Elias Sarkis. Il a été élu en 1976 pour un mandat de six ans qui se terminera en 1982. En 1980, préoccupé avant tout par l'enquête sur la filière de drogue, je ne cherche pas trop à savoir pourquoi le clan Frangié veut assassiner le président du Liban.

Quand l'enquête a été terminée, j'ai eu besoin d'y voir clair et de refaire le point. Dans les nombreux documents tirés des archives de la police et de la justice du Texas sur cette affaire et que j'ai lus attentivement, le nom d'Elias Sarkis n'est jamais mentionné. On n'y parle que du «président de la République du Liban». C'est vrai que c'était bizarre. Pourquoi les Frangié auraient-ils voulu tuer Elias Sarkis alors que, deux ans auparavant, en 1978, celui-ci les avait fait prévenir par Johnny Abdo, le chef de son Deuxième Bureau, son service de renseignement, de la menace d'une attaque contre eux, fomentée par les Phalanges libanaises, les forces armées des Gemayel ? Les Frangié n'avaient pas tenu compte de cet avertissement et l'attaque s'était soldée par la mort d'une trentaine de personnes, dont le dauphin de la famille, Tony Frangié, sa femme et Jihane, sa fille de trois ans, assassinée dans son petit lit.

Un autre fait demeurait bizarre. Lors de son passage devant un grand jury du Texas, on avait demandé à Jimmy Hopper, chargé de perpétrer l'attentat, pourquoi Cammarata avait accepté le contrat et lui en avait confié l'exécution. Hopper avait simplement répondu :

— Pour 2 millions de dollars[2].

Il avait précisé :

— Il y avait 1 million de dollars pour chaque personne. Et il y avait deux personnes visées. Le président et le vice-président, ils étaient frères[3].

Or, la fonction de vice-président n'existe pas dans la Constitution libanaise.

À force de lectures, je me suis rendu compte que seule une toute petite minorité de spécialistes, de diplomates, de gens intéressés par les pays du Proche et du Moyen-Orient auraient pu relever l'erreur dans le témoignage de Jimmy Hopper. Comment celui-ci aurait-il pu savoir qu'il n'existait pas de vice-président de la république au Liban ? Pour lui, comme aux États-Unis, s'il y avait un président, il devait obligatoirement y avoir un vice-président, ça allait de soi.

Les policiers et le procureur du Texas, qui n'étaient pas non plus des spécialistes du Liban, s'étaient tout simplement trompés sur l'identité des cibles. Dans leur esprit, il y avait eu confusion de personnes entre le président en exercice, Elias Sarkis, et un sérieux prétendant à l'époque pour l'élection présidentielle d'août 1982, Béchir Gemayel, le chef des Kataëb, la milice armée des Gemayel. Béchir était considéré alors par les observateurs informés comme le futur président de la république. Il sera d'ailleurs élu à la présidentielle de 1982. C'est donc lui et non Sarkis qui était visé. On en était encore et toujours à l'affrontement et à l'escalade meurtrière entre les familles Gemayel et Frangié. Il me semblait clair que s'il existait, à ce moment-là, un Libanais que les Frangié et surtout leurs alliés syriens ne souhaitaient pas voir arriver à la fonction suprême, c'était bien Béchir Gemayel.

La drogue n'était en rien le mobile de cette guerre entre familles d'une même religion. Le conflit était politique, lié au pouvoir au Liban et aux alliances étrangères des deux familles. Compte tenu des positions des uns et des autres, on était en présence de deux visions de l'avenir irrémédiablement irréconciliables. Les Gemayel étaient ouvertement pro-Israéliens et armés puissamment par Israël, alors que les Frangié étaient armés tout aussi puissamment par le plus crédible ennemi d'Israël dans la région, la Syrie de Hafez el-Assad. Pour le président syrien qui était venu au secours de tous les chrétiens par son intervention en 1976 contre les Palestiniens, le ralliement des Gemayel à Israël était politiquement inacceptable, un acte de guerre auquel on ne pouvait répondre que par un acte de guerre.

Il n'est pas inconcevable de penser que la Syrie n'ignorait pas l'existence d'un complot pour assassiner les frères Gemayel. Parce qu'il était bien question de deux frères. C'était une étrangeté dans la déclaration de Hopper : « Le président et le vice-président, ils étaient frères. » Je n'ai pas poussé mes recherches pour savoir si Elias Sarkis avait seulement un frère. Mais il m'apparaissait brusquement que Sarkis n'était pas un homme assez important dans le portait politique de l'époque pour susciter un tel contrat. Une *joke* assassine circulait du temps où il était président : « Sarkis est au bureau mais pas au pouvoir. »

Il y avait un autre point qui contribuait à l'erreur sur la personne. Mes recoupements d'un dossier à l'autre m'avaient amené à la conclusion que le frère en question ne pouvait être qu'Amine Gemayel. Frère aîné de Béchir, Amine était membre de l'Assemblée nationale depuis 1970. C'était un présidentiable potentiel, mais, dans l'ordre de succession, au second rang derrière son frère Béchir. Ce qui apparaissait clairement, c'est qu'Amine correspondait parfaitement au frère dont avait parlé Hopper. Comme je l'ai dit plus haut, Béchir Gemayel a été élu président du Liban le 23 août 1982. Il a été tué dans un attentat très meurtrier trois semaines plus tard, le 14 septembre. Une bombe de très forte puissance a pulvérisé l'étage complet d'un immeuble où se tenait une réunion qu'il présidait.

Les Gemayel ont conclu un peu rapidement que l'attentat avait été perpétré par les Palestiniens. Pour se venger, les 17 et 18 septembre, la milice de la famille Gemayel a pénétré dans les camps palestiniens de Sabra et de Chatila et y a commis l'un des pires massacres de la guerre civile.

Amine, le frère de Béchir, sera élu à sa place et restera président de 1982 à 1988. La mort de Béchir Gemayel était souhaitée par les Syriens. Mais finalement ce ne sont pas les Frangié qui ont fait le travail[4]. Ce qui n'exclut aucunement qu'ils aient tenté de le faire auparavant.

Quoi qu'il en ait été, l'enquête américaine dirigée au Texas par le lieutenant Lee Pagel avait prouvé qu'il y avait bel et bien eu complot pour assassiner un « président de la République ». Même si ce n'était pas le président en place mais son successeur potentiel qui était visé.

D'après les archives de la police et de la justice du Texas, au Liban, Joseph Abizeid et Habib auraient été chargés par la famille Frangié d'organiser l'attentat. Habib était le responsable libanais venu au Texas pour essayer les armes de combat de rue. Dans les conversations captées par les écoutes électroniques ou dans les témoignages recueillis par la police, les trafiquants parlaient entre eux en utilisant les prénoms ou des diminutifs. C'est pour cette raison que les policiers américains n'ont jamais connu le nom de famille de Habib et que Joseph Abizeid apparaissait très souvent dans les transcriptions d'écoutes électroniques sous le nom de Joe, le diminutif américain de Joseph.

Le plan du complot avait été imaginé à Zghorta. « Le président » devait être tué dans un attentat perpétré dans un lieu public. Mais il était essentiel que l'on ne puisse remonter aucune piste au Liban ni soupçonner l'intervention d'aucun Libanais. L'attentat devait donc être préparé et exécuté par des étrangers, en l'occurrence des Américains.

Au même moment, à Zghorta, Joseph Abizeid faisait affaire avec un important trafiquant américain, Ted Tsamouris. Ce dernier possédait un puissant bateau qui livrait du hachich libanais en Amérique, et plus spécialement au Mexique. Abizeid a demandé à Tsamouris, en qui il avait totalement confiance, s'il voulait bien se charger de l'attentat. La police du Texas aura la réponse quelques semaines plus tard, après l'arrestation de Tsamouris par Lee Pagel pour trafic de drogue. Tsamouris a alors révélé l'existence du complot. Il aurait dit à Abizeid qu'il refusait de s'occuper de l'affaire : « Je ne suis pas un tueur et je serais incapable de mener à bien une telle opération. » Il avait ajouté que si Abizeid cherchait un Américain de confiance pour faire ce genre de boulot, il devait s'adresser à Sam Cammarata, le parrain de la Mafia de Houston. Abizeid avait répondu que c'était là une très bonne idée et qu'il aurait pu y penser avant parce qu'il connaissait très bien Cammarata, avec qui il faisait affaire pour la drogue, et que celui-ci était aussi très lié avec Habib. Comme on l'a vu précédemment, Cammarata avait invité Habib et payé son voyage Beyrouth-Houston afin qu'il assiste aux essais du fusil AA-12 à Pasadena. Il l'avait également envoyé en Australie à ses frais pour une affaire de drogue.

Abizeid s'est donc tourné vers Cammarata et est allé à Houston pour le rencontrer. Il lui a expliqué son plan. Il s'agissait de monter un attentat avec des voitures piégées mises à feu à distance pour tuer la cible désignée par le camp Frangié. Cammarata a accepté de tout préparer, de fournir les voitures, les explosifs et le système de mise à feu à distance. Il enverrait un homme pour organiser l'attentat sur place. Il ne savait pas encore qui, mais, plus tard, il choisira Jimmy Dean Hopper.

Pour finir d'organiser la préparation avec Cammarata et lui faire visiter les lieux sélectionnés pour l'attentat, Abizeid et Habib l'ont invité au Liban où il n'avait encore jamais mis les pieds. Le parrain s'est rendu là-bas avec son bras droit, Tommy Teutsch, et l'un de ses principaux adjoints, Lou Sinople. Il voulait profiter de l'occasion pour finaliser un contrat de drogue, débloquer un bateau retenu par la douane en raison du non-paiement des frais d'approvisionnement pour l'équipage et conclure un accord avec Habib pour l'achat du fusil AA-12.

Cammarata a confié plus tard à Lee Pagel qu'il était arrivé à Zghorta fin août 1980 et qu'il y avait été accueilli par Abizeid et par Habib. C'est à Zghorta qu'avait été préparée toute l'opération. Cammarata y était resté quelques jours avant de repartir pour Houston avec une commande ferme pour l'attentat et une promesse de versement de 2 millions de dollars.

Rappelons que le parrain de la mafia de Houston était parti au Liban avec Lou Sinople. Ce voyage allait avoir de grandes conséquences pour la suite des événements parce qu'au moment de rentrer aux États-Unis, Cammarata a appris que Sinople trafiquait dans son dos avec d'autres Libanais et, pire, qu'il voulait le faire chanter. Le parrain n'a pas du tout apprécié.

Lou Sinople doit mourir

Durant son séjour à Zghorta, Cammarata a surpris Sinople alors qu'il parlait en aparté avec l'un de ses fournisseurs de drogue. Il s'en est confié à Habib. Ce dernier ne voulait pas de problème. Il avait besoin de Cammarata pour préparer l'attentat dans lequel celui-ci était désormais totalement impliqué. Habib lui a donc répondu qu'à son avis, Sinople était bien en train de le doubler avec un fournisseur libanais. Cammarata a alors décidé de faire assassiner son adjoint à son retour à Houston. Sa décision s'est renforcée lorsque Sinople l'a menacé de chantage, car il savait que Cammarata avait fait liquider des complices gênants, et il connaissait l'endroit où ils avaient été enterrés.

En 1974, Jimmy Dean Hopper était le gérant d'un bar de danseuses nues. C'est à cette époque qu'il avait fait la connaissance de Tommy Teutsch, bras droit de Cammarata. Teutsch et Hopper étaient devenus rapidement copains. Hopper ayant la réputation d'être un bon gérant de club, Teutsch lui avait dit que Sam Cammarata cherchait quelqu'un pour diriger le High Rollers' Club. Une rencontre avait été organisée avec Cammarata. Hopper savait très bien où il mettait les pieds : chez le parrain de la Mafia de Houston.

En octobre 1981, Jimmy Hopper a été piégé par un agent double, Ken Akins, un inspecteur de la police du Texas, à qui, à plusieurs reprises, il avait vendu de la coke. Akins travaillait en étroite collaboration avec Lee Pagel qui a arrêté Hopper en flagrant délit de trafic de drogue. Hopper a alors rencontré Wayne F. Speck, à l'époque procureur du Texas. Il lui a raconté qu'avant d'être engagé comme gérant, il avait entendu dire que Cammarata appartenait à la Mafia et qu'il faisait de gros trafics avec le crime organisé. Sa première rencontre avec Cammarata ne l'avait pas déçu.

> Je suis venu pour discuter avec eux de la gérance du club. Ils m'ont donné de la cocaïne à vendre. Ils m'avaient donné un gramme de plus et j'ai aimé ça[5].

Speck a expliqué à Hopper qu'il pourrait lui accorder l'immunité s'il témoignait contre Cammarata, un poisson beaucoup plus intéressant pour la justice texane. Contre la promesse d'une complète immunité, Hopper s'est mis à table. Il a expliqué à Pagel, puis à Speck, comment Cammarata lui avait ordonné de tuer Sinople selon un rituel précis.

J'ai lu le témoignage qu'a livré Hopper lors de son passage devant le grand jury. Les consignes de Cammarata étaient les suivantes : Hopper devait abattre Sinople d'une balle dans la tête puis, pour sa traîtrise, lui couper la langue avec un couteau. Le récit d'Hopper n'était pas aussi net. Il montrait un homme désemparé et troublé qui ne se souvenait pas de tout ce qu'il avait fait. Sa mémoire, fragilisée par la consommation d'un mélange de drogues, manquait de précision. En plus, le rapport d'autopsie est venu contredire en partie les souvenirs du témoin. Voici des extraits de son témoignage devant le grand jury, et certaines des conclusions du rapport d'autopsie.

Alors qu'il rentre de son séjour à Zghorta, le 12 septembre 1980, Cammarata annonce à Hopper qu'il a un grand projet pour lui au Liban, mais qu'il doit d'abord faire ses preuves, et tuer Lou Sinople qui veut le faire chanter.

Cammarata a élaboré tout un scénario. Il dit à Hopper qu'il devra partir officiellement pendant deux jours. « Tu vas disparaître de la ville pendant 48 heures. Tu vas acheter un billet d'avion Houston-Albuquerque pour qu'on te croie parti pour le Nouveau-Mexique. Ensuite, tu iras louer une chambre sous un nom d'emprunt au motel Eight Days Inn au coin de Cavalcade et de l'Interstate 45 à Houston. Tu restes discret. Tu ne téléphones à personne. Je passerai te voir demain après-midi pour te donner des instructions précises pour tuer Sinople. » Quand, dans l'après-midi du lendemain, Cammarata arrive au motel, Hopper est visiblement sous l'emprise d'une drogue euphorisante. Il a pris une forte dose de speed, et n'a pas dormi depuis la veille. Exaspéré de le voir dans un tel état, Cammarata le somme de se ressaisir vite, car il n'a personne d'autre pour faire le travail, et il veut que Sinople soit tué le soir même. Il a préparé tout un plan pour ça. Il donne à Hopper de la cocaïne pour qu'il s'en injecte une petite dose afin de contrer l'effet euphorisant du speed. Cela devrait lui permettre de dormir une heure ou deux avant d'aller chez Sinople. Ensuite, Cammarata explique en détail à Hopper son plan pour tuer Sinople.

Sinople sera invité le soir même à un party à la Pump House où tout sera fait pour qu'il reste le plus tard possible. Cammarata et Teutsch seront à la même soirée. Lorsque Sinople partira, ils attendront un moment et le suivront. Ils feront du grabuge sur la voie publique afin d'être arrêtés et amenés au poste, se créant ainsi un alibi. Cammarata donne à Hopper un revolver .45 à cinq coups, et un couteau de chasse avec une lame de 4 pouces. Il lui confie aussi les clés d'une voiture qu'il a laissée dans le stationnement du motel.

Cammarata déplie une carte et indique à Hopper le chemin pour se rendre chez Sinople. Il prend ensuite un papier et un stylo, et inscrit l'adresse de ce dernier. Puis il dresse par écrit la liste des instructions.

> Porte des gants. Entre avec Lou à l'intérieur, mets-lui ton pistolet dans la bouche et tue-le. Ensuite, avec le couteau, coupe-lui la langue. Fais attention de ne pas laisser de trace, ne fume pas en l'attendant, ne touche à rien, n'emporte rien de la maison. Une fois dehors, trouve un téléphone public, appelle chez moi et laisse le message que tout va bien. Détruis la carte, le revolver et le couteau. Parque la voiture à un ou deux blocs d'ici, et rentre ici à pied.

Avant de s'en aller, Cammarata demande à Hopper de recopier la liste qu'il vient lui-même d'écrire. Il vérifie, puis prend l'original et le flushe dans les toilettes. Une fois Cammarata parti, Hopper se fait une piqûre de coke, s'allonge sur le lit et s'endort. Il se réveille vers 20 h. L'effet des drogues n'est pas totalement effacé. Hopper a le trac. Il n'a jamais tué de sang-froid. Par contre, il a tué un homme qui avait enlevé et violé sa femme. Pour cela, il a été jugé et acquitté. Selon son témoignage devant le grand jury, après avoir trouvé la voiture louée par Cammarata, il est parti pour la résidence de Sinople. En chemin, il s'aperçoit qu'il a bien le revolver, mais qu'il a oublié le couteau. Il s'arrête dans un centre commercial[6] et achète un couteau de chasse de 12 ou 14 pouces. En arrivant à la résidence de Sinople, il gare la voiture dans un stationnement résidentiel à quelques dizaines de mètres de la maison. C'est une maison de plain-pied. Elle est bâtie dans une pinède. Une fois là, Hopper se rend compte que Sinople n'est pas revenu. Il décide de l'attendre derrière le garage situé à 10 mètres de la maison. Là, il pourra mieux surprendre Sinople. Il s'assoie et reste ainsi pendant des heures. Sinople rentrera tard dans la nuit. L'effet des drogues ne s'est toujours pas dissipé. Comme il le racontera plus tard à Lee Pagel, Hopper a été en état d'hallucination pendant la longue attente. Il a somnolé aussi. Soudain, le moteur de la voiture de Sinople le réveille. Il fait encore nuit. Sinople descend du véhicule et passe par l'arrière de la maison. Il tient un revolver dans une main et ses clés dans l'autre. Hopper surgit.

Il se souviendra lui avoir dit : « Bouge pas. Si tu bouges, je te tue. Et lâche ton revolver. » Après, c'est le trou noir.

Je me souviens que j'étais assis à côté du corps de Lou Sinople.
Il y avait du sang partout. Sur le plancher, sur Sinople et sur moi.

Le rapport d'autopsie révélera que Hopper a poignardé cinq fois
Sinople dans le dos, trois fois profondément dans la poitrine et enfin
deux autres fois superficiellement mais toujours dans le dos, une fois
dans la fesse droite et une fois dans l'épaule droite. Il lui a surtout
profondément entaillé la gorge, la seule blessure instantanément mor-
telle et qui explique l'abondance de sang sur la scène de crime. Hopper
se souvient être rentré au motel et avoir pleuré pendant trois heures.
Puis il s'est remis. Il a pris une longue douche et s'est changé. Il est allé
jeter les vêtements souillés de sang dans un conteneur à déchets. Il a
gardé le revolver dont il ne s'était pas servi, mais a jeté le couteau dans
un autre conteneur. Ce couteau dont il ne s'était pas non plus servi,
puisque le rapport d'enquête préciserait que l'arme véritable du crime
avait été retrouvée couverte de sang sur le comptoir de la cuisine.
Hopper a tué Sinople alors qu'il était dans un état second, en ayant
perdu tous ses moyens. Il n'a rien dit de tout cela à Cammarata pour
qui le marché avait tout simplement été respecté. Hopper avait passé
l'examen, c'était tout ce qui comptait. Il avait gagné la confiance du
parrain. Une confiance renforcée par le fait que les circonstances
du meurtre de Sinople n'ont pas été élucidées par la police. Il faudra
la confession de Hopper à Lee Pagel, des mois plus tard, pour que les
policiers chargés de l'enquête établissent les faits de ce soir-là et, par-
dessus tout, le mobile de ce meurtre sordide.

Revenons à Montréal. Début décembre 1980, voilà neuf mois que
l'enquête a commencé, et enfin une bonne nouvelle. Les écoutes téléphoniques nous informent que les 7 tonnes de hachich ont enfin
quitté le Liban.

CHAPITRE 7

La drogue est en route

« L'argent est le nerf de la guerre. » Ce proverbe remonte à la Rome antique, et sa réalité à bien avant sans aucun doute. C'était aussi vrai pour la guerre civile en cours au Liban. Toutes les factions y sont riches, grâce à la drogue, et plus particulièrement au hachich. Après 1976, après leur entrée au Liban, les Syriens se sont activés pour en développer la production. Damas avait la main haute. Des études ont démontré que l'intervention militaire de la Syrie au Liban en 1976 avait coïncidé avec l'explosion de la production de hachich. En 1975, chrétiens, sunnites, chiites, Druzes, Palestiniens, les différentes forces du Liban produisaient globalement environ 100 tonnes de hachich par an. Neuf ans plus tard, en 1985, sous le contrôle de la Syrie, le Liban en commercialisait 20 fois plus, pas loin de 2000 tonnes. La Syrie contrôlait le nord du Liban et la plaine de la Bekaa et, quel que soit le camp, prélevait de lourdes taxes sur la production sortie de ces zones.

À l'automne de 1980, à Montréal, les trafiquants mais aussi mon équipe de la GRC en attendent 7 tonnes. Les narcotrafiquants montréalais sont impatients de récupérer leur argent. Début décembre, grâce aux écoutes électroniques, nous savons que Joseph Abizeid a enfin expédié la cargaison de cannabis. Les conversations en provenance du Liban ne nous ont jamais permis d'en établir l'origine exacte. Mais l'essentiel en était le message.

Au Liban, la drogue a été cachée dans des meubles placés dans deux conteneurs chargés sur un petit cargo de la compagnie britannique Manchester Liners. Les caisses doivent transiter par Manchester, en Angleterre, d'où elles repartiront vers Montréal sur un transatlantique de la même compagnie. Il ne nous reste plus qu'à attendre. J'ai vraiment hâte que l'enquête aboutisse. Quelques jours encore, après neuf longs mois d'enquête.

C'est aussi l'époque où, à Richelieu, je fais la connaissance de Gérald. Gérald va devenir l'un de mes meilleurs amis et un formidable compagnon de chasse et de pêche au saumon dans les pourvoiries de la Gaspésie. Mais, à ce moment-là, je lui dois surtout de précieux conseils pour aménager ma maison, voisine de la sienne. Il me donne un sérieux coup de main pour étanchéifier et moderniser mon sous-sol. Son aide me permet de penser à autre chose en me libérant des préoccupations de l'enquête. Ça m'aide surtout à patienter dans l'attente de la drogue durant cet interminable automne de 1980.

Une autre réalité commence à prendre aussi beaucoup de place ; c'est le coût de l'enquête qui est en train de battre tous les records.

Le coût de l'enquête

Dans l'immeuble de la GRC, il y a une pièce que je visite quotidiennement et parfois plusieurs fois par jour. C'est la pièce où sont regroupés les magnétophones qui enregistrent les conversations téléphoniques écoutées avec l'autorisation d'un juge. J'aime y faire un saut le matin en arrivant pour savoir s'il y a eu des événements intéressants pendant la nuit. Je discute avec les opérateurs. En général, c'est le traintrain, R.A.S., mais il peut y avoir de bonnes surprises. Comme un coup de téléphone entre Abizeid et Skoulikas. Alors, je retourne rapidement à mon bureau pour écouter l'enregistrement avant que le texte ne soit transcrit et envoyé à la dactylo. Pendant la durée de l'enquête, je reçois chaque jour les enregistrements en français et en anglais, ainsi que les textes dactylographiés des écoutes téléphoniques en arabe et en grec. Depuis le début de cette enquête, nous avons repéré 28 Canadiens et Canadiennes ayant eu des rencontres ou des communications téléphoniques avec Abizeid, Skoulikas ou Psaroudis. Complices ou simples relations, nous n'avons pas pris de risques : ils et elles sont tous placés sur écoute électronique, et parfois pris en filature. Nous sommes tout de même sur un trafic de 7 tonnes de hachich. Tout cela exige des moyens énormes mis en œuvre. Et ça se complique davantage lorsque Joseph Abizeid arrive en ville.

À chacun de ses séjours à Montréal, Abizeid est surveillé, placé sur écoute et systématiquement pris en filature 24 heures sur 24. À partir de mars 1980 et pendant 10 mois, la GRC déploie des moyens considérables pour surveiller les gens suspectés d'appartenir à la filière libanaise ou de travailler pour elle. Durant les cinq séjours de Joseph Abizeid à

Montréal, les services de filature tournent à plein régime. Pour cette seule enquête, plus de 100 policiers participent aux filatures. Ils travaillent par unité de 10, regroupés en duo dans 5 voitures banalisées. Il y a deux hommes par voiture parce que l'un d'eux peut être appelé à descendre pour suivre à pied l'un des suspects ou pour surveiller un immeuble ou un hôtel où se retrouvent des membres de la filière.

Sur le terrain, les équipes travaillent par quart de travail. Pour l'ensemble de cette enquête, on a compté au total 148 quarts de travail. À l'époque, en additionnant toutes les dépenses de la GRC, un quart de travail revient à 8000 dollars[1]. Petit calcul : 148 quarts de travail multipliés par 8000 dollars, ça donne un total de 1 184 000 dollars[2]. Et ça, c'est sans compter les frais généraux internes de la GRC faisant l'objet d'un budget séparé.

Début décembre, l'enquête s'achève. La drogue partie du Liban sera dans quelques jours à Manchester. Les écoutes téléphoniques de Skoulikas nous apprennent que Joseph Abizeid doit arriver à la mi-décembre à Montréal en provenance des États-Unis, où les services américains ne disposent toujours d'aucune preuve concrète pour l'arrêter. Il vient régler les dernières questions liées au dédouanement de la cargaison.

15 décembre 1980 – Joseph Abizeid à Montréal

Le 15 décembre 1980, Joseph Abizeid arrive en fin d'après-midi à Montréal ; il est accueilli par la neige et par une température de moins 30 degrés, si l'on tient compte du refroidissement éolien. Les écoutes téléphoniques nous ont appris qu'il vient à la rencontre de l'un de ses hommes parti du Liban avec le connaissement (*bill of lading*), le papier officiel indispensable pour dédouaner les importations, en l'occurrence, ici, les deux conteneurs de meubles dans lesquels la drogue était cachée.

Prévoyant arriver le premier à Montréal, Joseph Abizeid a retenu une chambre au Hilton de Dorval. Les micros sont déjà branchés ; le téléphone, connecté aux magnétophones de la GRC. Une fois seul, il téléphone à Johnny Skoulikas pour lui dire qu'il est bien arrivé, et lui rendre compte de la situation. Finalement, il lui donne rendez-vous à 20 h 30 dans un bon restaurant du centre-ville parmi ses préférés. Le messager libanais, en transit à Paris, débarque à l'aéroport de Mirabel[3] en fin d'après-midi. Il retrouve Abizeid au Hilton vers 19 h. Ayant prévu que la conversation se déroulera en partie ou même entièrement en arabe, j'ai demandé à Sana Ladki de me rejoindre dans la salle des écoutes pour une traduction simultanée. Mais, sans pour autant comprendre un seul mot de leur discussion, il m'apparaît très clair qu'Abizeid n'est pas content, mais alors pas content du tout. En fait, il est furieux, dans une énorme colère. Les écouteurs sur les oreilles, je fais un signe interrogatif de la tête à Sana. Elle-même un peu surprise, elle me murmure, comme si Joseph Abizeid pouvait entendre:

— Le messager a oublié d'apporter les connaissements.

— Ah non, c'est pas vrai?

Sana Ladki me dit en souriant qu'elle préfère ne pas traduire tout ce que dit Abizeid.

— En tout cas, il est vraiment en colère.

— J'imagine.

Mais, moi non plus, je ne suis pas content du tout. Il ne manque plus que ça. Encore une perte de temps, encore une perte d'argent. Il va falloir maintenant que le messager retourne au Liban chercher le document. Abizeid reprend son calme plus vite que moi. Sèchement, il dicte au messager son emploi du temps des jours à venir:

— Tu retournes à Beyrouth dès demain, et tu rapporteras les connaissements à Paris. Je vais passer Noël et le Nouvel An là-bas. Je serai au Concorde-Lafayette. Crois-moi, s'il n'était pas si tard, tu repartirais ce soir même pour le Liban.

Une fois que le messager quitte la pièce, Abizeid rappelle Skoulikas. Il lui dit être furieux, mais qu'il lui expliquera pourquoi plus tard au restaurant. Il ajoute qu'il va rester trois ou quatre jours à Montréal, puis qu'il ira passer les fêtes de fin d'année à Paris.

— Je vais y faire venir ma femme et mon fils. Je reviendrai à Montréal début janvier avec les connaissements. Il faut maintenant terminer rapidement cette histoire.

Là, je dois dire que je suis tout à fait d'accord.

Emportant ses bagages, Abizeid rejoint Skoulikas au restaurant où les agents de filature sont déjà en place. Comme nous n'avons pas eu le temps de poser des micros, nous ne pouvons pas savoir dans le détail ce qu'ils se disent. Ça n'a pas trop d'importance; nous connaissons la suite du programme. En sortant du restaurant vers 22 h, ils rentrent tous les deux sur l'avenue Prince-of-Wales. Le lendemain soir, nous suivons le départ du complice libanais pour Paris.

Entre-temps, Jimmy Hopper est parti pour le Liban. Le visa sur son passeport indique qu'il y est arrivé le 14 décembre.

CHAPITRE 8

Jimmy Hopper au Liban

Même s'il a paniqué et n'a pas respecté à la lettre les directives de Sam Cammarata en massacrant Lou Sinople, Jimmy Hopper a fait ses preuves auprès du parrain de Houston. Comme promis, il se voit attribuer de plus grandes responsabilités au sein de l'organisation. Cammarata lui confie la préparation et la réalisation de l'attentat contre « le président et le vice-président », les deux frères. En décembre 1980, lorsque Hopper débarque à Zghorta, Joseph Abizeid est toujours en Amérique. Le truand américain est accueilli par Habib, dont j'ai déjà parlé.

Comme nous l'avons vu plus haut, après son arrestation, presque un an plus tard, par la police du Texas pour trafic de drogue, et en échange de son témoignage contre Sam Cammarata, Hopper négociera son immunité complète avec Wayne F. Speck, le procureur du Texas. Il bénéficiera également du programme de protection des témoins. C'est ainsi que, rassuré sur son avenir, Hopper se confiera librement à Lee Pagel et à Wayne F. Speck.

J'ai parlé longuement avec les deux hommes qui m'ont confié des copies de documents officiels et des déclarations transcrites de Jimmy Hopper.

Heureusement, l'attentat n'a pas eu lieu. Le récit de sa préparation n'est pas précis et explicite. Il faut imaginer ce qui se serait passé en partant des éléments tirés des déclarations de Hopper auxquelles il faut ajouter les confidences de Mister X.

Le récit ainsi reconstruit est le plus probable. Pour être certain que l'attentat réussisse, il devait être perpétré non pas avec une seule voiture, mais avec plusieurs véhicules de luxe lourdement chargés d'explosifs – Hopper et Mister X ont parlé de 10 voitures. Pour détourner au maximum les soupçons d'un attentat commis par des Libanais, les voitures devaient être américaines et importées directement des

États-Unis par des Américains. Les voitures ont été expédiées des États-Unis par Aristotle, un complice de Cammarata, un ami personnel de Joseph «Joe» Abizeid. Ce qu'a confirmé Hopper au procureur Wayne F. Speck.

> Aristotle a envoyé 10 voitures de New York à Tripoli. Dans 5 des véhicules aurait été dissimulée une grande quantité de plastic explosif[1].

Les explosifs auraient été mis à feu à distance. Chaque voiture aurait eu son système propre de mise à feu par signal radio. Il se serait agi de garer les voitures dans un endroit habituellement fréquenté par «le président» et «le vice-président» ou sur un itinéraire habituellement emprunté par leur voiture.

Une forme nouvelle d'attentat avait été prévue. La double explosion espacée dans le temps. Au passage du véhicule à détruire, une voiture piégée aurait explosé. Si, par hasard, la personne à supprimer n'avait pas été atteinte ou si elle n'avait pas été dans la voiture, on aurait attendu qu'elle vienne sur les lieux observer les dégâts pour mettre à feu une ou plusieurs autres voitures piégées disposées de telle façon qu'on ne puisse pas manquer la cible. C'est un type d'attentat terroriste efficace, terriblement dévastateur et meurtrier.

Ce scénario d'attentat sera employé assez souvent par la suite. Avec cette façon de faire, ont pensé certains, Béchir Gemayel n'échapperait pas, comme ç'avait été le cas en février 1980, à une nouvelle tentative d'assassinat, même s'il n'était pas dans la voiture visée par la première explosion. C'est ce premier attentat qui avait tué sa petite fille Maya, deux de ses gardes du corps, et six passants se trouvant au mauvais endroit et au mauvais moment. Lors de cet attentat, Béchir Gemayel était en effet venu par la suite sur les lieux. Si la situation devait se répéter, la deuxième salve de voitures piégées achèverait le travail pour tuer «le président». Dans ce genre d'attentat, les victimes innocentes ne font jamais partie des considérations. Les dégâts collatéraux ne touchent profondément que les proches et les amis des victimes. En principe, et si l'on tient compte du double contrat de 1 million de dollars par cible, trois des cinq voitures piégées auraient dû être destinées à Béchir Gemayel, et les deux autres à son frère Amine. Seuls les organisateurs de cet attentat avorté connaissaient tous les tenants et les aboutissants du plan terroriste.

Dans son témoignage devant le grand jury, Hopper a déclaré que Cammarata l'avait envoyé au Liban pour planifier et organiser l'attentat. Celui-ci lui a même dit que si, durant son séjour là-bas, l'occasion se présentait de réaliser l'attentat, les explosifs nécessaires seraient mis à sa disposition. Au moment où Hopper arrivait au Liban, à Zghorta plus précisément, Joseph Abizeid était aux États-Unis. C'est donc avec Habib que l'Américain a passé en revue les détails de l'attentat. Mister X m'a confirmé la version de Jimmy Hopper. Au cours d'une de nos rencontres, il m'a dit avoir entendu Abizeid et Habib parler d'un attentat que des Américains devaient commettre au Liban contre le «président de la république» :

Dans mon souvenir, ils ont parlé de voitures de luxe neuves en provenance des États-Unis. Les véhicules chargés d'explosif devaient être garés le plus rapidement possible après leur arrivée dans un endroit où devait se rendre le «président». Les explosifs devaient être mis à feu à distance, dès que le «président» serait à proximité des voitures.

Pour des raisons que l'on ignore, pendant le séjour de Hopper au Liban, les voitures n'ont pas été utilisées. On ne saura sans doute jamais quand il a été décidé d'annuler l'attentat. En tout cas, dans sa confession à Lee Pagel, Jimmy Hopper n'a jamais dit qu'il aurait dû retourner au Liban.

Quelles que soient les motivations des terroristes, on peut être certain que, pour leur préparation et leur action, une règle universelle s'applique : à chacun son métier. Que Cammarata, Tsamouris, Teutsch ou Hopper soient des spécialistes du trafic de drogue, soit. Mais que l'on ait pu choisir un personnage aussi imprévisible que Hopper, et même dangereux par son inexpérience et sa peur de l'action violente, pour monter et perpétrer un attentat aussi compliqué, fait plutôt penser à ces comédies italiennes où les plus maladroits tiennent la vedette et transforment automatiquement en échec les plans les mieux préparés[2]. C'eût été comique si le résultat envisagé n'avait pas été aussi monstrueux.

Impossible de savoir ce que sont devenues les voitures de luxe. Seule certitude, elles n'ont pas été perdues pour tout le monde. Il en est de même pour les explosifs. On leur doit sans doute quelques morts violentes et d'horribles blessures.

Après son court séjour à Zghorta en décembre 1980, Hopper rentre à Houston.

Le même jour, le 20 décembre, Joseph Abizeid s'envole de Montréal vers Paris. Il doit y recevoir le connaissement venu du Liban.

La drogue est arrivée en Grande-Bretagne

Au début de janvier 1981, les deux conteneurs avec les 7 tonnes de résine de cannabis sont débarqués sur un quai du port de Manchester. En transit international, sous douane, ils doivent attendre quelques jours avant de repartir vers Montréal sur un plus gros cargo transatlantique. Grâce aux écoutes électroniques, nous savons que la drogue est partie de Beyrouth, mais nous ignorons sur quel bateau en particulier et surtout dans quels conteneurs elle se trouve. Pour les douaniers britanniques, il est impossible de la saisir, car ils sont matériellement incapables d'ouvrir tous les conteneurs en provenance du Liban. Les indications données sur le papier officiel, le fameux connaissement, leur sont indispensables pour repérer les bons conteneurs parmi les milliers débarqués sur les quais du port de Manchester.

Les connaissements ne voyagent pas avec la marchandise. Ils sont envoyés par courrier ou portés au transitaire, c'est-à-dire la personne qui dédouanera légalement les marchandises. Il s'agit d'un professionnel qui, en principe, n'a aucun lien avec le commerçant, le propriétaire, le ou les responsables des marchandises qu'il exporte ou importe légalement. Il s'occupe des opérations officielles et des documents à remplir et, finalement, il vérifie que les marchandises sont bien parties ou bien arrivées. Donc, avec le connaissement, les douaniers auront le nom du bateau et, surtout, les numéros des conteneurs. À Montréal, nous avons aussi absolument besoin de ce document. Sans lui, pas de drogue, et par conséquent pas de poursuite pour trafic de drogue. Tout le travail accompli aurait été vain, et les sommes astronomiques déjà investies dans cette enquête passeraient par profits et pertes.

À la GRC, tous les efforts vont être mis afin de récupérer ce connaissement. En ce tout début d'année, les écoutes téléphoniques nous informent que Joseph Abizeid va revenir sous peu à Montréal, et qu'il sera en possession du précieux document. Le 24 janvier, je me rends à Mirabel pour l'attendre de pied ferme.

Cette journée est capitale pour l'enquête, pour mon équipe, mais surtout pour moi. Dix mois que j'attends ce moment. Je reste néanmoins détendu, sachant que j'attaque le dernier droit de l'enquête. Une fois les renseignements du connaissement transmis aux douaniers de Manchester, il restera à interpeler Abizeid, et à effectuer les autres arrestations prévues à Montréal.

L'avion de Joseph Abizeid en provenance de Paris doit se poser en fin d'après-midi à Mirabel. Le ciel est couvert et, à cause du facteur vent, la température est tombée à moins 12 degrés. Avec Adrien Gilbert, le surintendant des douanes à Mirabel, nous préparons la réception de Joseph Abizeid, et un stratagème qui nous permettra de photocopier le connaissement.

Samedi 24 janvier 1981 – Joseph Abizeid revient à Montréal

Ce jour-là, j'arrive tôt au bureau et, avec mon équipe, nous revoyons point par point tout le plan d'action. En début d'après-midi, nous nous rendons à Mirabel rencontrer les douaniers qui sont déjà au courant, et doivent participer à l'opération. Nous faisons plusieurs répétitions. Je vérifie moi-même la photocopieuse, et fais remplacer la cartouche d'encre avant de tirer quelques photocopies. Ça fonctionne.

Mon plan est le suivant. Il s'agit de faire venir Abizeid dans les bureaux de la douane pour une fouille de ses bagages comme ça arrive de temps à autre, et souvent au hasard, aux voyageurs qui passent nos frontières. Ça peut être stressant selon chacun, mais en tout cas insuffisant pour éveiller des soupçons chez Joseph Abizeid. De notre côté, nous devons fouiller ses bagages et, si nécessaire, lui faire vider ses poches pour trouver le connaissement. L'opération la plus délicate consiste à user d'un prétexte pour lui faire quitter la pièce en y laissant ses bagages et le contenu de ses poches. De plus, il faut l'éloigner suffisamment longtemps pour avoir le temps de photocopier le document. Tout doit marcher comme sur des roulettes ; seul un incident vraiment imprévisible à la douane pourrait faire échouer mon plan. Mais, en repensant à la fois où l'on m'a obligé à prévenir la blonde de Skoulikas qu'elle avait été écoutée, je ressens une certaine angoisse. Surtout que, cette fois, c'est plus sérieux, parce que Joseph Abizeid est directement impliqué.

Le Boeing 747 d'Air France vient de se poser. Il faut attendre un bon quart d'heure avant que les bus élévateurs amenant les voyageurs accostent au terminal. Aussitôt débarqués, les passagers se dirigent vers les guichets de contrôle des passeports. Comme les voyageurs de première classe sortent avant les autres, Abizeid passe rapidement le contrôle d'identité. Je le repère tout de suite. Il n'attend pas très longtemps au carrousel. Il saisit sa valise qu'il dépose sur un chariot, avec le sac qu'il avait pris en cabine. À la douane, coup de chance pour nous ! Gros fumeur, Abizeid déclare trois cartouches de cigarettes, alors qu'il n'a droit qu'à une. Il ne peut donc rien trouver de suspect à ce que le douanier lui demande de se diriger vers les locaux réservés à la fouille des bagages et des personnes. Abizeid pousse une porte, passe dans un couloir, puis entre dans la pièce désignée par un douanier. Il place sa valise et son sac sur le meuble bas prévu à cet effet et derrière lequel se tient le douanier chargé de trouver le connaissement. Le douanier lui demande d'ouvrir la valise, et la fouille délicatement mais entièrement. Aucun dossier, aucune enveloppe, aucun papier, le connaissement n'est pas dans le bagage. Le douanier fait signe à Abizeid de refermer sa valise et de la poser sur le sol.

Le connaissement n'est pas non plus dans le sac. Le douanier ordonne alors à Joseph de vider ses poches. Ce que celui-ci fait sur-le-champ. Il pose sur la table son portefeuille et une enveloppe que le douanier ouvre. Elle contient le document en trois exemplaires. Le douanier pose les trois feuilles sur la table. Il faut maintenant éloigner Joseph Abizeid assez longtemps pour faire les photocopies. J'attends avec de plus en plus d'impatience dans le bureau voisin, la photocopieuse allumée, prête à être utilisée. Dans une certaine mesure, Joseph nous facilite le travail, puisqu'il a deux cartouches de cigarettes en trop. Le douanier lui indique donc la caisse où il doit se rendre afin de payer les taxes. Joseph ramasse son portefeuille, puis il sort du bureau. Dès qu'il a franchi la porte, le douanier se saisit d'un exemplaire du connaissement, laissant les deux autres dépliés sur la table. Il se précipite dans le couloir et, une fois dans le bureau où je me trouve, il me tend la feuille que je lis rapidement. Ouf ! c'est bien ça. Elle porte l'entête de la compagnie Manchester Liners avec les numéros de conteneurs. Le nom de l'expéditeur et celui du destinataire sont clairement indiqués, ainsi que les quatre caisses de meubles orientaux réparties dans deux conteneurs. Je fais quelques photocopies du document, et le rends au douanier. Il repart en direction de la salle de fouille pour remettre l'exemplaire avec les deux autres laissés sur la table avec l'enveloppe. J'attends qu'il revienne me dire que tout est OK et que la voie est libre. Mais il entre soudain en trombe dans le bureau.

— Catastrophe !

— Vous m'inquiétez, qu'y a-t-il ?

Il m'explique qu'au moment où il est sorti dans le couloir avec le connaissement à la main, Abizeid entrait dans la salle de fouille après avoir payé les taxes sur les cigarettes. Il avait fait très vite. Le douanier continue :

— J'ai caché le connaissement que je tenais à la main, et je suis rentré dans la salle. Le Libanais m'a remis le reçu du paiement des taxes, et m'a demandé s'il pouvait partir. Je lui ai dit oui. Il a ramassé les deux exemplaires du connaissement restés sur la table, les a placés dans l'enveloppe qu'il a remise dans sa poche intérieure. Puis, son sac sur l'épaule, il a saisi sa valise, m'a dit au revoir et est sorti. Ça n'a pas duré 30 secondes. Impossible de remettre le troisième exemplaire avec les deux autres. Désolé.

— Vous n'y êtes pour rien.

Une nouvelle fois, le ciel me tombe sur la tête. Je vais rester plus d'une heure avec la certitude absolue que, cette fois, l'enquête vient de se terminer par un désastre. Je me suis dit : « Il va ouvrir l'enveloppe, il va vérifier, et il va s'apercevoir qu'il lui manque un exemplaire du document. » C'est forcé. Il va appeler son correspondant à Paris ou au Liban, prévenir tout le monde à Montréal, et les 10 mois d'enquête vont tomber à l'eau.

À sa sortie de l'aéroport, Abizeid est pris en filature par nos policiers. En principe, il doit descendre au Château Champlain au centreville. Les écoutes téléphoniques nous ont confirmé qu'il y a réservé une chambre. Le téléphone est branché ; nos magnétophones, prêts à enregistrer. La situation est totalement imprévue. J'appelle la GRC et demande qu'on fasse venir Sana Ladki toute affaire cessante. Puis, sirènes hurlantes, je reviens le plus vite possible de Mirabel.

À mon arrivée, Sana est déjà dans la salle des écoutes téléphoniques. Au Château Champlain, Joseph Abizeid vient tout juste d'entrer dans sa chambre. Comme je le redoutais, un de ses tout premiers gestes est de vérifier le contenu de l'enveloppe. Il téléphone aussitôt à son correspondant au Liban. Pas longtemps à attendre, il obtient assez rapidement la communication. Et comme prévu, il se met à parler en arabe avec son correspondant. Sana Ladki traduit en simultané. Abizeid demande à son correspondant combien il y a d'exemplaires du connaissement. Sans même prendre le temps de réfléchir, le correspondant répond :

— *Tnein !*

Sana Ladki traduit à la vitesse de l'éclair :

— Deux.

Je m'écrie :

— Vous êtes sûre ?

Sana me sourit.

— Il a bien dit « *tnein* », et « *tnein* », c'est « deux ».

Abizeid continue :

— *Tnein… inta akid ? Ana kint mit aked, fi tlété…* (Deux… t'es sûr ? J'étais certain qu'il y en avait trois…)

— *La', La', fi tnein, ana akid* (Non, non, c'est deux, j'en suis sûr), affirme péremptoirement son correspondant.

Je m'assois et fais répéter quatre fois à Sana ce qu'elle vient de traduire. Cela relève d'un vrai miracle. D'un seul coup, « *tnein* », un mot dont j'aurais très certainement ignoré pour toujours la signification si Sana ne me l'avait pas traduit, soulage mes épaules du poids d'une tonne qu'elles supportent depuis plus d'une heure.

L'enquête tire à sa fin. Une photocopie du connaissement est transmise immédiatement par fax à la douane de Manchester. La drogue sera saisie discrètement dès le lendemain. Nous arrêterons Abizeid quatre jours plus tard, au moment de son départ pour l'Europe, et ses complices montréalais dans la foulée.

Peu de temps après avoir téléphoné à son correspondant, Joseph Abizeid quitte l'hôtel pour aller habiter chez Johnny Skoulikas à Côte-Saint-Luc, où il a prévu de rester jusqu'à son départ, le 28 janvier. Abizeid a remis l'enveloppe avec le connaissement à Skoulikas. Le document est destiné au transitaire qui va sortir officiellement les conteneurs du port lorsqu'ils arriveront de Manchester. Pour Abizeid, sa participation à cette livraison de drogue est terminée.

Enfin, le croit-il !

Joseph Abizeid reçoit 50 000 dollars américains en chèques de voyage

Comme nous ne quittons plus Joseph Abizeid d'une semelle, ou d'une oreille grâce aux écoutes du téléphone de l'avenue Prince-of-Wales, le 25 janvier, nous apprenons qu'il prévoit se rendre à un rendez-vous, le lendemain après-midi, dans la chambre 528 du Holiday Inn de Pointe-Claire. Il doit y rencontrer un Américain d'origine grecque du nom de Roumeliotis. Celui-ci est arrivé de Houston le matin du 26 à l'aéroport de Dorval, près de Pointe-Claire. Nous avons conclu d'une conversation à mots couverts qu'il s'agit d'un trafiquant porteur de «ce qui est convenu». Comme le fournisseur de drogue est Abizeid, il y a de fortes chances pour que ce soit de l'argent, sans doute du cash, du liquide. L'Américain se rend à Montréal parce que Joseph Abizeid doit repartir directement pour le Liban, et qu'il lui est impossible de repasser par le Texas avant son départ.

Avec une journée d'avance, les services techniques de la GRC ont eu tout leur temps pour poser des caméras et des micros dans la chambre, et pour placer le téléphone sur écoute. Avec des récepteurs en circuit fermé installés dans une autre chambre, nous sommes fin prêts pour l'arrivée de l'Américain. Grâce aux micros et à la télévision, nous allons être, mes collègues et moi, les témoins non seulement d'une grosse commande de drogue, mais aussi de la plus longue séance de signatures à laquelle il m'ait jamais été donné d'assister.

Abizeid est à l'heure. Roumeliotis le reçoit dans sa chambre. C'est bien un trafiquant de drogue, venu passer une commande de 200 livres de hachich à livrer à Houston. Comme d'habitude, le chargement passera par le Mexique à travers la branche de la filière dirigée par Paul Frangié. Roumeliotis a apporté une avance de 50 000 dollars. La suite va être l'objet d'un spectacle des plus soporifiques. Pour régler les 50 000 dollars, l'Américain a pris des chèques de voyage de 50 et de 100 dollars. Il lui faut tous les signer devant la personne à qui il doit les remettre en paiement. Cinquante mille dollars, ça fait beaucoup de signatures, vraiment beaucoup. Ainsi, pendant près de deux heures, je regarde en souriant l'Américain apposer sa griffe sur les chèques. La séance de signatures terminée, Abizeid range les chèques dans une sacoche qu'il a apportée, serre la main de Roumeliotis et sort aussitôt. L'une de nos équipes le prend en filature.

Une autre équipe vérifie que Roumeliotis repart bien le soir même pour le Texas. De retour au bureau, je téléphone aux États-Unis, et transmets les renseignements que nous avons recueillis à Dan Wedeman, un de mes correspondants à la DEA. Il pourra suivre Roumeliotis au Texas et monter un dossier de preuve accablant contre lui. Mais au moment où il s'apprête à l'interpeler, Roumeliotis s'enfuit en Grèce; dont il est également citoyen. Wedeman n'abandonne pas et le suit là-bas pour l'arrêter. Il repartira sans lui, parce que la justice grecque refuse de le livrer sous le prétexte que la Grèce n'extrade pas les nationaux dont la famille est de citoyenneté grecque depuis au moins trois générations. Au Texas, le procureur du district Jessie

Rodriguez, qui s'occupe du dossier, décide d'abandonner les pour-suites, trouvant que Roumeliotis n'est pas un assez gros poisson pour qu'on dépense des fortunes à le pourchasser à travers le monde s'il devait sortir de Grèce. De toute façon, il est à jamais interdit de séjour aux États-Unis.

De notre côté, nous entendrons de nouveau parler des 50 000 dol-lars en chèques de voyage plus tard à Montréal dans des conditions plutôt étranges. En attendant, les arrestations vont enfin pouvoir débu-ter. Celles de Joseph Abizeid et de ses complices montréalais sont maintenant imminentes.

L'arrestation de Joseph Abizeid

Le mardi 28 janvier 1981, quatre jours à peine après l'épisode rocam-bolesque du connaissement à Mirabel, Joseph Abizeid est une nou-velle fois à l'aéroport, repartant pour l'Europe. Nous avons prévu de l'intercepter en zone internationale. Il est 18 h. Il ne neige pas, mais le ciel est couvert et la température, relativement clémente. Il fait moins 7 degrés Celsius.

À l'aéroport, le surintendant Adrien Gilbert a été prévenu qu'il faut arrêter Abizeid le plus discrètement possible. Des agents de la GRC seront là, à attendre dans un bureau pour l'emmener tout de suite à Westmount. Nous avons fourni l'identité sous laquelle voyage Abizeid. En effet, il ne voyage pas sous son nom véritable. Il possède un passe-port mexicain au nom de Marcos Ocampo Etchevaria. Johnny Skoulikas et Stamatios Psaroudis l'accompagnent à Mirabel. Comme Abizeid voyage en première, l'enregistrement est rapidement expédié. Il est un peu en avance. Les trois hommes se rendent au salon des premières classes où ils prennent un dernier verre.

Lorsqu'il passe dans la zone internationale pour acheter des ciga-rettes et du whisky en hors taxe, Abizeid est interpelé par le douanier Armindo Santos pour vérification de passeport. Une fois le document en main, le douanier fait mine de le vérifier, puis il prie Abizeid de bien vouloir le suivre dans les locaux de la police. Le Libanais le suit sans protester. Il doit penser qu'il s'agit d'un autre contrôle de routine. Il me dira plus tard qu'il n'avait rien vu venir. Dans le bureau, à l'abri de tout regard extérieur, il est arrêté sous l'accusation de voyager avec un faux passeport. Il est ensuite amené au quartier général de la GRC à Westmount où je l'attends. Tout ça se fait dans la plus grande discrétion. Il ne faut surtout pas alerter ses complices qui prendraient la fuite.

À son arrivée à la GRC, Abizeid est toujours convaincu qu'il a été arrêté à cause du faux passeport. Quand je lui explique la vraie raison de son arrestation, son visage se fige de stupéfaction. Je poursuis :

— Vous êtes suivi depuis des mois. On connaît vos deux complices. Skoulikas et Psaroudis. Ils seront arrêtés dès que les 7 tonnes de cannabis seront saisies demain matin à la première heure à Manchester.

À ce moment, son visage change ; la stupéfaction fait place à une moue admirative.

— Wouah !

Il n'a vraiment rien vu venir ni même rien pressenti.

— Beau travail !

Il est assez rare de recevoir des félicitations d'une personne que l'on vient d'arrêter. Mais ça se prend bien de la part d'un adversaire différent des bandits avec lesquels je traite habituellement.

Joseph Abizeid est ensuite placé en détention préventive dans l'une des cellules situées dans la partie supérieure de l'immeuble de la Sûreté du Québec (SQ), rue Parthenais. Il va y rester 15 mois. Je lui rendrai visite très régulièrement, seul ou accompagné du procureur de la Couronne. Nos conversations seront toujours empreintes de retenue et de politesse. Je ne l'ai jamais vu en colère. Abattu à l'occasion, mais jamais en colère.

Le lendemain à Manchester

Une fois Joseph Abizeid derrière les barreaux, il ne reste plus aux douaniers britanniques qu'à saisir la drogue. C'est fait dès le lendemain. Le mercredi 29 janvier, grâce aux renseignements contenus dans le connaissement qu'on leur a fait parvenir, les deux conteneurs sont facilement repérés. Ils sont chargés sur deux remorques, et conduits dans l'enceinte de la douane. Les conteneurs sont accotés à cul au quai de déchargement d'un grand entrepôt et placés de telle façon que leurs portes soient accessibles de l'intérieur du bâtiment où une dizaine de douaniers attendent. Comme il s'agit de drogue, un maître-chien a été appelé. Assis à ses pieds, un superbe épagneul anglais noir et blanc de cinq ou six ans, animé, impatient, est prêt à foncer comme pour jouer. Un douanier s'approche des portes à double battant du premier conteneur avec une énorme paire de cisailles pour couper le cadenas. Le chien connaît la manœuvre, il se lève et se met à trépigner devant le conteneur. Sa queue bat l'air comme un ventilateur. Son maître le calme en lui tapotant l'arrière-train. Le douanier fait sauter le cadenas. Il arrache les scellés et ouvre les portes. À l'intérieur, emballés dans des couvertures, de grandes feuilles de plastique à bulles et des grandes bandes de carton ondulé, des meubles sont soigneusement calés et empilés. Visiblement, le travail d'empaquetage a été bien fait pour le transport. Rien ne semble avoir bougé.

Le maître-chien regarde si rien ne peut blesser son compagnon. Il fait pénétrer l'impatient dans le conteneur. Celui-ci flaire le sol, puis lève le museau et presque instantanément s'immobilise devant une sorte de gros buffet. Bingo ! C'est bien de la drogue, et il doit y en avoir beaucoup parce qu'il y a énormément de meubles. Mais, pour pouvoir sortir le buffet, il faut d'abord retirer les plus légers qui sont entassés devant. Tous sont portés sur le quai à l'intérieur de l'entrepôt. Là, d'autres douaniers dégagent les meubles de leur gangue de tissu, de plastique et de carton. Les armoires, les chaises, les tables ou les bahuts sont immédiatement ouverts, démontés, parfois même éclatés avec des pieds-de-biche, ou quand ils résistent, carrément défoncés au marteau. Il est en effet peu probable que quelqu'un vienne un jour réclamer quoi que ce soit. Les sièges des chaises contiennent tous des sachets de plastique transparent remplis d'un hachich de couleur dorée, le fameux *Lebanese gold*.

Une fois ouvert, le grand plateau de la table offre, dans une double paroi, des paquets de plusieurs kilos de hachich. Les pieds de la table sont creux et renferment des paquets plus petits tassés sur toute leur longueur. Les meubles plus grands et trop lourds sont sortis des conteneurs avec un chariot élévateur. Depuis longtemps, il n'y a plus besoin du chien. Quand les douaniers ouvrent, avec un pied-de-biche, les portes clouées de certaines armoires ou de certains buffets, des paquets non hermétiquement clos laissent échapper une odeur qui assaille. Le hachich est dense et lourd, et plusieurs gros meubles peuvent en contenir jusqu'à 200 kilos. Pendant plusieurs heures, les douaniers sortent des meubles des deux conteneurs, les déballent et les démontent. Tous contiennent, sur des étagères ou dans des doubles parois, des dizaines de paquets plus ou moins lourds de hachich toujours emballés dans du plastique épais et transparent. Les douaniers vont mettre longtemps à sortir toute la drogue. Les paquets sont pesés au fur et à mesure et entassés sur des plateformes de wagonnets prêts à être évacués vers une chambre forte. Il y en a un peu plus de 7 tonnes. Le compte y est.

La cargaison va demeurer en Angleterre. Habituellement, en cas d'enquêtes simultanées en Grande-Bretagne et au Canada, les polices des deux pays s'entendent pour un partage de la cargaison de drogue, chacune prenant une partie du chargement pour étayer son propre dossier de preuve. Mais, à la GRC, nous n'avons nul besoin de la drogue. L'enquête est avancée, très documentée; la preuve, exclusivement fondée sur les enregistrements électroniques et les filatures. Il n'est donc pas nécessaire de faire venir la drogue pour prouver le crime.

À Montréal, la GRC s'apprête à arrêter les complices d'Abizeid. Je ne participe pas à l'opération, mais on me racontera que la sœur de la blonde de Skoulikas a eu une bien mauvaise surprise.

Dès que la GRC est prévenue de la saisie de la cargaison, les policiers reçoivent l'ordre d'arrêter les deux principaux complices de Joseph Abizeid: Stamatios Psaroudis et Johnny Skoulikas. Psaroudis sera arrêté en fin de matinée chez son beau-frère Dean Papatakis à Dollard-des-Ormeaux.

Pour Johnny Skoulikas, la fin de cette aventure est proche, mais ce n'est pas celle qu'il a prévue. Dans son esprit, il ne reste plus qu'à sortir la drogue du port de Montréal dès que possible. Ce jour-là, à midi, le 29 janvier, il est installé dans un bon restaurant avec sa blonde et la sœur de celle-ci. Deux policiers l'abordent ainsi que ses amies, au milieu du repas. Ils annoncent discrètement au trafiquant qu'il est en état d'arrestation pour trafic de drogue, et lui ordonnent de les suivre sans faire de scandale. Un peu sonné, Skoulikas n'oppose aucune résistance; il se lève et suit les policiers. Ceux-ci appréhendent également sa compagne. Elle demande pourquoi, mais les suit sans dire un mot de plus. Une fois tout le monde sorti du restaurant, la sœur de l'amie de Skoulikas reste seule à la table. Comme elle se lève pour partir, le garçon vient lui présenter l'addition. Pour la GRC, cela reste l'une des grandes énigmes de cette histoire: sa sœur ou Johnny Skoulikas l'ont-ils jamais remboursée?

Totalement étrangère au trafic de drogue, la compagne de Johnny Skoulikas est rapidement relâchée. Elle ne sera jamais poursuivie. Johnny Skoulikas sera bientôt libéré sous caution, puisqu'il est Canadien. Mais Psaroudis, n'étant pas Canadien, reste incarcéré. Il est enfermé dans une cellule des étages supérieurs du bâtiment de la Sûreté du Québec de la rue Parthenais à Montréal. À sa grande surprise, la seconde de la journée, on lui révèle que Joseph Abizeid se trouve déjà dans une cellule du même étage, assez éloignée de la sienne pour qu'ils ne puissent pas communiquer ensemble. La détention pour l'un et l'autre va durer 15 mois.

Pour plusieurs membres de l'équipe, et particulièrement pour Sana Ladki, Pierre Xenopoulos et moi-même, le travail est bien loin d'être terminé. Il s'agit maintenant de préparer et de rédiger le dossier de la preuve. Il faudra relire les dépositions, en français, en anglais, en arabe, en grec. Si besoin est, nous devrons réécouter les passages essentiels des conversations et en vérifier les traductions. Un travail énorme nous attend.

CHAPITRE 9

Six mois pour monter un dossier de preuve i-na-tta-qua-ble

l est un peu plus de 7 h. Je finis de me raser. Lise est déjà dans la cuisine à préparer le café. C'est comme un rituel, le bruit de la douche a achevé de la réveiller. Ce matin, nous déjeunons ensemble avec les enfants. C'est un moment privilégié que nous essayons de conserver. Maxim a neuf ans et Shane, déjà six. Les horaires accordéons qu'imposent les enquêtes ne permettent pas souvent ces moments de partage.

Nous sommes le mardi 5 mai 1981 et, depuis plus de trois mois, la constitution du dossier de preuve m'autorise un horaire plus favorable à la vie de famille. Cela demeure un travail très accaparant. Sans être exactement du 9 à 5, il me permet de prévoir un peu plus ce que je vais faire. Je quitte la maison le premier; Lise travaille à Richelieu. Ce jour-là, le plan de la journée est établi, rien de spécial en vue. La constitution du dossier de preuve prend la totalité de mon temps. C'est un job long, parfois fastidieux, mais que j'aime. Établir un dossier de preuve démontre que nous avons réussi l'enquête. En général, et depuis le début de ce travail, peu de surprises. Pourtant, il y en a une de taille qui m'attend ce matin-là en arrivant à la GRC.

Le bureau est en émoi : Joseph Abizeid a tenté de se suicider dans la nuit. Je fonce à la prison de Parthenais. Abizeid est à l'infirmerie. Il n'a pas été transporté à l'hôpital, mais il a eu droit à un lavage d'estomac. Quand je le vois, un peu plus tard dans la journée, il est encore un peu sonné, mais recouvre vite ses esprits. Il m'explique qu'il a été pris d'une violente crise de panique. Il a appris par son avocat que la preuve sera impitoyable, et qu'un long séjour en prison l'attend au Canada. Je comprends ce que la panique peut entraîner. Un ami qui a déjà eu une telle réaction à un choc, incontrôlable, m'a raconté qu'il ne voulait absolument pas se suicider, mais qu'il voulait que la douleur s'arrête, tellement elle était insupportable.

Il est vrai que plus on avance dans la constitution du dossier, plus la preuve, les preuves, en fait, sont solidement étayées. Il faut dire que l'on y a mis les moyens. Dès la première apparition de Joseph Abizeid dans cette affaire, à Montréal en mars 1980, nous avons entrepris la surveillance du trafiquant libanais et de ses complices canadiens.

Pendant 10 mois, 11 enquêteurs, 10 agents chargés des écoutes électroniques et 4 secrétaires ont travaillé à plein temps et même en heures supplémentaires pour certaines filatures. À cela s'ajoutent les deux interprètes, Sana Ladki pour l'arabe et Pierre Xenopoulos pour le grec. Ils ont été souvent appelés, surtout Sana, durant les séjours d'Abizeid à Montréal. Pierre, lui, intervenait pour les conversations téléphoniques de Johnny Skoulikas avec des complices d'origine grecque. Et ça, c'est sans me compter pour les transcriptions en français et en anglais. En plus de cette bonne vingtaine de personnes affectées à l'enquête en fonction des besoins, plus de 100 agents se sont relayés au gré des filatures. C'était vraiment une très, très grosse enquête. La charge de travail pour la préparation du dossier de preuve est aussi énorme, mais avec cette fois-ci une équipe réduite. Avant tout, deux secrétaires, Sana, Pierre et moi-même. C'est à un véritable travail d'Hercule que nous nous sommes attaqués. Dès l'arrestation d'Abizeid et de ses complices montréalais, il a fallu faire des choix parmi les centaines de preuves recueillies, afin de rédiger le dossier assez rapidement. Si l'on avait repris l'ensemble des preuves accumulées, il y en aurait eu pour au moins un an de travail, sinon plus. Après quelques rencontres avec mes supérieurs et Michel Vien, le procureur de la Couronne, il a été décidé de ne prendre en compte que les résultats obtenus par les écoutes et les filatures effectuées dans le cadre des deux derniers séjours de Joseph Abizeid à Montréal, en décembre 1980 et en janvier 1981. Les preuves accumulées durant cette période réduite sont largement suffisantes pour étayer le dossier devant le tribunal. Devant cette masse de preuves, comme je l'ai dit plus haut, nous décidons également de ne pas faire traverser l'Atlantique à la drogue saisie en Angleterre, et de la laisser sous scellés à Manchester. Grâce aux témoignages des douaniers britanniques ayant saisi la drogue, et que nous ferons entendre à Montréal lors du procès, nous estimons en effet avoir suffisamment d'éléments sans qu'il soit nécessaire que la drogue soit apportée au Canada. Et puis, c'est toujours ça d'économisé dans une enquête qui va entrer dans le top trois des plus dispendieuses jamais menées par la GRC.

L'acte d'accusation va donc porter non pas sur le *trafic de drogue*, mais sur un *complot en vue d'importer plus d'une tonne de drogue*. En cas de condamnation, les peines sont semblables à celles appliquées pour le trafic de drogue. Et pour ça, le dossier, notre dossier, je peux dire aussi «mon» dossier, est très solide. Cependant, même avec des preuves réduites, le travail reste énorme. Durant ces six mois, Pierre Xenopoulos et surtout Sana Ladki, parce qu'il y a plus d'arabe que de grec, travailleront à temps plein avec moi. Deux secrétaires dactylographieront à longueur de journée tous les textes retenus. Je serai également en contact permanent avec le procureur de la Couronne. Avec lui ou sans lui, et à de nombreuses reprises, j'irai rendre visite à Joseph Abizeid dans sa cellule de la Sûreté du Québec. Il faut que tous les textes, toutes les traductions soient vérifiés. Pour chaque extrait de rapport de filature retenu, il faut reprendre le texte original et sélectionner les informations. Même chose pour les enregistrements électroniques. Nous devons contrôler l'exactitude de la transcription et de la traduction. Qu'il s'agisse du grec, de l'arabe, du français ou de l'anglais, les interprètes et moi-même devons reprendre et réécouter attentivement chaque conversation enregistrée et, phrase par phrase, vérifier la précision de la traduction. Je veux spécialement remercier, ici, Sana et Pierre pour l'énorme et méticuleux travail accompli. Je m'occupe personnellement des textes en anglais et en français. Nous y passons tous de longues heures.

Sana Ladki reste parfois tard, le soir, à écouter et réécouter les bandes magnétiques pour vérifier les traductions de l'arabe. On l'a installée dans une salle qu'elle partage avec une partie de l'équipe de nuit. La salle est équipée d'un poste de télévision. Une fois que le travail est terminé, la jeune femme, toujours d'une grande discrétion, me fait remarquer en riant que, certains soirs de match de hockey, elle avait parfois un peu de mal à entendre ce qui se disait dans l'enregistrement, gênée par les cris d'enthousiasme ou de désespoir des agents de service de nuit de la GRC qui, dans la même pièce qu'elle, suivaient à la télévision les matchs du Canadien en buvant de la bière, les deux pieds sur leur bureau[1].

Les demandes de renouvellement d'écoute électronique, comme tous les documents officiels, sont relues une par une, classées et incorporées au dossier. Au final, celui-ci comprendra plus de 8000 pages originales. En comptant toutes les personnes à qui il est destiné, juges, procureurs de la Couronne, avocats des accusés, GRC, archives, etc., le dossier est « tiré » à 20 exemplaires. Si l'on multiplie 20 par 8000, cela donne donc plus de 160 000 pages qui sont distribuées. Le coût total de l'enquête, préparation de la preuve comprise, a atteint plus de 3 millions de dollars[2]. Mais, franchement, ça en a valu la peine. L'enquête a abouti à la saisie de plus de 7 tonnes de drogue, en Angleterre, au démantèlement définitif de la filière libanaise à Montréal, et à l'arrestation de Joseph Abizeid et des membres montréalais de cette prolifique organisation criminelle.

Il faut ajouter au crédit de la GRC que les preuves accumulées ont été déterminantes dans le démantèlement de la partie mexicaine et texane de la filière libanaise. Sans oublier qu'une conversation enregistrée entre Sam Cammarata à Houston et Joseph Abizeid à Montréal a prouvé la culpabilité de Cammarata non seulement pour le trafic de drogue, mais aussi pour la tentative d'assassinat du « président de la République libanaise ».

La boucle est enfin bouclée. Pour la GRC, pour mon équipe et moi-même, le dossier est maintenant *i-na-tta-qua-ble*. Pour moi, cette fois-ci, c'est vraiment terminé. Le procès ne sera qu'une simple formalité.

L'enquête préliminaire : la preuve est contestée

Nous sommes le 3 novembre 1981, et l'hiver approche avec seulement moins 5 degrés au thermomètre. À 9 h 30 s'ouvre l'enquête préliminaire au palais de justice de Montréal. Il y a trois accusés : Joseph Abizeid, Johnny Skoulikas et Stamatios Psaroudis. L'avocat de Joseph Abizeid est maître Sydney Leithman. Il a reçu les 8000 pages de la preuve. Quand il a fini de prendre connaissance du dossier, il a rendu visite à son client dans sa cellule de prison préventive, au-dessus du quartier général de la SQ, rue Parthenais. Dans l'ascenseur l'amenant aux étages des cellules, il cherchait encore dans sa tête la manière la moins brutale d'informer son client. Abizeid l'attendait avec impatience. Il savait son avocat porteur d'une nouvelle importante.

Joseph Abizeid m'a raconté plus tard que, même s'il s'en doutait un peu, la nouvelle lui avait fait l'effet d'un coup de poing. Au fur et à mesure que maître Leithman lui parlait, il sentait ses traits se tendre et se figer. Mais l'avocat lui a exposé les faits sans rien cacher. De son point de vue, la défense allait être difficile. Le dossier était sans faille, solidement étayé et, point central de toute la preuve, les écoutes électroniques apportaient des éléments irréfutables et incontestables de la culpabilité de tous les accusés. « Et la vôtre en particulier. »

Avant de quitter Abizeid, resté digne mais effondré, maître Leithman lui a dit qu'il y avait encore une toute petite chance que le droit ait été violé quelque part. Il entendait réexaminer le dossier à la recherche d'un vice de forme, aussi petit soit-il, pouvant conduire à l'annulation de l'accusation.

C'est ainsi que, par acquit de conscience, maître Leithman a demandé à maître Francis Brabant[3], un jeune avocat de son cabinet, de passer à travers les 8000 pages de la preuve et d'essayer de trouver un mot, une virgule mal placée, une faille, une fissure juridique. Le jeune avocat s'est attaqué aux 8000 pages, a cherché et, malheureusement pour la GRC et pour la Couronne, a trouvé. Il a découvert une minuscule erreur de secrétariat dans 3 des 10 demandes de renouvellement des écoutes électroniques.

Il faut rappeler que, pour enregistrer quelqu'un à son insu, on doit, impérativement, obtenir une autorisation signée par un juge. Pour cela, il faut remplir un formulaire spécial de demande avec le ou les noms de la ou des personnes à écouter. Ce document, une fois approuvé par le juge, n'est valable que pour un mois. Il faut donc répéter la procédure[4] chaque mois jusqu'à la fin de l'enquête. Cette enquête-ci ayant duré 11 mois, il a fallu 10 demandes de renouvellement. Je ne m'en suis pas occupé directement, mais j'ai demandé 10 fois à notre service juridique de les faire parvenir à un juge pour qu'il les signe. Comme il s'agissait de la même enquête et des mêmes personnes, il suffisait de reprendre le formulaire initial et de le recopier. Mais, chaque fois qu'il doit signer, le juge sollicité doit être convaincu que l'octroi du renouvellement de la demande servira au mieux l'administration de la justice, c'est-à-dire qu'il ne violera aucun des droits des personnes écoutées. Pour libérer le juge de tout doute sur la légalité du document, trois petits paragraphes insistent sur les conditions suivantes:

a) d'autres méthodes d'enquête ont été essayées et ont échoué;
b) d'autres méthodes d'enquête ont peu de chances de succès;
c) l'urgence de l'affaire est telle qu'il ne serait pas pratique de mener l'enquête relative à l'infraction en n'utilisant que les autres méthodes d'enquête.

Il est possible de barrer un des trois ou deux des trois paragraphes, mais il faut obligatoirement en conserver au minimum un pour valider le document et permettre les écoutes. Si les trois paragraphes sont barrés, cela veut dire que les écoutes ne sont pas nécessaires à l'enquête. Mais, en remplissant 3^5 des 10 demandes, quelqu'un avait barré les trois petits paragraphes par inadvertance avec un grand X. Un X de trop !

En plaçant dans le dossier les demandes de renouvellement nécessaires à la preuve, je ne les avais pas examinées page par page, convaincu que, signées par un juge, elles étaient toutes valides. Ça avait pourtant été une erreur de barrer ces paragraphes. En tant que chef de l'enquête, j'ai endossé, et la GRC avec moi, l'entière responsabilité de cette erreur. Mais cette situation critique retombait aussi du côté de la justice. Plus tard, je me suis demandé pourquoi le juge qui avait signé les demandes d'écoute ne s'était posé aucune question sur les documents qu'il devait approuver, puisque, à cause des trois paragraphes barrés d'un grand X, ils n'avaient plus de valeur juridique : ils ne demandaient rien, ils ne servaient donc à rien.

Cependant, il sautait aux yeux de quiconque ayant lu le dossier de preuve et examiné les autres demandes de renouvellement que d'avoir barré les trois paragraphes était le résultat d'une inattention, d'une erreur de secrétariat, cléricale, comme on dit dans le langage juridique. C'était la seule erreur – la seule minuscule erreur – que les avocats des accusés avaient trouvée dans les 8000 pages de la preuve. Quoi qu'il en soit, comme c'était son droit, et même son devoir envers ses clients, maître Leithman a fait valoir cette erreur au tribunal. Il a fallu très peu de temps pour que le juge de l'enquête préliminaire, le juge Benjamin Schecter de la Cour des sessions de la paix de Montréal, déclare cette erreur sans valeur juridique. Il a conclu son jugement en disant qu'il s'agissait d'une erreur cléricale et que, de toute façon, l'ensemble des preuves démontrait sans l'ombre d'un doute qu'on avait affaire là à un très gros trafic de drogue. Le juge Schecter a donc décidé que la preuve recueillie par l'écoute électronique était recevable, et que les accusés devaient subir leur procès. Ouf ! Pour moi, cette fois-ci l'enquête était bien finie.

Toutefois, elle n'était pas finie pour Joseph Abizeid. Il ne faut pas oublier qu'il appartenait à une puissante famille libanaise. Son épouse, Allie Lowe, est venue à Montréal et a pu lui rendre visite. Elle ne pouvait rien faire pour lui à Montréal ; c'est pourquoi elle est retournée au Liban afin de mobiliser la famille Frangié. Impossible de tenter quelque démarche officielle que ce soit. Toutefois, à plusieurs reprises, de discrètes interventions ont été faites par les Libanais auprès de personnes influentes au Canada

Sana Ladki se souvient même qu'un évêque libanais s'est spécialement déplacé à Montréal pour plaider la cause de Joseph Abizeid. À
toutes ces demandes, on a répondu – également discrètement – qu'au
Canada, la séparation des trois pouvoirs était une réalité, et que l'exécutif ne pouvait avoir aucune action sur le judiciaire.

Le procès était prévu pour novembre 1981. La complexité du dossier – les 7 tonnes de cannabis, le Liban, la saisie de drogue à
Manchester – indiquait qu'il devrait durer de deux à trois mois.

Quelle qu'en soit la longueur, le résultat est maintenant écrit
d'avance. Toutes les preuves sont acceptées. Je sors du palais de justice
après la décision du juge. Je peux rentrer à Richelieu. Ce soir-là, l'âme
en paix, je vais dormir tranquille.

Cependant, alors qu'à Montréal les procureurs de la Couronne et
les avocats des accusés argumentent sur la valeur légale de la présence
ou de l'absence d'un X barrant trois petits paragraphes d'un document
officiel, aux États-Unis, Lee Pagel et la police du Texas ont réussi à
coincer toute la bande de Sam Cammarata, à Houston. Jimmy Hopper,
lui aussi, a été arrêté. Lee Pagel a alors expliqué à Hopper que le gros
poisson visé par la police ce n'était pas lui, mais plutôt son patron, le
parrain de Houston, Sam Cammarata.

CHAPITRE 10

Jimmy Hopper est arrêté à Houston

Octobre 1981, au Texas, c'est le moment où Lee Pagel est enfin sur le point de découvrir pourquoi il a du mal à accumuler les preuves contre Sam Cammarata. Il expliquera plus tard :

> Sam Cammarata menait une double vie. D'un côté, il avait des activités criminelles, important d'énormes quantités de drogue de l'Amérique latine et du Liban. Pour maintenir son pouvoir, il n'hésitait pas à enlever ses rivaux et même à les tuer. Et de l'autre côté, aussi étrange que cela puisse paraître, il était un important et très fiable informateur de la DEA et du FBI[1].

Comme elle n'a pas de preuves assez solides contre Cammarata pour le faire lourdement condamner, la police du Texas va employer une méthode qui a fait ses preuves depuis longtemps aux États-Unis. Elle tentera de le coincer en inculpant l'un de ses complices qu'elle retournera ensuite en lui proposant un marché. Le choix se porte sur Jimmy Hopper. L'inspecteur Ken Akins, un policier travaillant avec Lee Pagel, infiltrera la bande de Cammarata, et deviendra le chum de Jimmy Hopper. Et l'opération réussira parfaitement.

Au bout de quelques semaines, les deux nouveaux amis sont devenus assez proches pour que Hopper procure à Ken Akins la cocaïne que ce dernier veut lui acheter depuis un certain temps. Mais le premier échange n'est pas assez important pour obtenir une sévère condamnation. Akins répétera donc l'opération plusieurs fois afin d'amener Hopper à lui vendre une quantité plus importante de coke, et il y arrivera. C'est ainsi que Lee Pagel et lui peuvent arrêter Jimmy Hopper en flagrant délit au moment où celui-ci vend à Akins une quantité de cocaïne pouvant lui valoir des années de prison. Quand Lee Pagel, avec l'accord du procureur Wayne F. Speck, explique à

Hopper que ce n'est pas lui qui est visé mais son boss Sam Cammarata, Hopper refuse tout net de collaborer. D'abord sous prétexte de loyauté vis-à-vis du parrain de Houston, mais surtout, et il l'avouera à Pagel par la suite, à cause de la terreur que lui inspire Cammarata[2]. Le parrain fait liquider les gens qui le dérangent, et Hopper est bien placé pour le savoir, lui qui a assassiné Lou Sinople pour son compte.

Hopper refusant de parler, les premières accusations contre Cammarata vont venir, tout à fait par hasard, d'un autre membre de sa bande, un petit escroc alors en prison pour une courte peine. L'homme a quelques semaines encore à tirer, mais il dit à Lee Pagel qu'il aimerait bien sortir de prison pour l'Action de grâce, la Thanksgiving qui approchait. Si Pagel lui promet de ne pas dire que l'information vient de lui, il l'amènera à l'endroit où sont enterrés deux des hommes que Cammarata a fait assassiner. Le policier obtient immédiatement cet aménagement de peine auprès du procureur, et le bandit se met à table. Pagel dira par la suite :

> Cet escroc nous a raconté que Cammarata avait supprimé plusieurs trafiquants de drogue, qu'il en connaissait deux, Kevin Carter et Ricky Escamilla, et qu'il pouvait nous conduire là où leurs corps étaient enterrés[3].

Les ordres de Cammarata ont été précis : il fallait faire disparaître toute trace des deux corps pour qu'on ne les retrouve jamais. Il faut dire qu'à moins d'un coup du hasard tout à fait improbable, et sans la confession du petit escroc, il aurait été impossible à la police de les retrouver. Ils ont été enterrés à des kilomètres de Houston, au bord d'une rivière, sous le pont d'une petite route secondaire du Texas. Et, si les corps avaient été découverts à l'occasion de travaux par exemple, il aurait été impossible de les identifier. Les tests ADN n'existaient pas à l'époque.

Ce n'est qu'après la découverte des corps de Carter et d'Escamilla, et l'arrestation suivie de l'inculpation pour meurtre de Cammarata, que Hopper, enfin rassuré sur son avenir, dit à Lee Pagel qu'il a quelque chose de beaucoup plus important que tout ça à propos de Sam Cammarata. Il raconte alors que ce dernier l'a envoyé au Liban pour planifier l'assassinat du « président du Liban » et de son frère, « le vice-président ». Pour Pagel, ça semble énorme, et il est plus que sceptique quant à la véracité de cette histoire. Je le connais suffisamment pour savoir qu'à l'époque il ignore, tout comme moi, ce qui se passe précisément au Liban, et qu'il ne sait sûrement pas qui est le président. Pour convaincre Pagel, Hopper demande que l'on aille chercher son passeport. Il peut ainsi montrer au policier son visa pour le Liban, daté de décembre 1980, confirmant ce qu'il a dit. Lee Pagel le prend plus au sérieux, mais cette histoire dépasse ses compétences. Il doit transmettre le dossier au secrétariat d'État à Washington. Toutefois, il ne veut pas prendre de risque et, avant de transmettre le dossier, il doit en vérifier l'authenticité.

> On ne voulait pas passer pour des imbéciles. Nous avons donc dit à Hopper qu'il devrait passer un test de polygraphe[4].

Au début des années 1980, le polygraphe, le détecteur de mensonges, est encore un moyen répandu d'établir une preuve dans de nombreux États américains. Plus tard, sa fiabilité sera mise en doute par des scientifiques, tant et si bien qu'en 1998, un arrêt de la Cour suprême des États-Unis en restreindra l'utilisation devant les tribunaux. Mais, au moment de notre histoire, Jimmy Hopper n'y échappe pas.

Voici le compte rendu intégral de l'enregistrement du test qu'il a passé dans les locaux de la police du Texas à Austin :

Opérateur : *The test is about to begin. Please, remain still. Is your last name Hopper?* (Le test va maintenant débuter. Demeurez immobile, s'il vous plaît. Votre nom de famille est Hopper ?)

Hopper : *Yes.*

Opérateur : *Do you intend to answer all of the questions about the plot to kill the leader of the Lebanese government truthfully?* (Acceptez-vous de répondre avec franchise à toutes les questions au sujet d'un complot pour assassiner le chef de l'État libanais ?)

Hopper : *Yes.*

Opérateur : *Did Sam Cammarata instigate to you the plot to kill the president of Lebanon?* (Est-ce que Sam Cammarata vous a incité à comploter pour assassiner le président du Liban ?)

Hopper : *Yes.*

Opérateur : *Are you intentionally withholding anything you know about the plot to overthrow the Lebanese government?* (Taisez-vous intentionnellement une information à propos du complot visant à renverser le gouvernement libanais ?)

Hopper: *No.*
Opérateur: *Have you ever lied to cover up for someone?* (Avez-vous déjà menti pour protéger quelqu'un?)
Hopper: *No.*
Opérateur: *The test is now complete. Please, remain still.* (Le test est maintenant terminé. Ne bougez pas, s'il vous plaît.)

Mais Hopper échoue au test. En réponse à une question, l'appareil a détecté un malaise. La question et la réponse litigieuse sont les suivantes:
Opérateur: *Have you ever lied to cover up for someone?* (Avez-vous déjà menti pour protéger quelqu'un?)
Hopper: *No.*

Or, Hopper aurait dû répondre «oui». Le polygraphe montre qu'il est nerveux. D'un autre côté, totale coïncidence, Lee Pagel vient juste d'apprendre que ce que Hopper tente de cacher, c'est l'assassinat de Lou Sinople. Puisque le meurtre n'a jamais été élucidé par la police, au moment du test, Hopper est persuadé qu'à part Cammarata, personne ne sait qu'il a tué Sinople, et c'est pourquoi il a menti. En fait, il y avait une autre personne au courant de l'assassinat. Et, comme souvent dans les romans, il faut chercher la femme. La personne qui a informé la police n'est autre que la blonde de Hopper. En tant que proche de celui-ci, elle a été interpelée et interrogée. Et pour se dédouaner, elle a parlé. Quand Lee Pagel lui dit que la police sait qu'il a assassiné Sinople, Hopper fond en larmes devant lui et avoue le meurtre. Pour se rassurer, Pagel lui demande de repasser le test du polygraphe. Cette fois, Hopper le réussit. Il est ensuite amené devant le procureur, Wayne F. Speck. Voici ce que dira ce dernier plus tard:

> Cammarata a dit à Hopper que s'il mettait au point un plan pour assassiner le président et le vice-président pendant qu'il serait au Liban, il pourrait aller de l'avant et commettre l'attentat[5].

Le parrain de Houston avait ajouté que si Hopper avait besoin d'explosifs pour piéger les voitures importées des États-Unis, on lui en fournirait sur place, puisque la livraison des explosifs américains avait été faite.
Cependant, à l'époque, la tentative d'assassinat du président du Liban n'existe encore que dans le témoignage de Jimmy Hopper. Une

preuve indépendante serait la bienvenue pour Lee Pagel. À la question « *Did Sam Cammarata instigate to you the plot to kill the president of Lebanon ?* » (« Est-ce que Sam Cammarata vous a incité à comploter pour assassiner le président du Liban ? »), le « oui » de Hopper va permettre de trouver une confirmation de ses dires... au Canada, à la GRC.

Devant le succès du polygraphe passé par Hopper, comme le Liban est concerné, la police du Texas se doit de transmettre le dossier au département d'État à Washington. La police américaine travaillant étroitement avec le Canada sur la filière libanaise, le département d'État envoie le dossier à la GRC et, bien sûr, je le récupère. L'enquête canadienne va être capitale pour les Américains qui veulent vérifier les révélations de Hopper. Une conversation téléphonique entre Sam Cammarata à Houston et Joseph Abizeid enregistrée à Montréal va confirmer non seulement la complicité de trafic de drogue entre Sam Cammarata et Joseph « Joe » Abizeid, mais aussi l'implication du parrain de la Mafia de Houston dans la tentative d'assassinat du « président de la République du Liban ». En lisant la confession de Hopper, je me souviens avoir déjà entendu une conversation entre Abizeid et Cammarata. Je cherche dans les textes des écoutes et je retrouve la transcription de la conversation et très facilement la cassette. En décembre 1980, alors que Hopper est au Liban et Joseph Abizeid à Montréal au domicile de Johnny Skoulikas sur l'avenue Prince-of-Wales, Abizeid téléphone à Houston, à Cammarata au High Rollers' Club.

L'accord était tellement secret qu'aucune agence de renseignement américaine n'était au courant. Ni la CIA ni surtout le FBI ou la DEA, auxquelles Cammarata aurait pu, aurait dû en tant qu'informateur, parler. Sans le témoignage de Mister X qui révélait que les voitures piégées devaient exploser en présence du « président du Liban », sans la confession de Hopper confirmée, appuyée maintenant par la cassette de la GRC, l'affaire n'aurait jamais été ébruitée. Je me suis déplacé moi-même au Texas pour aller porter une copie de la cassette au procureur de l'État. Sa preuve ainsi renforcée, Wayne F. Speck a pu poursuivre Sam Cammarata pour complot en vue d'assassiner le « président du Liban ». Après son témoignage au procès de Cammarata, Jimmy Hopper a été placé dans le programme de protection des témoins du United States Marshals Service.

Au même moment, à Montréal, le procès de Joseph Abizeid et de ses complices est sur le point de commencer.

CHAPITRE 11

Le procès de Joseph Abizeid et de ses complices

Richelieu, 6 h du matin, le ciel est dégagé, il fait 2 degrés et un petit vent frisquet accentue la sensation de froid sur la peau du visage. Je pars plus tôt ; je dois passer par la GRC pour récupérer mon exemplaire du dossier de preuve avant d'aller au palais de justice. Aujourd'hui, 3 novembre 1981, commence le procès de Joseph Abizeid, de Johnny Skoulikas et de Stamatios Psaroudis. C'est un grand jour pour mon équipe. Il n'est pas 7 h lorsque j'arrive au 4225 du boulevard Dorchester. La cafétéria n'est pas encore ouverte, j'attendrai pour le café. Je monte au cinquième étage, dans le vaste espace ouvert où se trouve mon bureau. Jour de chance, l'une des cafetières répand une bonne odeur de café frais. Je m'empresse de remercier celui qui m'a devancé. Souvent, aussi tôt le matin, le seul café qu'on trouve est celui de la veille, cuit et recuit pendant toute la nuit, quand il ne reste pas qu'une couche sèche, marron foncé, collée au fond de la cafetière.

Je vais ensuite jusqu'à l'armoire de sécurité dont j'ai la clé, et dans un tiroir de laquelle se trouve mon dossier. Je reste une petite heure à passer une dernière fois au travers. Puis je ramasse mes affaires et descends au deuxième à la cafétéria. Je prends un grand café, des rôties et des œufs brouillés avec des saucisses. Je m'assois et déjeune, lentement. Comme d'habitude pour les procès, je suis en civil, costume-cravate. J'ai mis une chemise unie, une de celles qui sont réservées aux grandes occasions. Une dernière gorgée de café, je me lève et me rends au garage pour prendre une voiture banalisée. Je la parquerai dans le stationnement en face du palais de justice, rue Saint-Antoine. La session commence à 9 h 30.

J'arrive avec un peu à l'avance, question de voir la disposition des gens dans le prétoire. Je veux repérer la table derrière laquelle je m'installerai avec le procureur de la Couronne. Je suis là lorsque les trois accusés s'assoient dans le box. Les deux interprètes, Sana Ladki et Pierre Xenopoulos, les y rejoignent. La GRC a eu recours à eux pour l'enquête, précisément parce que tous deux sont des interprètes judiciaires officiellement reconnus par les tribunaux. À l'époque, il n'y a pas de système audio de traduction simultanée avec des écouteurs. L'interprétation se fait encore à voix haute pour être entendue de tous. Pierre s'installe entre Skoulikas et Psaroudis. Il traduira les textes en grec pour le tribunal ou pour les deux hommes. Pour les textes en arabe, Sana est assise près d'Abizeid. Placés comme ils le sont, Pierre et Sana se plaindront souvent qu'ils ont du mal à entendre ce que disent les personnes dont ils doivent traduire les propos parce que la barre des témoins est située entre le box des accusés et le juge, de telle façon que les personnes interrogées leur tournent le dos. Ils seront parfois obligés de demander que l'on répète ce qui vient d'être dit.

La séance est ouverte. Le juge Claude Guérin préside les débats. L'avocat de Joseph Abizeid est maître Youssef El-Batrawi, un avocat égyptien choisi par la famille depuis le Liban. Il fait valoir immédiatement et tout naturellement les trois renouvellements d'écoute téléphonique avec le grand X, et il en demande l'annulation. C'est sa seule arme même s'il n'y croit pas vraiment. Après avoir entendu les arguments des avocats et du procureur de la Couronne, le juge Guérin conclut promptement qu'il s'agit d'une erreur cléricale. Comme le juge Schecter de l'enquête préliminaire, il trouve qu'il y a assez de preuves sur la réalité du trafic de drogue et sur l'erreur cléricale des trois paragraphes barrés, et il conclut :

— Pour ces motifs plus haut cités, le Tribunal rejette les prétentions des procureurs de la défense, déclare que la Couronne a satisfait aux exigences de la loi.

Une fois sa décision prise, le juge convoque tout le monde pour la reprise du procès, le lendemain matin.

Mais, le lendemain matin, le principal accusé, Joseph Abizeid, n'est pas là. Il n'a pas été amené au palais de justice. Le juge Guérin se tourne vers moi et me dit de faire enquête pour savoir rapidement où est passé Joseph. Je n'en ai pas la moindre idée. Abizeid est sous l'entière responsabilité de la Sûreté du Québec qui doit l'amener au palais de justice et le reconduire le soir à sa cellule. Après quelques coups de téléphone, je sais ce qu'est devenu Joseph Abizeid. Il a été admis dans la nuit à l'hôpital Notre-Dame, souffrant de violents spasmes abdominaux. Je me rends immédiatement à l'hôpital. Quand j'arrive, Abizeid est calme, les soins ont fait disparaître les spasmes. Il m'explique qu'il a très mal encaissé la décision du juge d'accepter les écoutes électroniques et d'autoriser le procès, il a craqué.

— J'avais secrètement espoir que tout serait bientôt fini. Je m'étais persuadé que ce juge-là refuserait les preuves. Et maintenant, je me vois en prison pour des années. C'est vraiment dur à accepter.

Le procès reprend le lendemain. Il va durer deux mois. La procédure est longue et complexe. Il y a de très nombreux experts, certains venus d'Angleterre pour témoigner sur la saisie des 7 tonnes de drogue. Alors qu'il ne reste plus que quelques jours de procès, maître Youssef El-Batrawi, l'avocat de Joseph Abizeid, est obligé de le quitter, victime d'un zona. Cette maladie est très douloureuse. Elle n'est pas directement contagieuse, mais, à son contact, le virus de la varicelle peut se réveiller. Par précaution, le juge Claude Guérin annonce que le procès est suspendu jusqu'à la guérison complète de l'avocat. Mais comme il sait que cette interruption risque de durer plusieurs semaines, il prend en considération tous les problèmes humains qu'une telle attente va provoquer, et surtout l'état physique et moral dans lequel pourraient être les jurés dans trois ou quatre semaines. Ce ne sont pas des professionnels. Auront-ils encore en mémoire tous les faits et preuves exposés pendant les séances ? Devant l'accumulation d'éléments pouvant perturber la sérénité de la justice, le juge Guérin décide finalement d'annuler purement et simplement la session, et de renvoyer le procès devant une autre cour. Le procès est à reprendre totalement à zéro. Je suis pour ma part un peu effondré par la nouvelle.

Le côté positif de cette décision, c'est que je vais pouvoir me rendre aux États-Unis pour apporter mon aide et mon témoignage à la DEA et à la police du Texas qui bouclent leurs dossiers de preuve pour deux procès. Le premier procès aura lieu à Houston contre des membres de la filière libanaise interpelés à la suite de l'arrestation de Joseph Abizeid à Montréal. L'autre se tiendra à Austin pour juger Sam Cammarata et ses complices d'abord pour trafic de drogue, ensuite pour les différents meurtres commandés par le parrain de la Mafia de Houston, en particulier ceux de Kevin Carter et de Ricky Escamilla, et, enfin, pour juger Cammarata pour complot en vue d'assassiner le « président de la République du Liban ».

Pour les deux procès, les renseignements fournis par la GRC seront importants, et même décisifs en ce qui a trait à la tentative d'assassinat du « président » libanais.

CHAPITRE 12

Houston, premier procès aux États-Unis

Au printemps 1981, à la frontière États-Unis-Mexique, l'Administration antidrogue américaine, la DEA, a saisi une cargaison de tapis camouflant 1 tonne de résine de cannabis acheminée par la filière libanaise. Les policiers n'ont arrêté que des seconds couteaux. Le cerveau de l'organisation, Paul Frangié, leur a glissé entre les doigts. Il a eu le temps de fuir au Mexique. Par contre, la DEA a démantelé complètement la faction qui faisait entrer des tonnes de drogue par le Mexique depuis des années. Elle l'a fait en partie grâce à la GRC.

J'apporte moi-même à Houston certains éléments de preuve sur la connexion mexicaine de la filière libanaise, que nous avons recueillis à Montréal. Il s'agit de bandes magnétiques et de transcriptions des conversations entre Joseph Abizeid et Paul Frangié au Mexique. Les responsables de la DEA trouvent les documents tellement convaincants qu'après mon retour au Canada, ils envoient Dan Wedeman, l'un de leurs agents, chercher le restant de la preuve à Montréal. Wedeman est l'agent de la DEA qui a tenté d'arrêter le trafiquant Roumeliotis à son retour de Montréal où il avait remis à Joseph Abizeid 50 000 dollars en chèques de voyage comme avance sur une importante livraison de drogue. Les autorités américaines sont si pressées d'avoir les documents que Dan est obligé de faire l'aller-retour Houston-Montréal-Houston dans la même journée. Je lui porte moi-même le dossier complet à Dorval pour qu'il puisse repartir par le premier avion.

La DEA demande ensuite à revoir les traductions des conversations en arabe enregistrées entre Joseph Abizeid et Paul Frangié, de même que les conversations en grec, entre Roumeliotis et Skoulikas ou Psaroudis. J'envoie Sana Ladki et Pierre Xenopoulos à Houston. Sana est ravie à l'idée de ce voyage, car elle veut absolument visiter le Johnson Space Center de la NASA. La DEA s'occupe très bien d'eux, depuis l'aéroport où ils sont pris en charge jusqu'à l'aéroport où ils sont redéposés après avoir passé deux jours bloqués dans les bureaux de l'agence à traduire les documents que les agents leur confiaient.

— On n'est pas sortis, on est restés dans les bureaux. Je n'ai rien vu de Houston et encore moins du Space Center, me raconte une Sana un rien déçue à son retour.

Une fois le dossier de la DEA bouclé à Houston, j'y retourne une autre fois pour témoigner devant le grand jury. Mon témoignage et les preuves fournies par la GRC confirment tellement le dossier américain qu'il n'y aura pas de procès. Les complices de Paul Frangié plaideront coupables. Paul Frangié nargue les Américains. Dès son retour au Liban, il envoie un message à la DEA dans lequel il dit :

« Si vous voulez m'arrêter, venez donc me chercher ici. »

À l'époque, j'aimerais bien avoir plus de renseignements sur la filière du Mexique, et surtout sur le rôle exact de Roumeliotis. À mon dernier séjour à Austin, au siège de la police du Texas, le Texas Department of Public Safety, alors que je visite mon ami Lee Pagel, je rencontre Dan Wedeman. Je lui dis que l'un de mes regrets est de ne pas avoir pu recueillir plus de preuves sur l'implication de Roumeliotis dans le trafic de la filière passant par le Mexique. Il me dit qu'il connaît le nom d'un des avocats des trafiquants, juste le nom : Robert Salinas.

— Je n'ai pas son adresse Mais il doit habiter pas très loin de Houston, puisqu'il était l'avocat d'un des trafiquants. Essaie de le trouver lorsque tu seras à Houston.

Dan me donne le nom d'un détective de la police du Harris County, l'un des trois comtés dans les limites de la ville de Houston.

— Il s'appelle Demitrios Lemonitsakis. Comme Roumeliotis, il est d'origine grecque. Il est venu avec moi en Grèce comme interprète quand on a cherché à faire extrader Roumeliotis qui s'était réfugié là-bas.

— Et vous n'avez pas pu le ramener à Houston ?

— C'est ça. Demitrios est de Houston, il devrait savoir comment trouver Salinas.

Quand je reviens à Houston, un lundi soir, il me reste trois jours avant de reprendre l'avion pour Montréal. Le mardi, je dois aller au palais de justice en vue d'obtenir des copies de documents relatifs au jugement des trafiquants de la filière libanaise passant par le Mexique. Dans le courant de la journée, je téléphone à Lemonitsakis. Je rappelle plusieurs fois, mais je tombe chaque fois sur un répondeur. Je finis par le joindre en fin d'après-midi. Quand je me présente, il dit me connaître. Il m'a vu lorsque je suis venu témoigner devant le grand jury dans l'affaire de la filière libanaise. Il est libre pour la soirée, et nous décidons de souper ensemble. Il est encore tôt, et nous allons d'abord prendre un verre dans un *happy hour*. Je lui parle d'Abizeid et le tiens au courant des résultats de l'enquête de la GRC. Je commence à lui raconter l'histoire des 50 000 dollars en chèques de voyage signés pendant deux heures par Roumeliotis. Demitrios m'arrête :

— Dan Wedeman m'a raconté tout ça quand on était en Grèce. Ça devait être spécial.

— Plutôt. Vous connaissez un avocat du nom de Robert Salinas ?

— Pas précisément.

— Wedeman m'a dit que c'était l'avocat d'un des trafiquants condamnés devant juge, sans procès. Si c'est vrai, cet avocat doit connaître beaucoup de choses sur Roumeliotis, et il a sûrement des informations sur la cargaison de drogue commandée par Roumeliotis à Joseph Abizeid durant son voyage à Montréal. Il doit savoir comment la drogue était introduite au Texas.

Roumeliotis n'a jamais été arrêté, puisqu'il a fui en Grèce, mais, pour ma satisfaction personnelle, j'aimerais bien avoir des renseignements plus précis sur la transaction ; ça manque à mon dossier. Je dis à Demetrios que je souhaiterais rencontrer l'avocat Salinas. Il me répond qu'il ne le connaît pas. Ce n'est ni la police du Texas ni celle du Harris County qui s'est occupée de cette enquête. Le dossier a été traité par la DEA. Ça devrait se trouver dans ses archives.

— J'ai une très bonne amie qui travaille à la DEA de Houston, peut-être pourra-t-elle nous aider.

— Si elle est libre ce soir, elle peut peut-être se joindre à nous ?

— Je m'en occupe.

Deux heures plus tard, nous sommes attablés dans un bon restaurant tex-mex avec la jeune agente de la DEA. Nous lui expliquons notre recherche. Je lui dis que l'avocat s'appelle Robert Salinas et qu'il a défendu un des accusés de la filière libanaise. Elle note le nom sur un carnet, se lève et se dirige vers le téléphone public dans l'entrée du restaurant. Quand elle revient, quatre ou cinq minutes plus tard, elle me tend une page de son carnet.

— Voici son numéro de téléphone.

— Vous permettez ?

Je me lève et me dirige à mon tour vers le téléphone.

— *Hello ?*

— *Mister Salinas ?*

— *Yes*...

Je me présente. En deux mots, je lui explique la raison de mon appel. Il a en effet été l'avocat d'un des accusés dans le procès de la filière libanaise passant par Houston. Je lui demande si je peux le rencontrer. Bien sûr. Je lui précise que je dois absolument rentrer vendredi à Montréal.

— Demain, ça vous va ?

— Oui, mais pas avant demain soir, je ne suis pas à Donna dans la journée.

— OK.

— Je vous attends.

Je note l'adresse de son cabinet.

— Merci, à demain.

Je raccroche et, tout souriant, je reviens à la table. J'explique :

— Je vois maître Salinas demain soir. Il n'est pas à Donna dans la journée.

Demetrios et la jeune femme se regardent avec un air ahuri.

— Donna ?

— C'est ce qu'il m'a dit, Donna. Pourquoi, c'est loin de Houston ?

— Un peu, c'est à la frontière du Mexique, au moins 350 miles[1]. La limite de vitesse est de 70 miles à l'heure sur les autoroutes. Ça vous fait un voyage de sept-huit heures en fonction du trafic. Vous y allez tout de même ?

Je n'hésite pas une seconde.

— Oui ! Je partirai très tôt demain matin.

Je remercie mes deux collègues américains pour l'efficacité de leur intervention. Nous passons le reste du dîner à parler de choses et d'autres totalement étrangères à l'affaire.

Le lendemain matin à 6 h, je descends dans le hall d'entrée. La salle à manger n'est pas encore ouverte. Une cafetière pleine attend cependant les clients matinaux. Je me sers un grand gobelet que j'emporte dans la voiture. Je m'arrêterai en route pour déjeuner. Je choisis la musique. Un poste continu de *oldies-goodies*, des chansons américaines immortelles. John Denver, Neil Diamond, Dylan, Elvis, The Supremes, Ray Charles et beaucoup d'autres comme Sinatra vont m'accompagner jusqu'à la frontière du Mexique.

Il est tôt, je roule à contre-courant de la circulation, et la sortie de Houston se fait bien, les deux premières heures je roule sans problème. Vers 8 h, je m'arrête dans un Jack In The Box pour prendre un petit-déjeuner express. Je repars avec un autre gobelet de café. Je roule dans une plaine uniforme. Le ciel est bleu, tout va bien. Pourtant, au loin, de lourds nuages noirs avancent vers moi à toute allure. Ils barrent tout l'horizon. Un orage se dessine et semble violent. Des éclairs par dizaines percent les nuages, et vont percuter le sol. Plus on avance, plus le jour s'estompe, la nuit gagne. Je vois un mur de pluie à moins d'un mile. En quelques dizaines de mètres, de minces gouttelettes deviennent de plus en plus grosses, puis, soudain, un mur d'eau tombe brutalement sur la voiture avec un bruit de masse. Je lève le pied, on ne voit pas à 10 mètres. Les chutes du Niagara en plein Texas. Je n'avais jamais vu ça auparavant. Une trombe d'eau permanente qui va durer plus d'une demi-heure. Sur les bas-côtés de l'autoroute, des dizaines de voitures sont arrêtées. Les autos avancent à pas de tortue. Je commence à m'inquiéter. Si ça dure longtemps, je ne serai jamais à l'heure au rendez-vous. Puis, sur moins d'un demi-mile, la masse d'eau s'allège, les grosses gouttes d'eau qui frappent le pare-brise diminuent de volume et, 200 mètres plus loin, la pluie devient presque inexistante, et cesse aussi brutalement qu'elle a commencé. Le ciel est de nouveau bleu, et le soleil éblouissant m'oblige à remettre mes lunettes noires.

La vitesse est limitée à 70 miles, mais j'appuie sur l'accélérateur. Je m'arrêterai une fois pour libérer le surplus de café, prendre de l'essence, acheter un soda et un sandwich que je mangerai dans la voiture. Quand je rentre dans Donna, il est un peu plus de 17 h. D'abord, puisque je vais passer la nuit ici, il me faut trouver un hôtel. Devant moi, à une centaine de mètres, un hôtel avenant ; ce sera là. Un quart d'heure pour me rafraîchir et me préparer. Dans le hall d'entrée, je consulte un plan de Donna pour situer le cabinet de l'attorney Salinas. Moins de 10 minutes plus tard, je suis devant une maison isolée. Robert Salinas vient de se faire construire un nouveau cabinet, un peu à l'écart de l'agglomération. Un petit bâtiment carré beige crème, sans étage, et d'une dizaine de mètres de façade. Le toit est de forme pyramidale, recouvert de petites ardoises. La construction plutôt discrète serait anonyme si elle n'était signalée par une grande enseigne rectangulaire juchée à l'américaine sur un poteau à 6 ou 7 mètres du sol, «LAW OFFICES Robert J. Salinas». C'est bien là. Il est 17 h 30.

Maître Salinas m'accueille chaleureusement. L'installation de son nouveau cabinet n'est pas encore achevée. Nous nous asseyons dans de vieux fauteuils en cuir, dans ce qui sera la salle de réunion. Je suis impatient de savoir ce que va me raconter l'attorney sur les trafiquants de la filière libanaise de Houston. Les désillusions vont cependant se succéder. Il n'a défendu aucun trafiquant, aucun membre de la filière de drogue. Il était l'avocat du transitaire qui faisait entrer légalement les marchandises légales commandées par les trafiquants. L'homme avait été arrêté et poursuivi pour complicité de trafic de drogue.

— Il était passible d'une très forte condamnation. Mais nous avons gagné. Il a été facile de démontrer qu'il n'était pas complice. Il faisait simplement son travail. Il faisait entrer officiellement aux États-Unis des tapis ou des meubles. Je n'ai eu aucun mal à prouver qu'il ignorait totalement ce qui était caché dans des marchandises qu'il ne voyait jamais. Il n'était pas responsable de leur manipulation. Mais j'ai tout de même un assez mauvais souvenir de cette cause. Le transitaire avait son bureau à Hidalgo à la frontière, normal pour faire son travail, mais comme le procès était instruit à Houston, il a fallu que je me déplace plusieurs fois à Houston avec mon client, plus de 700 miles à chaque fois. On y a été trois fois.

Il ne sait pas à quel point je le comprends. J'ose la question pour laquelle j'ai fait le chemin inverse :

— Et… euh… Roumeliotis ?

La réponse tombe, terrible pour mes oreilles :

— Je ne l'ai jamais vu. Je ne sais même pas qui c'est.

Ce Roumeliotis avait décidément du talent lorsqu'il s'agissait de disparaître.

Il y a tout de même deux aspects positifs dans ce voyage. D'abord, maître Salinas m'invite dans un excellent restaurant. Ensuite, avant de repartir pour Houston, je me rends jusqu'à Hidalgo, à la frontière mexicaine. Je passe à pied du côté mexicain à Reynosa. Je peux ainsi voir l'endroit précis où entrait la drogue de la filière libanaise.

Une autre grande déception marque toutefois mon voyage à Donna. La frontière à cet endroit est délimitée par le mythique Rio Grande, le fleuve d'innombrables westerns. Un pont le traverse pour passer d'un pays à l'autre. Du haut du pont, on peut apercevoir le fleuve au travers d'un grillage de sécurité. Le Rio Grande à Hidalgo-Reynosa est une sorte de canal étroit à l'aspect insalubre d'une vingtaine de mètres de large. Les rives sont dénudées et jonchées de déchets divers. John Wayne aurait dû y jouer le rôle d'un éboueur. Cependant, cette déception n'effacera tout de même pas celle de n'avoir pu recueillir des informations sur Roumeliotis et le réseau texan.

Le deuxième procès américain auquel la GRC se trouve associée par mon enquête est celui de Sam Cammarata et de sa bande. Il aura lieu à Austin.

Sam Cammarata & co.

Le 28 octobre 1981 s'ouvre le procès de Sam Cammarata et de 10 de ses complices, dont Thomas «Tom» William Teutsch, le bras droit du parrain, et Jimmy Dean Hopper. Ils sont tous poursuivis pour racket, trafic et importation de drogue (marijuana, hachich et cocaïne). Mais Cammarata et certains complices sont aussi accusés des meurtres de sept de leurs associés. Outre ces accusations, Cammarata, son bras droit Tommy Teutsch et Jimmy Hopper sont plus précisément inculpés pour complot visant à assassiner «des membres du gouvernement du Liban».

Sam Cammarata et sa bande ont été arrêtés par la police du Texas. Ils sont jugés à Austin, la capitale de l'État. Là-bas, le lieutenant Lee Pagel travaille en étroite collaboration avec deux personnes, le policier Ken Akins, qui a arrêté Jimmy Hopper, et le procureur du Texas, Wayne F. Speck. Je ne rencontre pas Akins, mais je passe de longs moments avec le procureur Speck. Je lui fournis tous les détails de l'enquête faite à Montréal. Ayant apporté les dossiers, je lui remets tous les documents utiles au procès, y compris une copie de la cassette de la fameuse conversation entre Joseph Abizeid et Sam Cammarata. Wayne F. Speck me confirme que les renseignements apportés par la GRC sont indispensables à la justice du Texas. Ils permettent la condamnation de Cammarata pour tentative d'assassinat du «président libanais». Dans le système américain, avec de bons avocats pour le défendre, les témoignages de Hopper et de Mister X n'auraient peut-être pas été suffisants. Si tous les complices de sa bande sont condamnés à de lourdes peines de prison, Sam Cammarata écope pour sa part de l'emprisonnement à vie, encore une fois grâce[2] à la précieuse cassette de la GRC.

En ce qui concerne l'affaire de la filière libanaise, il est à noter qu'en 2005, j'ai pu mettre la main, dans les boîtes d'archives de la justice texane, sur deux documents introuvables à Montréal, la seule photo existante de Joseph Abizeid, pourtant prise à la GRC, mais aussi l'unique copie de la cassette de la conversation entre Sam Cammarata et Joseph Abizeid, enregistrée à Montréal.

Toutefois, si l'enquête de la GRC s'est avérée fructueuse lors des deux procès aux États-Unis, il en a été tout autrement au Canada.

CHAPITRE 13

La deuxième phase du procès de Joseph Abizeid

Le mardi 13 avril 1982, à 9 h 30, au palais de justice de Montréal débute la reprise du procès devant jury de Joseph Abizeid et de ses complices. Quand je quitte Richelieu, à 7 h, il ne fait pas très chaud. En plus, il pleut et il y a du brouillard. Je prends ça comme un bon présage : le beau temps est devant nous ! Après que le juge de l'enquête préliminaire et celui du premier procès aient refusé tous deux de considérer comme un obstacle judiciaire l'erreur cléricale d'un X barrant trois paragraphes au lieu d'un seul, dans trois des demandes de renouvellement d'écoute électronique, je ne peux en effet qu'être confiant. Cette fois, le tribunal est présidé par le juge Jean-Guy Boilard.

En fait, il s'agit là d'une autre phase du même procès. L'acte d'accusation n'a pas été modifié. Joseph Abizeid, Joannis « Johnny » Skoulikas et Stamatios Psaroudis, les trois accusés, sont toujours poursuivis pour complot en vue d'importer 7 tonnes de cannabis au Canada. Skoulitas est défendu par maître Francis Brabant, et Psadouris, par maître Robert Sacchitelle. Seul changement important, Joseph Abizeid a une nouvelle fois changé d'avocat. C'est à présent maître Lawrence Corriveau, un ténor du barreau venu de Québec pour le défendre. Comme ses deux prédécesseurs, sans vraiment y croire lui-même, maître Corriveau demande à son tour l'annulation du procès en raison des trois paragraphes oblitérés par le grand X. Le juge Boilard décide de prendre la demande en considération. Nous allons alors assister à un épisode juridique inhabituel que l'on appelle un « voir-dire ». Je sais devoir témoigner.

Cette digression procédurale est assez inhabituelle pour qu'il faille expliquer ce qu'est, dans les faits, un voir-dire. C'est un peu un procès dans le procès, et il se déroule en l'absence des jurés. Le voir-dire doit permettre au juge de déterminer si un élément de preuve est admissible ou non devant le tribunal. Dans le cas qui nous occupe, une avocate[1] témoigne pour la défense, et je témoigne pour l'accusation. Une fois cette audition terminée, le juge Boilard annonce qu'il veut prendre du recul, et qu'il rendra son jugement dans six jours, soit le 19 avril. Je suis évidemment déçu par la décision du juge. J'aurais préféré que le résultat soit connu tout de suite comme lors de l'enquête préliminaire et du premier procès, mais je reste très confiant. Si le juge décidait d'annuler les demandes de renouvellement d'écoute autorisées, toutes les preuves recueillies grâce à elles seraient annulées. Il n'y aurait alors d'autre solution que de recommencer le dossier de la preuve avec des éléments nouveaux. Rien que d'y penser, j'en frémis.

Il s'agit tout de même du plus important réseau d'importation de cannabis au Canada débusqué, démonté et démantelé depuis la French Connection. Sept tonnes de drogue saisies. De cette décision attendue du juge Boilard dépend un travail acharné de plus de deux ans, mené par une équipe d'une centaine de personnes. C'est, à l'époque, la plus importante et la plus onéreuse enquête jamais conduite par la GRC. Il s'agit aussi pour moi du plus important dossier que l'on m'ait jamais confié. Je prévois mal dormir pendant les prochaines nuits. Je reste malgré tout optimiste parce que deux juges ont déjà écarté cette requête en annulation, ayant reconnu que la bévue n'avait pas été intentionnelle, qu'il s'était agi d'une erreur cléricale.

Cela dit, six jours d'attente de la décision, c'est un petit supplément de stress pour mon équipe et pour moi-même. Nous nous en serions bien passés. Une image m'obsède, celle du juge Boilard rédigeant son jugement dans le silence de son cabinet. S'il refuse la preuve, on se retrouvera dans une situation dramatique souvent utilisée par des auteurs ou des scénaristes de polars pour provoquer chez le lecteur ou le spectateur un profond sentiment de révolte lorsque le violeur, le tueur en série ou l'assassin pédophile, pris sur le fait, obtient malgré tout un non-lieu. Le coupable est relâché par le tribunal devant sa victime ou ses proches, simplement parce qu'un élément de la preuve est irrecevable. J'espère que je n'aurai pas à subir l'horreur d'une telle situation.

Au cours de ces six jours, je rends visite à Joseph Abizeid à la prison de Parthenais. Son moral est remonté. Il me dit même qu'il trouve que le service de la SQ est supérieur à celui des Holiday Inn. Il est convaincu que le jugement le favorisera. Il parie avec assurance qu'il sera libéré, et repartira le soir même du jugement pour le Liban.

Abizeid est resté en tout 15 mois dans une cellule de la SQ, à Parthenais. Mes nombreuses visites, nos longues conversations nous permettent de mieux nous comprendre, et même dans une certaine mesure de nous respecter.

— Vous êtes policier au Canada, me dit-il lui-même, vous faites votre métier selon votre devoir et votre conscience. Je défends mon pays et ma famille selon ma conscience et ma vérité.

Je suis un peu joueur et, pour m'amuser, je réponds à son pari : si je gagne, il veut m'offrir, pour Lise, un flacon de parfum Ralph Lauren pour femme ; s'il gagne, je lui apporterai une cartouche de cigarettes, la même marque que celles qui nous avaient permis de photocopier le connaissement à sa dernière arrivée à Montréal. Mais ça n'arrivera pas, j'en suis persuadé. Six jours à attendre le verdict du juge Jean-Guy Boilard.

Pour calmer les tensions, nous allons, mon ami Gérald et moi, nous payer une bonne partie de pêche, l'une de nos distractions favorites.

Partie de pêche

On est le samedi 17 avril. Le ciel couvert du matin va doucement se dégager, et la température, dépasser les 20 degrés. Avec Gérald, nous allons quelquefois en Gaspésie pêcher le saumon dans une pourvoirie de la rivière Petite Cascapédia. À ce sport, je ne suis pas trop mauvais. Mais, cette fois, il m'est impossible de m'éloigner de Montréal. Alors, pas de saumon, nous pêcherons des truites arc-en-ciel ou brunes dans les rapides de Lachine. Gérald possède une chaloupe avec un moteur assez puissant pour remonter les rapides. Nous partirons de Richelieu vers 8 h. Quand j'arrive chez lui, Gérald a déjà accroché à sa voiture la remorque avec l'embarcation. Nous resterons sur la rive-sud du Saint-Laurent, mettrons la chaloupe à l'eau, et embarquerons en face de Montréal à Sainte-Catherine. Nous pêchons à la traîne, c'est-à-dire que nous laissons descendre la chaloupe portée par les rapides, puis nous remontons le courant au moteur, et c'est là que la pêche commence. Nous nous tenons à l'arrière, dos au bateau, face au courant. Les lignes traînent dans l'eau. Accrochés aux hameçons, les rapalas, des appâts frétillants en plastique ou en métal, s'enfoncent à 4 ou 5 pieds sous l'eau. Ils attirent les truites, qui les croient vivants. Celles-ci se rassemblent et grouillent littéralement à quelques mètres du bateau. Elles se précipitent sur les appâts, mais sans mordre pour autant. Je suis le premier à en attraper une. Têteux, je nargue un peu Gérald. Il me dit simplement :

— Sois patient, attends, et tu vas voir.

Nous redescendons les rapides, puis remontons et continuons à pêcher. Je vois Gérald décrocher de l'hameçon sa première truite. Je le félicite. Puis il en décroche une deuxième. Je la trouve déjà moins drôle. Aucune autre truite ne daigne m'accorder son attention. Nous remontons une nouvelle fois le courant. Gérald rit, il en ferre une autre. Je me risque :

— Donne-moi ton appât.

— Pas question, mais si tu veux, je peux t'apprendre à pêcher.

Il rit.

— Tu trouves ça drôle !

Pendant que je reste sec, si j'ose dire, mon manteau imperméable et mon gilet de sauvetage ruisselant des embruns des rapides, Gérald persiste. Il décroche une quatrième, et enfin une cinquième truite. Cinq à un. Nous restons en tout près de trois heures sur les lieux, nous faisons une vingtaine de tours, et Gérald en sort grand vainqueur. Retour au débarcadère de Sainte-Catherine. Nous sortons la chaloupe de l'eau, la montons sur sa remorque et rentrons à Richelieu. Cette sortie m'a vraiment fait du bien. Une fois les poissons nettoyés et une bonne bière dégustée chez Gérald, je rentre dîner à la maison. Petite pêche, six poissons en tout, mais trois truites pour chacun, c'est aussi ça, l'amitié. Il est 1 h, nous sommes rentrés à temps, il commence à pleuvoir.

Dans deux jours, nous aurons enfin le jugement du juge Jean-Guy Boilard. Dans deux jours, je serai enfin libéré de cette affaire.

Procès Joseph Abizeid – phase 2, deuxième partie

Lundi 19 avril 1982, 6 h 30, tout le monde est bien réveillé dans la maison de Richelieu. Quand je pars, vers 7 h, le ciel est dégagé. Il fait un peu frais, le thermomètre est à zéro. Je n'ose cette fois penser à un présage ! Je passe par le bureau. Je récupère la cartouche de cigarettes que j'ai achetée la veille. Loin d'être superstitieux, je veux tout de même respecter mon pari au cas où l'impossible adviendrait. Je sais quoi en faire si je gagne. Personnellement, j'ai arrêté de fumer en 1970, mais, en 1982, les dangers du tabac n'ont pas encore atteint la conscience profonde d'un vaste public. Les cigarettes ne seront pas perdues pour tout le monde ; j'ai assez d'amis fumeurs. J'arrive un peu à l'avance au palais de justice. Dans les couloirs, je salue et bavarde avec des procureurs et des collègues. Je rentre dans la salle et m'assoie derrière la petite table qui nous est réservée, au procureur de la Couronne et à moi-même. Les jurés sont absents ; le jugement sur le voir-dire se prononce en leur absence. Soudain, la voix de l'huissier résonne :

— S'il vous plaît, levez-vous ! L'Honorable Jean-Guy Boilard.

Le juge entre, portant son dossier qu'il pose sur son pupitre. Il s'assoit, nous l'imitons. Il ouvre le dossier et jette un regard circulaire sur l'assemblée. Un bourdonnement envahit la salle.

— Êtes-vous prêts ?

Le brouhaha s'estompe rapidement.

— Est-ce que tout le monde est prêt ?

Un silence absolu envahit le prétoire.

— Voici mon jugement.

Je sens que ça va être long. Le juge Jean-Guy Boilard n'a jamais failli à sa réputation de juriste remarquablement rigoureux[2]. Même quand il s'agit de décisions controversées, elles sont toujours implacablement fondées sur le droit et sur les jurisprudences à-propos. Il commence. Après un rapide exposé des faits, parlant des autorisations contestées, le juge se permet une petite pointe d'humour :

— Ces diverses autorisations visent comme cible principale, si on me passe l'expression, chacun des coaccusés, soit Skoulikas, Psaroudis et Abizeid…

La cible est atteinte, quelques rires discrets cassent le silence attentif du prétoire. Je ne peux moi-même m'empêcher de sourire. Commence alors le démontage juridique de l'objet du procès, à savoir si les écoutes ont été effectuées légalement. C'est précis et technique. Le juge expose ce qui le satisfait dans les trois demandes d'autorisation d'écoutes électroniques VD 3, VD 10 et VD 11 que la GRC a présentées à un juge. Puis vient le point litigieux soumis à son jugement, à savoir l'annulation ou non de la demande d'autorisation à cause du grand X barrant trois paragraphes dans ces trois documents.

La démonstration est longue, très pointue et hautement documentée. Le juge a effectué un travail de recherche de jurisprudence dans un arrêt de la Cour suprême du Canada et deux arrêts de la Cour d'appel de l'Ontario[3]. Le magistrat insiste sur le fait que son jugement ne s'appuie que sur les faits et le droit. Il prend ses précautions. Parlant de la procureure de la défense et de moi-même, il précise :

— Je veux dire tout de suite qu'il ne me vient pas à l'esprit un seul moment que l'une ou l'autre de ces personnes ne dise pas la vérité. Je fais cette affirmation parce que le problème ne se situe pas à ce niveau-là[4].

Continuant dans un langage juridique un peu hermétique pour les non-spécialistes mais clairement explicite dans ses conclusions, le juge Boilard achève son jugement :

— Par conséquent, et pour résumer, VD 3, VD 10 et VD 11 ne sont pas des autorisations susceptibles de faire en sorte que les conversations interceptées en vertu de ces autorisations ou de ces renouvellements d'autorisations soient admissibles[5].

En clair, les demandes étaient illégales et les écoutes, irrecevables. Je suis assommé. Sana Ladki, assise non loin de moi, me lance un regard désespéré. C'est difficile à prendre.

Mais le pire reste à venir. Le juge Jean-Guy Boilard a, à plusieurs reprises dans d'autres causes, demandé aux différents corps policiers, et à la GRC en particulier, d'accorder plus d'attention à la rédaction des documents juridiques. Dans le jugement présent, il s'appuie sur la déclaration plutôt élégante d'un juge allant dans le même sens : «*It cannot be denied that the paper work was clumsy*[6].» («On ne peut pas nier que les travaux d'écriture étaient maladroits.») Le juge Boilard poursuit :

— J'ajouterai qu'il s'agit peut-être d'un autre exemple qu'à défaut d'un meilleur terme, j'ai déjà appelé dans d'autres circonstances «*general slopiness*» – négligence, manque de soin ou laisser-aller généralisé.

Puis le juge termine son exposé. Il n'y a plus de preuves, il n'y a donc plus de procès. Joseph Abizeid et Johnny Skoulikas sont immédiatement libérés à l'audience. Aidé par les gens venus du Liban pour le soutenir, Joseph Abizeid prendra le premier avion le soir même pour sortir du Canada. Stamatios Psaroudis n'est pas Canadien, il est Grec. Il a fait l'objet d'une demande d'extradition vers les États-Unis pour trafic de drogue. Il regagnera sa cellule au Centre de prévention Parthenais en attendant son extradition.

Un nouveau procès serait possible. Il faudrait pour cela que la GRC et la Couronne trouvent de nouvelles preuves. Mais celles-ci devront être totalement indépendantes des écoutes électroniques. Devant l'énormité de la tâche, le coût d'une nouvelle enquête, mais surtout du fait que Joseph Abizeid, le principal accusé, n'est plus au Canada, la Couronne abandonnera les poursuites. Je ne cache pas que j'ai beaucoup de mal à maîtriser une lourde montée de colère. Il est interdit de commenter un voir-dire. C'est ce que va apprendre Sana Ladki à ses dépens. Alors que nous sortons de la salle, ne s'adressant pas qu'à moi, elle risque un sonore « je n'en reviens pas ! ». Colportés en haut lieu par l'un des procureurs de la défense, ces mots lui vaudront une interdiction de travailler au palais de justice pendant de longs mois.

Je suis sonné mais fidèle à mes promesses. J'ai parié avec Joseph, et j'ai perdu. À la sortie de la salle avec Sana Ladki, je vois Joseph Abizeid se diriger vers moi. Je lui tends la cartouche de cigarettes que j'ai achetée en pensant qu'elle serait finalement pour une ou un ami. Il me dit merci.

— Navré que vous ayez perdu votre pari.

Il se tourne vers son avocat et lui demande s'il a apporté ce qu'il lui a demandé. L'avocat sort de son attaché-case un paquet-cadeau. Il le donne à Joseph Abizeid qui me le tend.

— J'étais certain de gagner. Donnez tout de même ceci à votre épouse de ma part. Pour me faire pardonner de vous avoir accaparé.

Je le remercie d'un signe de tête. Nous nous serrons la main. C'est fini.

Comme il m'est interdit de commenter le jugement, je ne le ferai pas, mais je dirai l'effet que ce prononcé a produit en moi. Ce qui m'a choqué et, disons-le, blessé, ce sont deux mots anglais très précis : « *general slopiness* – négligence ou manque de soin ou laisser-aller généralisé ». Je trouve particulièrement injuste que l'on se serve de mon équipe pour régler des problèmes d'intendance entre deux administrations. Je sais bien que la cible visée était, ici, la GRC en général. Mais j'appartiens à la police fédérale, et je l'ai pris perso, comme on dit maintenant. Je le prends d'autant plus mal qu'étant parfaitement bilingue, je sais le poids de mépris que porte « *slopiness* », et en plus « généralisée ». L'une des enquêtes les plus longues et les plus onéreuses de la GRC, *general slopiness* ? Les heures supplémentaires de filature jour et nuit dans le froid ou la canicule par plus de 100 policiers, *general slopiness* ? Le travail des techniciens des écoutes électroniques dont les heures de travail n'étaient pas du 9 à 5, mais celles des bandits qu'ils écoutaient, *general slopiness* ? Les centaines d'heures, parfois jour et nuit, que nous avons passées, Sana Ladki, Pierre Xenopoulos et moi-même, à écouter les bandes magnétiques, à relever à la main les textes originaux, en arabe, en grec, en anglais et à traduire de façon manuscrite ces mêmes textes, *general slopiness* ? Le travail des secrétaires qui ont dactylographié notre travail, *general slopiness* ? L'aide essentielle apportée par la GRC au FBI, à la DEA et à la police de l'État du Texas, et les nombreux voyages à Houston et à Austin qui ont permis aux Américains de clore efficacement leurs dossiers de preuve, et d'envoyer en prison des trafiquants de drogue, *general slopiness*? Les longues semaines de sept jours passées à rédiger les 8000 pages de la preuve, *general slopiness*? S'il y a eu une enquête dénuée de toute *general slopiness*, c'est bien celle qui vient de s'écrouler comme un château de cartes. «Allons, entendrai-je un peu partout par la suite, calme-toi. Ce n'est pas à ces éléments de l'enquête que s'adressaient les deux mots, mais à un manque de respect dans la production de rapports écrits entre la GRC et la justice, tu n'y es pour rien.» Peut-être, mais de tels propos sont pour moi d'une profonde injustice, tout simplement insupportables.

Mais je n'ai pas bu encore le calice jusqu'à la lie. Le jury est rappelé dans la salle. Le juge Boilard explique à ses membres que le procès est terminé. Il leur adresse ses remerciements et, avant de les libérer, ajoute ceci :

— Mesdames et messieurs les membres du jury, vous pouvez être fiers de la manière dont on rend la justice au Canada.

Je dois me retenir pour ne pas me lever et protester. Mais, en même temps, cette note finale est pour moi la preuve qu'il ne s'agit pas d'une question de justice, mais bien d'une appréciation personnelle du droit. Cette opinion m'est confirmée par le juge Boilard lui-même lorsque, sans aucune conviction, je vais le voir pour lui demander de signer l'autorisation de transfert du dossier de preuve aux Américains, il me répond : «Si un autre juge veut décider autrement, je n'y vois pas d'inconvénient», et il signe. Demi-satisfaction tout de même, le travail que nous avons accompli n'est pas totalement inutile, puisque deux tribunaux américains acceptent les mêmes preuves refusées à Montréal, et condamnent lourdement leurs accusés. Mais surtout, grâce à ce travail, la filière libanaise qui, depuis 20 ans, inondait de tonnes de drogues le Canada et les États-Unis, n'existe plus.

Le procès est terminé et le «dossier Salim Bitar», refermé, mais une dernière surprise nous attend. En arrêtant Joseph Abizeid, la GRC a saisi les 50 000 dollars en chèques de voyage que lui avait apportés à Montréal Roumeliotis, le trafiquant du Texas. Après la libération de Joseph Abizeid, maître Lawrence Corriveau, son avocat, en demande la restitution. Les éléments à charge relevés par la GRC, et soutenus par un solide dossier établi par la DEA, l'Administration antidrogue américaine, ont démontré que cet argent était une avance sur une très grosse livraison de drogue. Mais, au Canada, Joseph Abizeid a été innocenté pour les 7 tonnes de cannabis. Pour le Canada, il n'est pas un trafiquant. Et comme il n'y a au pays aucune preuve que les 50 000 dollars étaient destinés à un trafic de drogue, la Cour supérieure du Québec se trouve dans l'obligation légale de les restituer à Joseph Abizeid. Toujours une affaire de droit. Depuis le Liban, Abizeid en fait généreusement cadeau à son avocat qui, à ses yeux, les a bien mérités.

Il faut dire que le droit pratiqué rigoureusement lui avait donné un solide coup de main.

CHAPITRE 14

Amer... mais sans regret

Étrangement, l'annulation du procès a eu un effet positif assez imprévu. Si je n'avais pas été absolument persuadé que le juge Jean-Guy Boilard n'avait, comme à son habitude, toléré ici aucun soupçon d'intrusion du pouvoir exécutif dans la sphère du pouvoir judiciaire, j'aurais pu penser qu'il y avait eu, à un moment, des pressions politiques pour faire échouer le procès et libérer Joseph Abizeid. En effet, les services américains avaient transmis une information capitale aux autorités canadiennes. Elle émanait de Mister X :

> Nous avons appris que si Joseph Abizeid n'avait pas été libéré à Montréal, une action violente avec prise d'otages aurait été lancée contre l'ambassade du Canada à Beyrouth[1].

Cette information invérifiable, mais tout à fait plausible dans le contexte de la guerre civile au Liban, a quelque peu apaisé chez moi le sentiment de profonde frustration qu'avait causé l'issue du procès.

Au Liban, le 23 septembre 1982, Amine Gemayel a été élu président de la république, succédant à son frère Béchir, assassiné avant même d'avoir pu prêter serment. La guerre civile s'est terminée en 1989 par les accords de Taïf. Mais la paix est restée très fragile. Elias Sarkis est mort lui aussi, en 1985, puis Soleimane Frangié en 1992. Joseph Abizeid s'est officiellement tué dans un accident de voiture avec sa femme et son fils. Mais, d'après Mister X, il s'agirait plutôt d'un assassinat.

Aux États-Unis, Sam Cammarata s'est suicidé en prison. Jimmy Hopper a disparu, volatilisé dans le programme de protection des témoins. Lors d'un de mes voyages au Texas, j'ai pu rendre visite à Stamatios Psaroudis. Je l'avais souvent rencontré lorsque je rendais visite à Joseph Abizeid à la SQ. Il avait été extradé du Canada à la demande des Américains. Quand je l'ai vu, il attendait son procès, assez déprimé du fait de son incarcération dans la prison de sinistre réputation de Huntsville, au nord de Houston, là où ont lieu toutes les exécutions du Texas. Lee Pagel m'a informé plus tard que Psaroudis avait été condamné à de nombreuses années de prison et qu'à la fin de sa peine, il serait expulsé vers la Grèce. Pour la Couronne, la GRC et pour moi-même, aussi amer qu'ait été le jugement Boilard, les enquêtes continuaient. À Montréal, la filière libanaise n'existait plus, mais d'autres avaient déjà pris la relève. Le travail n'allait pas manquer.

- II -

L'enquête Pèlerin

Pour vous faire comprendre l'importance de l'enquête Pèlerin, je voudrais reprendre un extrait d'une entrevue que j'ai accordée en 2002 à Michel Auger, l'un des plus importants journalistes canadiens spécialistes du crime organisé. À l'époque, il travaillait au *Journal de Montréal*, alors que, moi, j'étais l'adjoint responsable de la Section de la protection des personnes de marque, les VIP, à la GRC de Montréal. L'entrevue s'est déroulée dans le cadre de sa série d'émissions *Auger enquête* pour l'épisode « Drogue et blanchiment d'argent »[1]. Le réseau, la filière, la famille mafieuse étaient inconnus avant que ne les mette à jour l'enquête que m'a confiée la GRC et qui est devenue l'opération, l'enquête Pèlerin.

Michel Auger : L'opération Pèlerin, au total, ça a été combien d'argent de blanchi ?

Mark Bourque : On a pu découvrir 36,1 millions de dollars américains[2].

M. A. : Au Canada ?

M. B. : Oui, au Canada, dans quatre institutions financières. Et, ça, c'est ce qu'on a découvert, prouvé, mais il est fort probable que ça soit beaucoup, beaucoup plus.

M. A. : Et ça représenterait combien de kilos d'héroïne, de cocaïne, de hachich ?

M. B. : Ici, on parle juste d'héroïne, la drogue la plus chère. Pour les 36 millions de dollars blanchis, ils auraient pu acheter en gros, à peu près, une demi-tonne, 500 kilos d'héroïne en Thaïlande, mettons à 72 000 dollars américains le kilo. Attention, on est dans une hypothèse d'achat. Une demi-tonne, c'est irréaliste. Mais les chiffres sont bons. Cela dit, la demi-tonne d'héroïne partie de Thaïlande quand elle arrive sur la rue, elle a été coupée plusieurs fois par les intermédiaires. Si bien qu'il ne reste plus que 2 à 3 % de produit actif par kilo. C'est-à-dire qu'avec 2 % restant, par exemple, la demi-tonne de départ est devenue maintenant 15 à 20 tonnes de dope à l'arrivée dans la rue. Une telle quantité, ça approvisionne en maudit beaucoup de toxicomanes. Et surtout ça représente beaucoup, beaucoup de sous pour beaucoup de monde. Pour les intermédiaires naturellement, mais surtout énormément d'argent pour les principaux trafiquants. En fonction du prix du fix, du point ou du gramme, de la concurrence et de la loi de l'offre et de la demande, une demi-tonne d'héroïne achetée 72 000 dollars le kilo peut engendrer des profits de plusieurs centaines de millions de dollars.

Ça donne une idée de l'importance économique du trafic de drogue et il est facile d'imaginer tout l'argent qui nous a échappé, déjà blanchi ailleurs dans le monde ou déposé dans des paradis fiscaux.

CHAPITRE 1

Un certain Gerlando Caruana

21 juin 1985 – 8 h 45 – quartier de la GRC à Westmount

Dès mon arrivée au bureau, mon boss m'appelle. Il me confirme que la GRC, en accord avec Scotland Yard, se prépare à la plus grosse saisie d'héroïne jamais effectuée conjointement au Canada et en Grande-Bretagne. C'est une filière de drogue que les douanes et la police britannique ont à l'œil depuis plus d'un an. Elles ont déjà fait une saisie de cannabis et de hachich et ont découvert que la destination finale de cette cargaison est Montréal.

— C'est pour demain, dit-il. Lucien Guy et son équipe s'occupent de la drogue et des trafiquants. Vous prendrez le relais dès qu'on les aura arrêtés.

Depuis peu, je suis sergent coresponsable de la tout nouvelle Unité des produits de la criminalité[1], dont je suis d'ailleurs l'un des initiateurs. L'Unité est une section de la GRC qui s'occupe exclusivement de rechercher, de retrouver et de saisir l'argent volé ou généré par le crime. De saisir également les biens de toutes natures obtenus grâce à cet argent pas très propre. En mettant la main sur l'argent lui-même, il nous est plus facile de comprendre le cycle de blanchiment dans le trafic de drogue et la réinsertion par la suite des profits dans l'économie globale. C'est aussi un moyen de tracer les parcours sinueux et mondiaux de circulation de tout cet argent et de nous permettre de mieux comprendre la manière dont il est recyclé et blanchi dans l'économie générale.

Une jolie résidence à Longueuil

Longueuil, 22 juin 1985, le ciel est légèrement nuageux, il fait 21 degrés. À quelque distance du centre-ville, une petite rue bordée de jolies résidences unifamiliales posées sur des pelouses. Aucune n'attire spécialement l'attention, à part celle que je vais visiter. Ce n'est pas que son architecture ou sa décoration présentent quelque chose de spécial, même si c'est une jolie maison. Si elle attire l'attention, c'est tout simplement parce qu'elle est située dans un tournant et fait face à la rue. On ne voit qu'elle en arrivant. Le propriétaire s'appelle Gerlando Caruana. Il vient d'être arrêté par mon collègue Lucien Guy et les membres de son équipe de l'Unité anti-drogue.

58 kilos d'héroïne, un record

Il y a quelques jours à peine, Gerlando Caruana était un parfait inconnu pour la GRC comme pour les services de police québécois. Rien, aucune trace d'une quelconque poursuite, d'un incident ou même d'une plainte de voisinage. Pour le moment, pour la GRC et pour moi-même, tout ce que l'on sait de Gerlando Caruana, c'est qu'il est un membre important d'une puissante filière de drogue qui vient tout juste de faire entrer 38 kilos d'héroïne dans le port de Montréal. La drogue a été saisie et trois personnes arrêtées, dont monsieur Caruana. C'est à peu près tout ce que l'on connaît de cette filière et ce n'est vraiment pas grand-chose par rapport à ce que l'enquête que je commence va permettre au final de découvrir. Les renseignements produits mèneront à la découverte et à la chute de la plus puissante famille de la Mafia sicilienne des années 1970-1990, la famille Caruana-Cuntrera.

Les 38 kilos ne sont qu'une partie de la saisie. L'opération de police a été montée avec la Grande-Bretagne. La GRC a travaillé en étroite coopération avec la douane et Scotland Yard. Les Anglais ont conservé 20 kilos de la drogue saisie comme preuve contre les trafiquants arrêtés là-bas. 20 + 38 = 58 kilos, c'est énorme. C'est, à l'époque, la plus importante saisie d'héroïne jamais réalisée, un record Guinness des saisies d'héroïne. L'enquête va montrer que ce n'était pas la première fois que Gerlando Caruana était mêlé à une livraison importante de drogue comme la marijuana ou le hachich et surtout la plus chère, la plus rentable : l'héroïne.

Un stratagème pour le moins efficace

La plupart du temps, la drogue arrivait au port de Montréal, était dissimulée dans des conteneurs, en général de meubles. Tout arrivait de Thaïlande, autant la drogue que les meubles qui la cachaient. Pour éliminer le risque de saisie par les douaniers, le clan auquel appartient Gerlando Caruana avait mis au point un stratagème. Les conteneurs avec la drogue n'étaient pas livrés directement à Montréal. Ils transitaient par un port britannique, par Southampton ou Felixstowe. Ce port avait été choisi particulièrement pour l'importance de son trafic et la quasi-impossibilité de se faire repérer. En effet, Felixstowe est déjà, en 1985, le premier port de Grande-Bretagne pour les conteneurs. Deux millions de conteneurs arrivent dans le port et en partent annuellement[2].

Chaque jour, les douaniers vérifient, totalement au hasard, le contenu de quelques conteneurs en visant plus particulièrement des bateaux en provenance d'Orient. En effet, sauf dénonciation ou renseignements précis indiquant le numéro d'un conteneur ou le nom d'une compagnie de transit suspecte, il est impossible de contrôler le trafic de drogue sur un nombre aussi énorme de conteneurs. Donc, une fois débarqués et acceptés par la douane britannique, le conteneur et son contenu étaient sortis du port et amenés dans un entrepôt privé. Là, les trafiquants faisaient un peu de bricolage et de peinture. Les caisses contenant la drogue étaient reconditionnées. Les étiquettes thaïlandaises ou indiennes ou d'une quelconque autre origine étaient retirées et remplacées par de nouvelles indiquant que le contenu des caisses était d'origine britannique. S'il y avait des tampons d'origine asiatique peints sur les caisses, ils étaient recouverts d'une épaisse couche de peinture noire. Le conteneur, les caisses et la drogue repartaient alors sur un autre bateau vers le Canada. Le connaissement, le document qui permet de dédouaner officiellement le conteneur, était renouvelé comme s'il s'agissait de marchandises britanniques. Le fait que la Grande-Bretagne et le Canada appartenaient tous les deux au Commonwealth simplifiait le passage de la douane canadienne.

Une longue enquête

Février 1984, la police britannique a été avertie qu'un chargement de 200 kilos de hachich a pu sortir du port de Felixstowe et se trouve dans un entrepôt situé à Woking. Woking est une petite ville très chic et très riche du Surrey, à 22 miles[3] de Londres. La drogue est arrivée de l'Inde, cachée dans des meubles thaïlandais. Les renseignements indiquent que les meubles sont pour l'instant dans l'entrepôt de l'entreprise Elongate Imports-Exports Ldt.

Alors qu'elle s'apprête à investir l'entrepôt, la police est avertie que la drogue a déjà été réexpédiée vers Montréal. On ignore le numéro du conteneur et sur quel bateau, mais c'est sûr, elle est repartie. La police place immédiatement sous surveillance les deux propriétaires d'Elongate Imports-Exports Ldt, Francesco Siracusa et Antonino Zambito. Tous les deux sont Siciliens d'origine, mais aussi citoyens canadiens. Leurs téléphones sont placés sur écoute et de discrètes caméras sont disposées dans l'entrepôt de Woking. C'est ainsi que la police va être informée 10 mois plus tard, en décembre 1984, qu'un chargement de 250 kilos de hachich en provenance du Cachemire va être livré à Elongate Imports-Exports Ldt. Le hachich sera caché dans des meubles à l'intérieur d'un conteneur expédié depuis l'Inde[4]. Dès son débarquement sur les quais de Felixstowe, les douaniers amènent le conteneur dans leur entrepôt et découvrent le hachich. Mais ils remettent tout en ordre dans le conteneur et le replacent sur le quai. Ils le laissent dans l'enceinte du port. Il ne va pas y rester très longtemps. Le camion transportant le conteneur est suivi jusqu'à Woking, jusqu'à l'entrepôt d'Elongate Imports-Exports Ldt. Une fois le conteneur dans l'entrepôt, la police y pénètre et arrête Francesco Siracusa et Antonino Zambito. Les meubles et la drogue devaient être réexpédiés à Montréal à la compagnie québécoise Santa Rita Import-Export Ltd. Si la police anglaise avait laissé partir le chargement en le surveillant et en avertissant la GRC, il aurait peut-être été possible d'arrêter les trafiquants à Montréal. Mais, alertés par l'arrestation de Francesco Siracusa et d'Antonino Zambito, non seulement ils ne se manifesteront pas, mais, sachant qu'Elongate Imports-Exports Ldt en Angleterre et très certainement Santa Rita Import-Export Ltd à Montréal sont maintenant grillés et désormais inutilisables, les trafiquants décident de faire un test avec une autre de leurs compagnies couvertures en Grande-Bretagne, Ital Provisions.

Ce qu'ils ne savent pas, c'est qu'Ital Provisions est également surveillée par la police anglaise. Les trafiquants envoient un conteneur de meubles sans drogue cachée à l'intérieur. Le chargement est expédié de Thaïlande par la compagnie thaïlandaise Chiang Mai Treasure Co. Ltd. Le conteneur arrive, cette fois, au port de Southampton le 24 février 1985. Il est destiné à la compagnie couverture Ital Provisions. La douane britannique vérifie le conteneur et constate qu'il n'y a aucune drogue dissimulée dans les meubles. Le conteneur est replacé sur les quais. Scotland Yard surveille, mais ne bouge pas. Le conteneur va rester sur place pendant trois mois avant d'être finalement récupéré et entreposé à Woking par Ital Provisions. Par la suite, les meubles seront déménagés en partie dans la demeure somptueuse qu'Alfonso, le frère de Gerlando Caruana, possède alors à Woking. L'autre partie des meubles sera livrée également à Woking, chez Francesco Di Carlo, l'un des meilleurs amis d'Alfonso Caruana et membre très important de la Cosa Nostra sicilienne[5].

Deux mois plus tard, le 20 mai 1985, à Londres, la police est prévenue de l'arrivée imminente d'un chargement de drogue caché dans des meubles thaïlandais. Il s'agit, ce coup-ci, non plus de hachich, mais d'héroïne. À l'époque la reine des drogues, la plus chère. Le destinataire britannique est Ital Provisions. Le conteneur doit transiter par Felixstowe et repartir pour le Canada sur un autre cargo. Ital Provisions réexpédiera le conteneur à Montréal à destination de la compagnie Canada Inc. Les exportations et importations-Thermo. Les propriétaires de cette compagnie sont Filippo Vaccarello et Luciano Zambito, le frère de l'Antonino Zambito arrêté par la police britannique en décembre à Woking. Les Britanniques préviennent la GRC, qui envoie à Felixstowe le sergent Robert Goulet et un membre de la section technique pour coopérer avec la douane et la police britannique. Comme prévu, la drogue attendue arrive à Felixstowe sur un porte-conteneurs en provenance de l'Inde. Le 25 mai, le conteneur est débarqué sur les quais. Les agents de la GRC vont maintenant suivre la drogue jusqu'à sa saisie à Montréal.

L'héroïne

Le 26 mai 1985, les douaniers amènent discrètement le conteneur dans l'entrepôt de la douane. La chaîne cadenassée qui bloque l'ouverture des portes est coupée à la cisaille. Dès l'ouverture, Ben, le chien détecteur de drogue de service ce jour-là, bondit à l'intérieur du conteneur et s'arrête pile devant le premier meuble. C'est le plateau d'une très grande table en bois. Il est sorti du conteneur et placé à l'envers sur le sol de l'entrepôt. Le panneau du double fond est arraché. Apparaissent alors des dizaines de petits sacs d'un plastique épais transparent. Un trou est percé dans un paquet, un douanier en retire une infime quantité, la place sur une soucoupe, verse dessus quelques gouttes d'un produit chimique; la couleur obtenue ne laisse aucun doute, il s'agit bien d'héroïne. On pèse les petits paquets, il y en a 20 kilos. D'autres meubles sont démantelés sans qu'on y trouve de la drogue. Deux autres grands plateaux de tables sont sortis du conteneur. Ils sont très lourds et semblables au premier qui contenait les 20 kilos. Les douaniers s'apprêtent à les démanteler, mais le sergent Goulet intervient pour faire stopper l'opération. Il tente de convaincre les Anglais de laisser intacts les deux plateaux. Il faut que la GRC puisse faire une livraison contrôlée afin d'avoir une preuve et d'être ainsi en mesure d'arrêter les trafiquants au Canada. Si on fracasse les meubles pour trouver la drogue, les trafiquants seront alertés et l'enquête sera terminée. Après une discussion animée, les policiers britanniques cèdent. Il est convenu de pratiquer des petits trous avec une perceuse dans la paroi supérieure des deux plateaux pour vérifier s'ils contiennent bien de la drogue. Et c'est le cas, la mèche de la perceuse est remontée toute blanche, couverte d'héroïne. Les Britanniques vont garder les 20 kilos sortis du premier plateau : ils sont nécessaires pour leur preuve. Le reste partira pour Montréal.

Pour prouver que la drogue qui reste en Angleterre est de même origine que celle destinée à Montréal, des échantillons tirés des 20 kilos sont placés dans deux petits sachets sur lesquels deux policiers britanniques apposent leurs initiales. Les sachets sont glissés dans le premier plateau restauré. L'équipe de la GRC, raconte le surintendant Lucien Guy, a fait un peu de menuiserie pour aider à réparer les meubles cassés afin de n'éveiller aucun soupçon chez les trafiquants. Par précaution, un magnétophone qui se déclenche à la voix est caché dans les meubles. Un défilement très lent et une alimentation conséquente à piles devraient permettre à l'appareil de fonctionner pendant plusieurs jours. Une fois les meubles remis en place, les portes du conteneur sont refermées, enchaînées, cadenassées, comme si de rien n'était, et le conteneur replacé sur le quai. On le surveille en permanence jusqu'à ce qu'il soit chargé à bord du cargo en partance pour Montréal. Aucune intrusion ne sera remarquée. Deux jours plus tard, le bateau vogue au milieu de l'Atlantique direction Canada.

À Montréal, le pied est ferme et on attend

Entre-temps, Her Majesty Customs and Excise, les douanes britanniques, ont fourni à la GRC les indications recueillies sur Canada Inc., les exportations et importations-Thermo, la compagnie d'import-export chargée de récupérer le conteneur avec la drogue à Montréal. Une équipe de trois agents de la GRC, dirigée par Lucien Guy, alors caporal et enquêteur principal, va repérer rapidement deux des principaux membres de la filière. Luciano Zambito et Filippo Vaccarello. Leurs téléphones sont placés sur écoute, une filature est organisée. Inconnu jusqu'alors, Gerlando Caruana est repéré parce qu'il se rend chez Zambito à Saint-Léonard à plusieurs reprises. Les écoutes indiquent que non seulement il est dans le coup, mais qu'il dirige l'équipe. Un quatrième suspect, Lucio Beddia, est dans la mire de la GRC. Il est Américain et vit dans le New Jersey. C'est le neveu de Zambito. Les filatures durent du lever au coucher des suspects, sauf pour la dernière journée où elles seront maintenues 24 heures sur 24. Les trois trafiquants conduisent les policiers à plusieurs reprises à un entrepôt de Ville-Saint-Laurent[6] où les véhicules entrent par l'arrière du bâtiment.

20 juin 1985

Le cargo apportant la drogue arrive à Montréal. Le conteneur est débarqué le jour même. Dès ce moment, il est sous la surveillance permanente de la GRC. Quelques heures plus tard, il est chargé sur un camion. Dès sa sortie du port, le véhicule est suivi. Sans surprise, il mène les policiers à l'entrepôt de Ville-Saint-Laurent. Les enquêteurs de la GRC ont déjà monté un poste d'observation dans une cabane de chantier installée sur un terrain adjacent, derrière l'entrepôt. L'endroit est parfait. Il se trouve à une trentaine de mètres à peine de l'arrière du bâtiment, face à la grande porte. C'est un coup de chance incroyable, on ne peut trouver meilleure vue. Lucien Guy et l'agent Jean Lemieux s'habillent en ouvriers de chantier et vont s'installer dans la cabane. Les deux hommes y vont passer deux jours à attendre que quelqu'un sorte la drogue de l'entrepôt. Un seul incident va troubler leur longue planque. Comme le racontera Lucien Guy, à un moment, le propriétaire de la cabane arrive à l'improviste.

> Il est demeuré bouche bée et a failli perdre connaissance. Nous l'avons tiré à l'intérieur de la cabane, nous nous sommes identifiés et lui avons demandé de ne rien dire à personne sans pour autant lui donner les détails sur l'entrepôt. Blanc comme neige, il a disparu et nous ne l'avons jamais revu.

21 juin 1985

Il ne se passera rien avant le lendemain. Le 21 juin, les trafiquants entrent dans l'entrepôt et démantèlent les meubles pour en sortir la drogue. Lucien Guy et Jean Lemieux entendent des bruits de bois cassé en provenance du bâtiment. Puis, après une période de calme, la porte de l'entrée de garage se soulève enfin et une voiture sort de l'édifice. Pour ne pas alerter les individus restés sur place, les policiers de la GRC laissent partir le véhicule et le suivent. La voiture est arrêtée quelques kilomètres plus loin. Dans le coffre arrière, des sacs contenant 38 kilos de drogue. Parmi ceux-ci, le caporal Guy trouve les deux petits sachets renfermant les échantillons de l'héroïne saisie par les Britanniques. Ils ne pèsent que quelques grammes chacun. Mais, pour les trafiquants, il n'y a pas de petits profits.

L'ordre est alors donné de perquisitionner dans l'entrepôt. Filippo Vaccarello, et Lucio Beddia, le neveu de Zambito, sont arrêtés sur place. Les résidences des interpelés sont visitées par des membres de l'équipe de Lucien Guy. Seul bémol, on a oublié de me prévenir et on verra plus loin que ça va sérieusement compliquer le début de mon enquête. Pour l'instant, après cette saisie, la GRC détient 38 kilos de preuve accablante contre Gerlando Caruana et ses complices.

Pendant ce temps en Angleterre

La douane britannique et Scotland Yard sont prévenus qu'ils peuvent se livrer aux arrestations des membres du réseau anglais. Quatre hommes seront arrêtés, parmi eux un mafioso très important dont on a déjà parlé et dont on reparlera plus tard, Francesco Di Carlo. C'est à ce moment que j'entre en scène avec l'Unité des produits de la criminalité de la GRC. À l'époque, en 1985, l'héroïne pure de très bonne qualité, en provenance d'Extrême-Orient et livrée en Amérique du Nord, vaut dans les 50 000 dollars américains[7] le kilo. Selon le nombre d'intermédiaires et l'importance des différents coupages du produit de base, la valeur à la revente dans la rue d'un kilo d'héroïne tourne autour de 4 ou 5 millions de dollars américains[8]. C'est une grosse fortune totalement illégale, et tous les membres de la chaîne de vente ont un gros problème : ils ont fait beaucoup d'argent comptant, mais cet argent est «sale» et il faut absolument le blanchir s'ils veulent en profiter pleinement.

L'argent de la drogue

À la suite d'une saisie, il faut si possible retrouver où est passé l'argent de la drogue. Le train de vie des trafiquants est un bon indice. C'est pourquoi, ce 21 juin 1985, je pénètre dans la maison de Gerlando Caruana pour y chercher des preuves. Mais j'arrive après la fouille exécutée par l'équipe de Lucien Guy. Quand Gerlando Caruana a été arrêté pour le trafic de drogue, la Section des stupéfiants de la GRC a demandé à un juge un mandat de perquisition qui bien évidemment, au vu des preuves apportées, lui a été immédiatement accordé. Les enquêteurs ont visité la maison sans trouver de drogue. Il est très rare que les responsables de réseaux de trafic de drogue en stockent chez eux, à la maison. Ça semble anodin, mais un manque de communication à l'intérieur de la GRC et un point de droit ont failli m'empêcher de visiter la demeure de Gerlando Caruana. Dans une entrevue enregistrée pour la série documentaire sur la famille Caruana-Cuntrera, j'ai raconté ce qui s'était passé[9].

Malheureusement, les enquêteurs de la brigade des stupéfiants avaient oublié de m'inviter. Or, il fallait absolument que je retourne moi-même dans la maison pour une deuxième perquisition. Mais le juge n'a pas voulu m'accorder un mandat pour y retourner. Il m'a dit: «La GRC a déjà perquisitionné la résidence. Vous ne pouvez pas utiliser le même motif une deuxième fois.» Je lui ai répondu que je ne cherchais pas de la drogue, que je cherchais seulement à estimer le train de vie du suspect. «Rien à faire, c'est lié au même méfait. Il vous faut un nouveau motif. Trouvez un prétexte légal et vous aurez votre mandat.» La chance est venue à mon secours. Lors de sa perquisition, la première équipe avait fait un inventaire et pris en note les numéros de série des différents appareils électriques et électroniques. En examinant la liste, nos services avaient repéré qu'une petite télévision blanc et noir, vraiment sans valeur, selon nos fiches policières, était une télévision volée. Ce qui fait qu'avec l'aide de ce prétexte légitime et légal, j'ai pu pénétrer à l'intérieur de la maison. Ça peut paraître anodin, presque comique, mais c'est vraiment le prétexte qui a déclenché toute l'opération Pèlerin, cette petite télévision noir et blanc là.

22 juin 1985

Muni de mon mandat pour recherche de recel, je pénètre donc dans la maison sans aucune idée préconçue. Je cherche seulement à monter un dossier de preuve à caractère économique contre ce qui n'est pour moi, à ce moment-là, qu'un présumé important trafiquant de drogue. Ce que je vais découvrir dans la demeure de Gerlando Caruana est le petit bout d'un fil sur lequel je vais tirer et qui va finalement changer radicalement l'image de la Cosa Nostra, de la mafia sicilienne, non seulement au Canada mais, après de longues enquêtes, dans le monde entier.

Une visite plutôt intéressante

Quand j'entre dans la maison, première surprise, le luxe inouï de l'intérieur. Compte tenu du quartier et de son aspect extérieur, la maison a pu être achetée dans les 100 000 dollars[10]. On a rajouté de l'argent pour aménager l'extérieur, comme la belle piscine creusée que l'on trouve à l'arrière de la maison. Dans le garage, il y a deux voitures haut de gamme, le sol est richement dallé, les murs et le plafond complètement recouverts de belles céramiques. Mais l'argent a aussi été largement dépensé à l'intérieur de la maison. Une estimation de la décoration, des aménagements et du mobilier est faite. Il y en a pour au bas mot 150 000, peut-être 200 000 dollars[11]. Quand on pénètre dans le hall, le luxe saute aux yeux. Dans chaque pièce, des meubles estampillés par un grand ébéniste italien, certains rehaussés de décorations en or. Je me souviens d'une garde-robe réservée aux fourrures de luxe et aux manteaux de cuir visiblement de grand prix. Dans une chambre, sur une table de nuit, je trouve deux belles montres. Une Piaget et une Longine. À l'époque, je ne connais pas ces marques. Un expert m'expliquera qu'il y en a au moins pour 50 000 dollars[12]. Je trouve également un passeport canadien au nom de Gerlando Caruana. Sur des pages et des pages, on peut voir des visas et des tampons de pays du monde entier, en Asie, en Europe en Amérique latine et aux États-Unis. Il y en a pour plusieurs dizaines de milliers de dollars, voire des centaines si l'on compte les frais de billets d'avion de première classe et d'hôtels de luxe que doit sûrement fréquenter le propriétaire du passeport. L'homme mène un train de vie de millionnaire. Je trouve enfin ce que je suis venu chercher: un dossier de documents financiers avec des déclarations d'impôt. Et là, autre grande surprise, l'homme qui vit dans le luxe et voyage dans le monde entier a déclaré comme revenu annuel, pour l'année 1984, 34 000 dollars[13]. Même si c'est un assez bon revenu en 1980, il est difficile de se payer le luxe étalé partout dans la maison et encore moins pour 50 000 dollars de montres. Je suis alors convaincu d'avoir levé un très gros gibier.

La loi ne nous aide pas

Un trafiquant d'héroïne, la plus chère des drogues, qui vit dans un tel luxe doit avoir eu entre ses mains un certain nombre de kilos, sinon des tonnes de drogue. Malheureusement, je ne peux pas faire grand-chose et aller beaucoup plus loin dans mes investigations parce qu'à l'époque, la GRC a les mains complètement liées par la loi. Un an auparavant, en 1984, j'ai mené une enquête pour laquelle j'avais absolument besoin d'avoir accès au compte de banque d'un suspect. Le refus catégorique de la banque, la Banque Royale, a amené la GRC jusqu'à la Cour suprême du Canada[14] et nous avons perdu. La Cour suprême n'a pu que confirmer la loi qui interdisait à tout policier d'enquêter sur les propriétés immobilières des suspects et sur ce qu'elles contenaient, ainsi que de consulter les comptes de banque des personnes suspectées ou arrêtées. Seul Revenu Canada est alors en droit de le faire, et a la procédure et les outils pour obtenir les renseignements désirés d'une manière assez rapide et efficace. Je vais donc travailler avec René Gagnière, un enquêteur de Revenu Canada qui va éplucher les comptes en banque de Gerlando Caruana puis me les transmettre. Et nous n'allons, ni l'un ni l'autre, être déçus.

Mais avant de poursuivre, un petit exposé 101 sur le blanchiment d'argent s'avérerait utile.

CHAPITRE 2

Le blanchiment d'argent, cours 101

E n 1985, je suis donc spécialisé dans la saisie de biens accumulés en commettant les crimes liés aux drogues et aux stupéfiants. À l'époque, le service tient vraiment peu de place dans l'organisation générale de la GRC. Pour l'ensemble du pays, nous sommes 17 et, à Montréal, nous ne sommes que 2 pour nous occuper de plusieurs dizaines de dossiers. Notre principale occupation concerne avant tout le blanchiment d'argent. Comment l'argent illégal et criminel est replacé d'une façon ou d'une autre dans l'économie légale ? Le temps m'a appris que les crimes économiques sont les moins visibles, les moins repérables et les plus lucratifs, mais aussi très souvent et insidieusement longtemps protégés par la loi.

Blanchiments mineurs

Les blanchiments que je qualifierais de mineurs, même s'ils représentent un coût important pour la société et portent des noms divers, ce sont des crimes économiques. Le plus courant, le plus banal des crimes économiques, c'est le travail au noir. Il est pratiqué par à peu près tout le monde, en tout cas par beaucoup plus de personnes que celles qui avouent en profiter. On y gagne déjà le montant des taxes, en moyenne et selon les pays entre 15 % et 20 % du montant de la facture. Par cette absence de versement de taxes, le travail au noir est une cause non négligeable de la mauvaise humeur de tous les ministres des Finances de tous les gouvernements du monde entier et d'une partie non négligeable du déficit et de la dette de plusieurs pays. Il y a aussi la contrebande du voyageur, ou de la voyageuse, ordinaire. On la compare à un péché véniel, une petite vengeance contre les taxes élevées lorsqu'on passe une bouteille de bon vin de trop en revenant de France, d'Espagne ou d'Italie. Même chose quand on va acheter quelques paquets de cigarettes sur le territoire d'une Première Nation et que, le cœur plus ou moins battant, on quitte la réserve en espérant qu'il n'y aura pas d'auto-patrouille de la SQ en embuscade à la sortie. Notons que, pour des raisons essentiellement politiques, il est très rare en fait d'apercevoir des auto-patrouilles en embuscade à la sortie des réserves indiennes. Mais, comme le travail au noir, ce genre de contrebande prive les gouvernements de rentrées budgétaires importantes.

GRC – l'Unité des produits de la criminalité[1]

L'unité que je dirige ne se préoccupe pas de ces crimes. Par contre, nous sommes plus en alerte avec les crimes de contrebande. Le vrai danger pour les États, c'est la contrebande, l'importation en masse, pratiquée avec le maximum de discrétion, de produits légaux ou illégaux entrés clandestinement dans le pays. Le plus rentable des produits de contrebande, c'est la drogue ou plutôt les drogues parce qu'étant illégales, il est difficile de s'en procurer aisément et ouvertement.

La... les drogues

Pendant très longtemps, un trio de produits illicites a dominé le marché de la contrebande : le hachich, la cocaïne et l'héroïne. Puis se sont peu à peu ajoutées différentes drogues chimiques et médicamenteuses : crack, ecstasy, amphétamine et mésamphétamine, GHB ou oxycodon et puis la mortifère désomorphine, le krocodil qui s'attaque à l'Europe occidentale après avoir ravagé la Russie. Les masses d'argent liquide rapportées par ces trafics ne peuvent être écoulées telles quelles. Pour les réintroduire dans l'économie légale, il faut leur redonner une virginité, il faut les blanchir.

Le blanchiment d'argent

Le blanchiment d'argent est le crime économique le plus important en volume d'argent. C'est aussi le crime le moins combattu sérieusement par les lois. Depuis quelques années, dans beaucoup de pays, aux États-Unis et au Canada notamment, un effort de législation gêne un peu le blanchiment d'argent, mais ne le stoppe pas. Au Canada, on y va doucement. On a d'abord demandé aux institutions bancaires ou d'épargne ou encore aux bureaux de change d'inscrire dans leurs livres les versements de plus de 10 000 dollars, mais *sans toutefois avoir l'obligation de les rapporter* à un quelconque contrôle des administrations de revenus fédérale ou provinciales. Ensuite, les mêmes institutions bancaires ou de change ont été tenues de signaler aux autorités compétentes tout dépôt de 10 000 dollars et plus. Les groupes criminalisés et les fraudeurs en bande ont trouvé la parade. Ils envoient maintenant plusieurs acolytes dans différentes institutions bancaires ou de change avec des sommes d'un peu moins de 10 000 dollars en billets ; ceux-ci en ressortent avec une traite négociable dans le monde entier et le tour est joué.

Pourquoi une aide légale au blanchiment ?

En 1985, les criminels avaient la vie facile pour recycler, camoufler leur argent sale dans l'économie légale. Les lois étaient si chétives qu'on pouvait quasiment dire que la société tolérait, sinon encourageait, le recyclage des profits du crime. La loi n'était pas à la hauteur et tout le monde en profitait, surtout bien sûr le crime organisé. Le blanchiment d'argent le plus important, inquiétant pour les économies, se réalisait et se réalise toujours, même si c'est plus compliqué, dans des circuits officiels de banques ou d'institutions financières et de préférence dans leurs succursales installées dans des paradis fiscaux.

Dans les années 1990, j'ai eu entre les mains une étude globale et mondiale d'Interpol sur le blanchiment d'argent durant une période de 20 ans[2]. Sur ces 20 ans, l'étude estimait, chiffres à l'appui, le montant du blanchiment à l'échelle de la planète à 1 milliard de dollars par jour[3]. Cela comprenait la totalité de l'argent à blanchir, l'argent de la haute criminalité comme celle d'épargnants fraudeurs d'impôt, petits et moins petits, atterrissant dans les paradis fiscaux. Vingt ans, c'est 7305 jours, donc 7305 milliards de dollars blanchis, valeur de 1990[4]. Des études différentes, menées par des spécialistes et par Interpol, montraient alors que les intérêts économiques, financiers et politiques étaient les principaux freins à un assainissement de la situation. Dans tous les pays du monde, le blanchiment d'argent ne sert pas que les intérêts des bandits ou des fraudeurs d'impôt, il sert aussi les intérêts d'innombrables personnes en position de pouvoir économique, financier ou politique ayant recours, pour des raisons diverses et surtout discrètes, à cet argent blanchi.

Le Canada n'est pas en reste

À la même époque, un économiste canadien m'expliquait que les 7 banques à charte du Canada[5] possédaient près de 8000 succursales à travers le pays, de l'Atlantique au Pacifique. Ces mêmes sept banques avaient installé dans les Antilles une bonne cinquantaine de succursales. Or, cette cinquantaine de succursales brassaient à elles seules autant de liquidités que les 8000 succursales du pays. Les pays des Antilles sont surtout des pays du Tiers-Monde, des pays pauvres. D'où venait tout cet argent ? Et puis, dans les Caraïbes, dans les Antilles, les succursales de banques étrangères les plus nombreuses et les plus actives étaient et sont toujours les banques canadiennes. Celles-ci ont trouvé le moyen de se faire soutenir et encourager par les gouvernements fédéraux successifs.

Il est tout à fait faux de dire que le crime ne paie pas. Les criminels ont la vie facile pour recycler, camoufler leur argent sale dans l'économie normale. En 1980, le Canada et la Barbade ont signé un accord de non-double imposition. Représentant du Bloc québécois à la Chambre des communes à Ottawa pendant 14 ans, Yvan Loubier[6] a confié en 2002 au journaliste Michel Auger :

> Il y a un site Internet d'un organisme du ministère des Affaires internationales à Ottawa qui favorise l'éducation des contribuables canadiens pour leur permettre de prendre leurs capitaux et d'aller les déposer dans des paradis fiscaux, en évitant ainsi de payer de l'impôt au Canada. La Barbade a le plus gros site Internet du gouvernement fédéral[7].

En gros, le principe est simple : les gens de la Barbade qui, compte tenu des taux d'imposition, seraient assez inconscients pour déposer leur argent dans des comptes canadiens paieraient leurs impôts au Canada et, réciproquement, les Canadiens qui, très consciemment, déposent leur argent à la Barbade paient leurs impôts à la Barbade, où, il n'y a pas d'impôts. CQFD[8]. L'entretien avec Yvan Loubier a eu lieu en 2002, mais ça n'a pas été en s'améliorant. En 2014, dans son ou-vrage *Paradis fiscaux, la filière canadienne*, le docteur Alain Deneault confirmait la permanence de ces accords :

> La petite île de moins de 300 000 habitants se révèle en effet la troisième destination des capitaux canadiens dans le monde, après les États-Unis et le Royaume-Uni. Les gens d'affaires du Canada y ont injecté près de 60 milliards de dollars en 2012 seulement, soit une augmentation de près de 80 % depuis 2007[9].

On imagine le manque à gagner pour le fisc canadien.

C'est le long combat de l'épée et du bouclier. Les fraudeurs et les bandits trouvent toujours un moyen de contourner les nouvelles lois, surtout si celles-ci s'appliquent à leur venir en aide.

Attention danger

Le point le plus effrayant, c'est que toutes ces différentes études en arrivent à la même inquiétante conclusion : si, d'un seul coup de ba-guette magique, on pouvait retirer l'argent sale de l'argent propre, donc de l'économie et du système financier mondial, tout le système s'effondrerait instantanément. C'est pourquoi ce n'est pas demain la veille que l'on réglera la question des paradis fiscaux où se retrouve une masse considérable de ce magot. Dans son étude des années 1990, Interpol évaluait les saisies d'argent sale réalisées en 20 ans par les policiers à travers le monde à un total de 5 milliards de dollars ; 5 milliards sur un total de 7305, c'est moins de 0,4 %[10].

Pèlerin

En 1985, une grande enquête de la GRC à laquelle j'ai participé pour l'Unité des produits de la criminalité m'a confirmé d'une part que le blanchiment d'argent n'était pas alors une priorité politique, et nous a révélé d'autre part qu'il existait bien une autre façon de blanchir de l'argent en très grande quantité, légalement et en toute impunité. Parce qu'elle m'a fait beaucoup voyager, j'avais appelé cette enquête « l'enquête Pèlerin ».

Mais revenons pour l'instant à notre trafiquant de drogue, Gerlando Caruana. Avec René Gagnière de Revenu Canada, nous allons rendre visite à sa banque et vérifier les transactions qui y ont été faites. Nous ne serons pas déçus.

CHAPITRE 3

Alfonso Caruana entre en scène

À partir de ce 22 juin 1985, ma vie va changer ; l'enquête qui débute va absorber une grande partie de mon temps pendant les prochaines années. Je ne me doute absolument pas alors de ce qui m'attend. Je crois avoir affaire à une enquête locale, reliée incidemment à un gros trafic international de drogue. Nous allons découvrir, René Gagnière de Revenu Canada et moi-même, l'une des plus importantes filières de blanchiment d'agent de l'époque. Mais commençons par le commencement.

La Banque d'Épargne de la Cité et du District de Montréal[1]

Dans les papiers que j'ai saisis chez Gerlando Caruana, j'ai trouvé les relevés de son compte en banque à Montréal dans une succursale de la Banque d'Épargne de la Cité et du District de Montréal. La succursale est située avenue Jean-Talon à Saint-Léonard, dans l'est de l'île, dans le quartier italien. Comme je n'ai pas le droit de demander à la banque des comptes sur ses clients, c'est René Gagnière, de Revenu Canada, qui va se rendre sur place et enquêter sur le compte de Gerlando Caruana.

« À votre place, je m'intéresserais plutôt à son frère, Alfonso Caruana »

René Gagnière va trouver d'importants déplacements d'argent assez troublants. Alors qu'il est plongé dans les dossiers, une employée de la banque s'approche discrètement et lui chuchote à l'oreille :

— À votre place, je m'intéresserais plutôt à son frère, Alfonso Caruana.

Le nom est parfaitement inconnu à la GRC. Comme il s'agit d'un citoyen canadien, Revenu Canada a bien évidemment un dossier sur lui, mais tout est en ordre. Il n'y a jamais eu d'enquête sur ses activités. La caissière continue, elle dit à René Gagnière qu'il ferait bien d'aller regarder le compte qu'Alfonso Caruana possède dans une autre succursale de la Banque d'Épargne de la Cité et du District de Montréal qui se trouve dans l'ouest de la ville, au 4057 du boulevard Saint-Jean à Dollard-des-Ormeaux.

— Le compte d'Alfonso Caruana, précise-t-elle, sera bien plus intéressant pour vous que celui de Gerlando.

Au 4057 du boulevard Saint-Jean à Dollard-des-Ormeaux

Gagnière et moi, nous nous rendons à la succursale de Dollard-des-Ormeaux. Et là, nous découvrons les traces de la plus importante filière de blanchiment d'argent sale jamais démasquée jusque-là à Montréal. Nous trouvons les preuves du blanchiment de plus de 15 millions[2] de dollars américains passés dans cette seule petite succursale, en quelques mois. À l'époque, ça pourrait être inscrit dans le *Livre Guinness des records*.

C'est là que le doute s'envole: le véritable chef de la famille n'est pas Gerlando, mais bel et bien son frère Alfonso Caruana. Nous apprendrons bientôt que l'argent à blanchir provient de la vente du hachich et de l'héroïne introduits aux États-Unis par la filière Caruana-Cuntrera. Il y a surtout des billets de 5, de 10 et de 20 dollars, parfois de 50, plus rarement de 100. L'argent est passé clandestinement au Canada, où il est plus facile à blanchir qu'aux États-Unis.

Les mafiosi apportent dans la succursale de Dollard-des-Ormeaux des sacs remplis de paquets de petites coupures assemblées avec des bandes de caoutchouc. Les sacs sont vidés sur la table de la cuisine pour les employés, hors de la vue des clients. La montagne de paquets de petites coupures n'attend plus alors que d'être triée. En fonction de l'ouvrage à accomplir, une ou plusieurs personnes sont chargées de faire des tas de billets par valeur, de 10, de 20, etc. et ensuite de les compter. Une fois le montant obtenu, la direction de la banque remet aux trafiquants une simple traite bancaire de l'épaisseur d'un chèque et pesant 3 ou 4 grammes du montant total en dollars américains. Certaines traites ont dépassé le million de dollars américains.

Au début, à la Banque d'Épargne de Dollard-des-Ormeaux, pour tester la fiabilité de la banque, les Caruana ont passé de petites quantités de coupures, quelques milliers de dollars. Ils ont recommencé deux ou trois fois en augmentant les sommes. C'était surtout un test technique pour voir si rien ne viendrait troubler leur trafic de la part de la direction générale de la Banque d'Épargne. Parce que, comme l'enquête le démontrera, Aldo Tucci, le directeur de la succursale de Dollard-des-Ormeaux, était déjà un allié des mafiosi. Il a été approché et rallié sept ans plus tôt, dès 1978, par Giuseppe Cuffaro, un membre dominant du clan et oncle par alliance d'Alfonso Caruana[3]. Comme pas le moindre signe négatif n'est venu de la direction générale de la banque, les «blanchisseurs» vont passer de plus en plus de billets et échanger des sommes de plus en plus importantes. Ils vont bientôt arriver avec des valises, de grands sacs de voyage ou des poches de hockey remplis à craquer de billets américains. Les valises et les sacs pèsent 20, 30 kilos, parfois plus.

À la succursale de la Banque d'Épargne de Dollard-des-Ormeaux, les premiers relevés bancaires des mafiosi remontent à octobre 1978. Les comptes sont aux noms d'Alfonso Caruana, de Giuseppe Cuffaro, de Luciano Zambito, et de trois oncles d'Alfonso et de Gerlando, les quatre frères Cuntrera : Pasquale, Gaspare, Liborio et Paolo. Les dépôts se faisaient au rythme d'un ou deux par semaine. Les sommes variaient. Le clan pouvait déposer ainsi un quart de million, un demi-million de dollars en petites coupures et même beaucoup plus. Le 10 juin 1981, les mafiosi sont arrivés avec des sacs pesant une cinquantaine de kilos. Ceux-ci contenaient plus de 1 million de dollars en petites coupures américaines, 1 003 700 dollars exactement. Le soir, les billets ont été échangés contre 9 traites de 100 000 dollars chacune et une dixième de 103 700 dollars[4]. Toutes les traites étaient faites au nom d'Alfonso Caruana. Toutes ont été encaissées en Suisse alémanique, à Horgen, dans le canton de Zurich, à la succursale de l'Union des banques suisses.

Le nom du dossier : «l'enquête Pèlerin»

Quand elle ouvre un dossier majeur, la GRC lui attribue un nom de code. La source thaïlandaise de l'héroïne, l'origine sicilienne des

Caruana, Zambito et compagnie et maintenant la Suisse, je me suis alors dit : «Je commence un long voyage aux pays de la drogue et du blanchiment d'argent. Je vais sans doute être obligé de me rendre dans plusieurs pays, pour résoudre ce dossier-là.» Dans ma tête, je m'en allais comme en pèlerinage, en pèlerinage vers l'inconnu. C'est pour ça que j'ai appelé le dossier «Projet Pèlerin». Et je ne me suis pas trompé. Au fur et à mesure de la progression de l'enquête, j'allais découvrir d'autres noms, d'autres domiciliations, d'autres destinations : l'Angleterre, l'Allemagne, l'Italie (Sicile et Rome), le Luxembourg, la Suisse allemande (Horgen, dans le canton de Zurich), la Suisse italienne (Lugano, dans le canton du Tessin), le Venezuela, le Brésil, l'île d'Aruba et toujours Montréal. Je devrais également me rendre plusieurs fois aux États-Unis pour rencontrer des témoins clés de l'affaire et travailler en étroite collaboration avec la DEA, l'Agence antidrogue, et le FBI, le Bureau fédéral d'investigation.

L'argent et l'odeur

Cinq cent mille, 1 million de dollars en billets de 10 ou de 20 dollars, c'est long, très long à compter, ça exige un bon nombre d'heures supplémentaires. Averti à l'avance des grosses livraisons, Aldo Tucci demandait à ses caissières de rentrer plus tôt le matin juste pour trier et compter les billets. Il arrivait souvent que les caissières se plaignent de l'odeur de moisi que dégageaient les billets de certaines livraisons. C'est qu'avant d'être introduits clandestinement au Canada, certains stocks de billets avaient, aux États-Unis, séjourné plus ou moins longtemps dans des endroits humides leur donnant une forte odeur de moisi très désagréable. En dépit des protestations des caissières, le dernier mot revenait toujours au célèbre dicton affirmant que l'argent n'a pas d'odeur. Les sommes étaient souvent énormes, impensables pour une petite succursale de la taille de celle de Dollard-des-Ormeaux.

Il n'est pire aveugle que celui qui ne veut pas voir

Pour satisfaire ses clients habituels, la succursale de Dollard-des-Ormeaux avait quotidiennement besoin de quelques centaines, voire de quelques milliers de dollars en devises américaines. Avant l'arrivée d'Alfonso Caruana et de sa bande, pour ses besoins quotidiens, comme toutes les succursales de la Banque d'Épargne, Aldo Tucci s'approvisionnait en devises américaines auprès de la Banque de Montréal. Mais, maintenant, il rentrait tellement d'argent liquide en dollars américains dans cette petite succursale que celle-ci alimentait en cash américain et à elle seule les 85 succursales de la Banque d'Épargne de l'île de Montréal et de sa banlieue. Il était donc impossible que la direction et la présidence de l'institution ne soient pas au courant. Mais il était bien difficile d'avoir l'heure juste. Au bout de quelques semaines, tout de même intrigué par tant d'argent liquide, le directeur de la sécurité de la banque avait demandé à Cuffaro et à Alfonso :

— Vous pouvez me dire d'où vient tout cet argent-là ?

— Nous, on a des compagnies de pétrole au Venezuela et on dirige un casino.

Mais voilà, au Venezuela, le pétrole est nationalisé et tous les produits pétroliers appartiennent au gouvernement. De plus, il n'existe pas de casino non plus là-bas. Et pour finir, la devise au Venezuela, c'est le bolivar et non le dollar américain. René Gagnière et moi avons eu beaucoup de difficultés à obtenir une complète collaboration de la direction de la banque. Par exemple, ça nous a pris des mois de démarches pour récupérer les traites originales au nom de Caruana, de Cuntrera ou de Cuffaro que la banque détenait, alors qu'il lui suffisait d'aller chercher dans ses archives. Parce qu'une fois encaissée ou déposée sur un compte, n'importe où dans le monde, la traite est réexpédiée à l'établissement émetteur qui doit la conserver et la classer. En fait, les responsables de la banque ont tout fait pour nous empêcher d'avoir accès aux traites.

«Je veux voir les traites»

Mais je veux absolument mettre la main dessus. Je les demande au directeur de la sécurité de la succursale que je connais. Mais il trouve toujours des prétextes pour ne pas collaborer. Au bout de quatre mois, je le préviens, je dis :

— Demain, si tu ne collabores pas, je reviens avec le nombre de gars qu'il faudra et je fouille jusqu'à temps que je les trouve. Ça ne dérange pas si ça prend un mois, mais on va les trouver.

Mis au pied du mur, il décide de collaborer parce qu'il n'a pas le choix. Comme je l'apprendrai par la suite, les gens de la haute direction sont mal à l'aise. Ils ne savent plus comment traiter notre demande. Ils sont gênés d'être obligés de reconnaître officiellement avoir lessivé autant d'argent de provenance plus que douteuse, et surtout pour des gens encore plus douteux. En recevant finalement après plusieurs mois d'attente les traites émises par la succursale de la Banque d'Épargne de Dollard-des-Ormeaux, je vais commencer à y voir plus clair.

La plupart des traites sont libellées au nom d'Alfonso Caruana et de Giuseppe Cuffaro ; les autres, au nom des quatre frères Cuntrera : Pasquale[5], Liborio, Gaspare et Paolo. Pasquale Cuntrera est à l'époque un parfait inconnu, alors qu'en fait, c'était lui, et non Alfonso, le chef, le parrain de cette famille comme nous l'apprendrons plus tard à la GRC. Pour moi, il est clair que la présidence et la direction de la banque ont fermé les yeux et cherché à retarder l'enquête. Ce que confirmera, au début des années 1990, un acteur sérieux et essentiel, un tout premier rôle dans cette tragicomédie.

Le juge Gioacchino Natoli

En décembre 1990, le juge italien Gioacchino Natoli vient à Montréal pour diriger une commission rogatoire italienne ayant pour but d'enquêter sur la Mafia montréalaise et ses relations avec la Mafia sicilienne. Le directeur de la succursale de Dollard-des-Ormeaux, Aldo Tucci, est appelé comme témoin. Il raconte qu'à son avis, il ne fait aucun doute que tout le monde, à la haute direction de la Banque Laurentienne, savait parfaitement que l'argent déposé en masse par Alfonso Caruana dans sa succursale provenait du trafic de drogue. Il n'y a aucun commerce légitime dans toute l'île de Montréal, et même dans tout le Canada, qui génère 1 million, 1,5 million de liquidités américaines par jour ou même par semaine. En dollars canadiens, oui, mais pas en dollars américains, impossible. Si l'argent ne provient pas d'une source légitime, c'est que sa source est… illégitime.

Le président de la Banque d'Épargne parle
20 ans plus tard

Dans une entrevue accordée beaucoup plus tard à Michel Auger[6], le président de la Banque d'Épargne au moment des faits, Raymond Garneau, s'explique sur ce point :

> Il n'y avait pas de législation sur le blanchiment d'argent et il n'y avait rien dans la loi qui même nous autorisait à demander à un client d'où venaient les sommes qu'il venait déposer.

En effet, tout était légal. L'interdiction pour les policiers de fouiller dans les comptes en banque des suspects, c'était légal aussi. Le moins qu'on puisse dire, c'est que la loi n'était pas qu'un peu complice des bandits dans cette histoire. Il faut dire également qu'il était plus facile pour les banquiers de faire comme si tout était parfait, puisque c'était légal. Interrogé par le juge Natoli, Aldo Tucci raconte qu'un jour il a même reçu un coup de téléphone de la haute direction. Celle-ci avait un besoin urgent de devises américaines. On l'invitait à appeler ses clients et à leur demander s'ils avaient encore des billets américains en réserve parce que la direction de la banque en avait besoin. Autrement dit, on lui demandait de dire à Alfonso Caruana ou à Giuseppe Cuffaro : « Seriez-vous assez gentil pour vendre un peu plus de coke aux États-Unis parce que ma direction a besoin de cash américain ? »

À un moment donné, sachant parfaitement d'où venait l'argent, Raymond Garneau a demandé à Aldo Tucci d'arrêter un moment d'accepter les billets américains de ses clients. Il voulait avoir une opinion légale sur les transactions. Ça a été vite fait. Dès le lendemain, il rappelait Tucci et lui donnait le feu vert pour recommencer à accueillir et à blanchir l'argent des Caruana. Il lui a dit qu'il n'y avait aucune législation sur le blanchiment d'argent, qu'il n'y avait rien dans la loi qui obligeait ou seulement permettait de demander à un client l'origine des sommes qu'il déposait à la banque.

La loi complice

Le blanchiment était tellement légal au Canada que les enquêtes menées à Montréal sur les activités de blanchiment des Caruana-Cuntrera et de leurs alliés n'ont abouti à aucune accusation au Canada. Cependant, pour introduire un peu de légalité dans la complicité de la banque et surtout, disons-le, pour obtenir un peu plus de substantiels revenus additionnels, le patron de la Banque d'Épargne fait prévenir Aldo Tucci que, même si tout cela est tout à fait légal, il faudra désormais que toutes les opérations soient officielles.

Toujours légal, toujours plus d'argent

L'argent américain en cash devra être déposé sur le compte du client en dollars canadiens. Il y aura donc une première opération de change du cash américain en dollars canadiens. Des frais de change de 2 % ou 3 % seront prélevés par la banque. Ensuite et dans la même journée, le montant de la traite en dollars américains avec laquelle repartiront les trafiquants sera prélevé sur le compte en dollars canadiens nouvellement approvisionné. Donc nouveau change. Mais cette fois-ci de dollars canadiens en dollars américains. Pour cette opération, la banque prélèvera un deuxième montant de 2 % ou 3 %. Elle y trouve ainsi largement son compte. En fonction des montants déposés, elle peut se faire 20, 30, voire 50 000 dollars[7] en une journée. Ce qui fait que, sur les 15 millions qui ont transité à la succursale, la banque a fait des jolis sous.

Sécurité, sécurité

Avec la succursale de Dollard-des-Ormeaux, la haute direction de la Banque d'Épargne fait face à une autre complication. Comme toutes les succursales bancaires, celle dirigée par Aldo Tucci est tenue de respecter une limite légale de sécurité pour le montant total d'argent détenu en cash dans ses murs. En général, ce dernier tourne à l'époque autour de 250 000 dollars. Or, les sommes apportées par Alfonso Caruana et son oncle Cuffaro dépassent largement le montant de sécurité. Pour palier cet inconvénient, la direction générale de la banque prie Aldo Tucci de demander à ses « clients privilégiés » de l'avertir 24 heures à l'avance du dépôt de grosses quantités de billets.

Les sacs contenant les billets devront toujours être déposés à la succursale de Dollard-des-Ormeaux. Un camion blindé de transport de fonds de la Brink's viendra les chercher et les emportera au siège social de la banque, où les billets seront comptés et la transaction de change en dollars canadiens, effectuée. Le montant en dollars canadiens sera inscrit sur le compte d'Alfonso Caruana à la succursale de Dollard-des-Ormeaux, l'établissement où la traite en dollars américains sera émise. Le tout sous la surveillance de la direction générale de la banque. Argument non négligeable, impossible pour un banquier dont la matière première est l'argent de refuser cette manne totalement illicite mais récoltée tout à fait légalement avec la bénédiction du législateur. De toute façon, si ce n'était pas la Banque d'Épargne qui en profitait, ça serait une autre banque. Ce qui va être le cas. Un beau jour, peut-être mal à l'aise, peut-être pour une raison qui m'est inconnue, les dirigeants de la Banque d'Épargne demandent aux trafiquants d'aller se faire blanchir ailleurs.

Aldo Tucci retombe sur ses pieds en toute légalité

Pour Aldo Tucci, c'est un énorme manque à gagner. Certes, il garde son salaire de directeur de succursale, mais il perd une importante source de revenu parce que son aide était grassement rémunérée par ses clients mafieux. Cette source importante de revenus se tarissant, il décide de se consacrer à ses affaires. Il dirige un commerce de meubles et d'électroménagers qui lui appartient et il monte son propre service de financement pour ses clients. Devenu très proche d'Alfonso Caruana et de ses amis, il commence aussi à travailler directement pour eux en même temps qu'il s'occupe de sa succursale. Il administre une demi-douzaine de compagnies, dont un club vidéo, pour le compte du clan Caruana. En en confiant la gestion au directeur d'une succursale d'une banque connue, le clan mafieux donne à ses entreprises une façade officielle, honnête et rassurante.

La situation est tout de même pour le moins troublante. Je sais, mes collègues de Revenu Canada et de Revenu Québec savent également que le président, le vice-président, le secrétaire-trésorier des compagnies que dirige Tucci sont tous des mafiosi impliqués dans le trafic de stupéfiants. Mais tant que nous ne découvrons pas quelque chose d'illégal, tant qu'il n'y a pas de preuves, nous ne pouvons rien faire. La loi, c'est la loi.

Et maintenant, le Trust Hellénique

Perdant avec la succursale de Dollard-des-Ormeaux son principal centre de blanchiment d'argent, le clan Caruana va tenter sa chance ailleurs. Tout d'abord au Trust Hellénique au 5756 de l'avenue du Parc, au coin de la rue Bernard, pour un modique montant de 800 000 dollars[8], et ensuite et surtout dans une succursale de la Banque Nationale du boulevard Saint-Michel où il va blanchir de nouveau plus de 15 millions de dollars[9] en quelques mois.

Giuseppe Cuffaro et la Banque Nationale

Le principal porteur de sacs et de valises est, une fois de plus, l'oncle Giuseppe Cuffaro. Il se présente à la succursale à 9 h 50, mais celle-ci n'ouvre qu'à 10 h. Les employées de la banque lui font signe à travers la porte que ce n'est pas encore l'heure. Alors, il fait deux, trois fois le tour du pâté de maisons avec sa valise pleine d'argent. Quand il entre dans la succursale, il porte toujours des lunettes fumées. La petite employée qui lui ouvre la porte lui demande chaque fois en souriant :

— Alors, d'où ça vient encore, tout cet argent-là, hein ?

Lui sourit, mais ne répond pas.

Après l'expulsion des Caruana-Cuntrera, la Banque d'Épargne a toujours besoin de liquidités en dollars américains, nécessaires à son fonctionnement quotidien. Ces dollars américains sont désormais fournis à la Banque d'Épargne par la Banque Nationale. Le directeur de la sécurité de la Banque d'Épargne de Dollard-des-Ormeaux me dira plus tard :

— À l'aspect des billets, j'aurais gagé sans hésiter que mes ex-clients étaient tous maintenant à la Banque Nationale.

À ce moment-là, il contacte son homologue de la Banque Nationale et lui demande si les Caruana-Cuntrera sont clients chez eux. L'autre lui répond :

— Bien, oui, ils sont chez nous.

Le directeur de la sécurité de la Banque d'Épargne lui dit alors :

— Fais pas affaire avec eux, on les a mis dehors de chez nous, ce sont des bandits.

Malgré l'avertissement, Giuseppe Cuffaro peut encore passer 15 millions à la Banque Nationale.

Les étranges libellés des traites de la Banque Nationale

Plus tard, alors que j'examine les traites remises finalement par la Banque de Montréal, je remarque une différence notable. Logiquement, comme pour toutes les autres traites émises par les succursales des différentes institutions bancaires, telles que la Banque d'Épargne et le Trust Hellénique, en paiement du cash déposé par les trafiquants, sur la ligne « Payez à l'ordre de », il devrait y avoir le nom de Giuseppe Cuffaro, ou d'un autre membre de la famille. Or, dans le cas de ces nouvelles traites, on peut lire sur cette ligne : Banque Nationale du Canada (Service internationale [*sic*])[10], y compris sur celle du 8 février 1982, nouveau record de blanchiment d'argent en une journée avec 1 049 791 dollars. Étrange toujours, les traites ont toutes été déposées au siège social de la Banque Nationale, au 500 de la place d'Armes à Montréal, dépôt certifié au verso des traites par un tampon indiquant « Banque Nationale – 500 place d'Armes Montréal »[11]. Il y a au moins deux explications à une telle manœuvre. D'abord la discrétion, puisque le nom des mafiosi n'apparaît nulle part, mais surtout le montant des traites, qui peut être payé en argent comptant et en grosses coupures. Légalement, il n'y a rien à dire.

En 1982, le blanchiment d'argent est autorisé pour ne pas dire encouragé par la loi, et ce, depuis toujours, par les différents gouvernements canadiens de toutes obédiences. Il n'y a aucune limite de montant de dépôt en billets dans les banques ou les bureaux de change. Mais, comme pour la Banque d'Épargne, il est difficile de concevoir que les responsables de la Banque Nationale ne savent pas qui ils aident.

La deuxième guerre de la Mafia

Giuseppe Cuffaro et les Caruana blanchiront encore quelques millions de dollars dans cette succursale de la Banque Nationale jusqu'en 1982, où, brusquement, les apports de masses de billets américains cessent. La raison est bien simple : en Sicile, une guerre interne sans pitié et horriblement meurtrière déchire différents clans, différentes familles de la Cosa Nostra. La tuerie a débuté en 1981. Les familles mafieuses s'entretuent sans état d'âme. On comptera plus de 1000 assassinats, dont certains dans des conditions dépassant l'imagination de réalisateurs comme Martin Scorsese ou Quentin Tarantino.

Il y a alors deux camps principaux : d'un côté, une alliance de chefs de puissantes familles mafieuses de Palerme[12] et, de l'autre, les chefs du clan des Corléonais, Luciano Leggio et Salvatore « Toto » Riina. Riina est sans doute le chef mafieux le plus sadiquement sanguinaire de l'histoire de la Mafia sicilienne. Et pourtant il y a dans le camp de ses ennemis des hommes qui utilisent les mêmes méthodes que lui. C'est que Toto Riina fait non seulement abattre les chefs et les responsables des familles ennemies, mais aussi enlever et tuer les membres de leurs familles, dont certains ne sont jamais retrouvés.

Des hommes sont immergés vivants dans des baignoires ou des bacs remplis de vitriol, d'acide sulfurique. Comme des Staline ou des Saddam Hussein, habités d'une paranoïa aiguë, Riina n'hésite pas à exécuter lui-même des membres de son propre camp quand il les soupçonne de vouloir lui nuire, ou simplement de ne pas respecter un ordre, même si ses soupçons ne reposent sur aucun fondement. Les histoires les plus effroyables seront révélées par les enquêtes et les témoignages de participants ou de repentis. Riina a par exemple fait enlever le fils de 15 ans d'un de ses principaux rivaux[13]. Sous ses ordres, on a torturé l'adolescent et on l'a amputé d'un bras avant de l'achever.

Il faut chercher l'héroïne ailleurs

J'apprendrai plus tard le lien existant entre cette guerre interne de la Mafia et le tarissement du blanchiment d'argent du clan Caruana-Cuntrera. Jusqu'en 1981, leur héroïne provenait des champs de pavots de la Turquie, très proche. L'opium ou la morphine-base était traité et transformé en héroïne en Sicile. Or, les mafiosi siciliens qui fournissaient les Caruana-Cuntrera ont été tués pendant la guerre interne. Ceux-ci doivent donc chercher ailleurs de nouvelles sources pour s'approvisionner. En 1981, Alfonso Caruana et Giuseppe Cuffaro vont passer de longues semaines en Inde, en Thaïlande et au Cachemire à la recherche de nouveaux fournisseurs, et ils vont les trouver. Et c'est ainsi qu'après plus d'un an de recherche, des membres de la famille, et particulièrement Giuseppe Cuffaro, établissent des liens étroits avec des fournisseurs d'héroïne en Asie du Sud-Est, surtout au Cachemire et en Thaïlande. Mais ce n'est pas tout : il faut également s'occuper des réseaux de distribution aux États-Unis et ailleurs dans le monde et aussi du blanchiment d'argent.

Les voyages de Giuseppe Cuffaro

Grâce aux documents récoltés pendant notre enquête, nous avons pu suivre les voyages réalisés sur une période de trois mois par Giuseppe Cuffaro. C'est impressionnant. Cuffaro est citoyen canadien, sa ville de résidence et de départ est Montréal. Voici les voyages qu'il a effectués en 1981, du 13 janvier au 20 avril : Montréal-Zurich-Caracas-

Miami-Montréal; Montréal-Aruba-Caracas-Montréal; Montréal-Zurich-Lugano-Caracas-Montréal; Montréal-Zurich-Caracas-Zurich-Montréal; Montréal-Rome-Bologne-Rome-Palerme-Rome-Montréal. Ça fait 21 trajets en moins de 100 jours, donc une moyenne de 1 tous les 5 jours. En première classe soit, mais tout de même.

1984 – c'est reparti au bureau de change: The Forexco Exchange House Ltd

En 1984, la filière étant rétablie grâce aux approvisionnements d'Extrême-Orient, l'héroïne des Caruana-Cuntrera retrouve son marché aux États-Unis. Le blanchiment des petites coupures en dollars américains réapparaît, mais pour une courte durée et par l'intermédiaire d'un bureau de change appelé The Forexco Exchange House Ltd et situé au 360 de la rue Saint-Jacques à Montréal. Dans ce bureau de change, il n'y a pas d'Italiens. Giuseppe Cuffaro dirige les opérations de blanchiment. Il commence prudemment. Pour les deux premiers versements, il apporte en billets américains un montant total de 65 368 dollars et 24 cents, puis de 99 261 dollars et 48 cents. Quand il voit qu'il n'y a pas de problème, on redevient sérieux: 100 000, 200 000 et on oublie les cennes. En plus, Cuffaro fait faire de grosses économies à la famille. Il ouvre directement un compte en dollars américains. Finis les frais de conversion. Le bureau de change travaille en étroite collaboration avec la Banque de Montréal. C'est elle qui établissait les traites au nom de Giuseppe Cuffaro. En quelques mois, ce dernier dépose au Forexco Exchange House 1,2 million de dollars américains[14] en petites coupures. La police en retrouvera la provenance. Il s'agit des gains réalisés à partir d'une importation de 30 kilos d'héroïne cachés dans des meubles en provenance de Thaïlande. La drogue est passée par Montréal en août 1984. Dix mois avant la saisie des 58 kilos. Dix mois avant qu'apparaissent au grand jour Gerlando Caruana et sa famille.

La famille Caruana-Cuntrera se dévoile de plus en plus

Avec de telles quantités de drogue et d'argent, pas étonnant que la famille Caruana-Cuntrera ait pris, pendant près de trois décennies, une place aussi importante dans la Mafia sicilienne. Il a fallu du temps pour que les polices de plusieurs pays d'abord la découvrent, en fassent la connaissance, la traquent et finalement mettent un terme à ses très lucratives activités. L'enquête de la GRC que j'ai dirigée a contribué très efficacement à l'arrestation de tous les membres dirigeants de la famille et à leur condamnation à de lourdes peines de prison en Italie, mais pas au Canada. Pour me consoler, j'ai la satisfaction d'avoir tout de même participé activement à la mise hors service de la famille qui a été, pendant près de 20 ans, la plus puissante du groupe criminalisé alors le plus puissant de la planète, la Mafia, la Cosa Nostra sicilienne et son prolongement, la Cosa Nostra américaine.

Un rapide rappel de ce qu'est cette Mafia permettra de mieux comprendre la position et l'action de la famille Caruana-Cuntrera à l'intérieur de cette puissance non seulement criminelle, mais également économique.

CHAPITRE 4

Une courte histoire de la Mafia sicilienne

La Mafia

En juin 1985, ce que je connais de la mafia italienne, c'est en gros ce que tout policier de la GRC sait de la Mafia de Montréal qui est alors sous le contrôle de son parrain présumé, Nicolo « Nick » Rizzuto. Pour le reste, la Sicile, c'est loin, et la Cosa Nostra sicilienne et américaine, pour les policiers comme pour les autres citoyens d'ici, ce sont d'abord les histoires des films à succès comme la trilogie des *Parrain* de Francis Ford Coppola. Pour comprendre devant quelle puissance je me retrouve, je vais devoir revoir et consolider mes connaissances sur la Mafia sicilienne. Ainsi, je saisirai, mieux les liens qu'entretient la famille Caruana-Cuntrera avec ce que la journaliste-écrivaine américaine Claire Sterling a appelé « la Pieuvre »[1].

André Cédilot et Michel Auger à mon secours

Je demande donc à mes amis André Cédilot et Michel Auger, tous deux spécialistes du crime organisé, le premier au quotidien *La Presse* et le second au *Journal de Montréal*, de m'expliquer un peu mieux ce monde à la fois lointain et pourtant si incrusté dans nos réalités et notre culture quotidiennes. J'ai déjà rencontré Cédilot et Auger à plusieurs reprises quand j'avais l'autorisation de parler de mes enquêtes… en général quand elles étaient terminées.

À l'époque, tout comme nous à la GRC, les deux journalistes ignorent à peu près tout des Caruana-Cuntrera. Mais ils me rappellent ceci :

— Il y a, à Montréal, un Cuntrera qui fait partie de la Mafia. C'est Agostino Cuntrera. Il a été mêlé à l'assassinat de Paolo Violi.

C'est un proche de Nick Rizzuto, le nouveau parrain de la Mafia montréalaise.

Cependant, ni Auger ni Cédilot ne connaissent les Gerlando et autre Alfonso Caruana ou les Pasquale et Gaspare Cuntrera. Cuffaro est un nom connu dans les quartiers italiens de Montréal[2], mais il n'existe aucune trace dans les archives du grand banditisme d'un Giuseppe Cuffaro.

D'emblée, mes deux amis sont d'accord. L'un des mois les plus importants de toute l'histoire de la Cosa Nostra et, par répercussion, de celle des Caruana-Cuntrera, est octobre 1957. Un événement capital est venu secouer la vieille dame indigne qu'était la Mafia. En ce mois de l'automne 1957, l'un des plus célèbres mafiosi du XXe siècle a joué un rôle central dans l'évolution de la Mafia et, par conséquent, dans le destin des Caruana-Cuntrera. Il s'agit de Charles «Lucky» Luciano.

Rendez-vous au Grand Hotel[3] des Palmes et au restaurant Spano

Au mois d'octobre 1957, Lucky Luciano et Joseph «Joe» Bonanno, le chef d'une des cinq familles mafieuses de New York[4], organisent une série de réunions secrètes, du 12 au 16, au Grand Hotel des Palmes, le palace de Palerme, et au restaurant de poissons et de fruits de mer Spano. Ces rencontres vont transformer le destin de la Mafia. D'un élan commun, Michel et André disent à peu près la même chose:

— Pour des spécialistes du crime organisé, de la Mafia sicilienne et de la Cosa Nostra américaine, impossible d'aller à Palerme sans une visite à ces deux lieux historiques, sans prendre des photos du Grand Hotel des Palmes, sur la *via* Roma, et du restaurant de poissons Spano, sur la *via* degli Scalini.

Ils en parlent comme un chrétien du Saint-Sépulcre, un musulman de La Mecque et un juif du Mur des Lamentations, comme un pèlerinage imposé. Je demande:

— Et Corleone, vous avez été à Corleone?

Le «oui» est synchrone. Corleone est un haut lieu de la Mafia, le village d'origine de Robert-de-Niro-Marlon-Brando-Vito-Corleone dans la trilogie *Le Parrain*.

— L'ambiance y est un peu spéciale, dit André en riant.

Auger enchaîne:

— J'y ai été et je me baladais avec mon appareil photo, avec un film de 36 poses. J'étais avec un ami interprète… parce que, à part «*ciao*», «*espresso*» et «*arrivederci*» et quelques autres mots, je ne parle pas beaucoup italien. Je fais mes photos sur la place de Corleone. Il y a un café-restaurant. On a faim. «On va prendre un sandwich?» On pénètre dans le café. Les quelques hommes assis aux tables lèvent les yeux, c'est pas très accueillant. Nous nous dirigeons vers le comptoir. Nous demandons, enfin mon ami demande, ce qu'ils ont comme sandwiches. Pour la réponse, pas besoin de traduction. J'avais tout à fait compris sans les mots. Mon ami me traduit tout de même. «Il n'y a pas de sandwich ici.» Je m'entends dire: «Il est peut-être prudent de sortir.» «Je pense que oui», a seulement dit mon ami et on s'est retrouvés sur la place. Nous sommes remontés assez rapidement dans l'auto, sans que je prenne une seule autre photo.

Je lance:

— Et si on revenait à Palerme au Grand Hotel des Palmes?

Voici ce qui ressort du cours 101 de mes deux amis.

La Cupola

Bonanno et Luciano obtiennent l'accord de tous les parrains, de tous les chefs des différentes familles siciliennes de la Mafia, pour créer une commission sur le modèle de la Commission qui régit la Cosa Nostra, la Mafia américaine. En Sicile, ce sera la Cupola (la coupole). Le premier chef des chefs – en italien le «*capo di tutti capi*» – de la toute première Cupola sera Salvatore «Cicchiteddu[5]» Greco. Il faut noter son nom parce qu'il deviendra alternativement un ennemi et un allié inconditionnel des Caruana-Cuntrera. On le retrouvera plus tard associé à leurs affaires, notamment au Venezuela et dans l'île d'Aruba.

Feu vert pour la drogue

Mais, pour les Caruana-Cuntrera, la décision la plus importante prise durant cette rencontre au Grand Hotel des Palmes en 1957, c'est celle que Luciano va faire accepter par toutes les familles. Elle concerne le trafic de drogue et plus particulièrement celui de l'héroïne. Ces trafics étaient jusque-là officiellement interdits par de nombreuses familles de la Mafia sicilienne et de la Cosa Nostra américaine pour une question... de moralité. En réalité, si la Mafia ne se mêlait pas officiellement du trafic, plusieurs membres éminents de l'organisation ne s'en privaient pas. Et parmi eux, il y avait bien sûr Lucky Luciano. Il y avait aussi Don Giuseppe Settecasi, le *capo*, le chef, le parrain de la puissante famille de la Mafia de la région d'Agrigente, dont dépendaient les Caruana-Cuntrera. Settecasi avait monté son propre réseau de trafic d'héroïne avant même la Deuxième Guerre mondiale et était le fournisseur attitré des Caruana-Cuntrera.

En ce qui concerne la drogue, le résultat des réunions d'octobre au Grand Hotel des Palmes et au restaurant Spano a été résumé par Antonio Nicaso et Lee Latmothe :

> Cette rencontre au sommet avait pour but de préciser le rôle des familles de la Sicile et de celui des familles des États-Unis. Essentiellement, les Siciliens devaient fournir l'héroïne aux Américains qui en contrôleraient la vente et la distribution[6].

La French Connection et les Caruana-Cuntrera

La première filière qui va profiter de ce nouvel accord est une organisation qui n'est pas contrôlée et organisée par les Siciliens, mais par des trafiquants corses. Il s'agit de la filière française, la fameuse French Connection. Au début des années 1970, la filière expédie annuellement plusieurs dizaines de tonnes[7] d'une héroïne d'excellente qualité vers les États-Unis, en grande partie via le Canada, par le port ou l'aéroport de Montréal.

Les Caruana-Cuntrera se sont installés à Montréal et sont même devenus Canadiens. Grâce à leurs accords avec les Corses de la filière française et à leurs nombreux contacts en Sicile, à Montréal et aux États-Unis, ils aident à alimenter le plus grand marché d'héroïne du monde, celui du voisin américain. Ils deviennent ainsi de plus en plus riches.

De 1972 à 1974, les nombreuses arrestations de trafiquants et les importantes saisies d'héroïne mènent au démantèlement de la French Connection. Mais il n'y aura pas de rupture d'approvisionnement ; une autre filière est déjà en place, la Pizza Connection alimentée par la Mafia sicilienne et dirigée par la Cosa Nostra américaine. Les Caruana-Cuntrera vont activement y participer.

La Pizza Connection

Avant même la fin de la French Connection, la Mafia a décidé de ne plus partager le marché avec les Corses. Les mafiosi se sont dotés de moyens plus importants pour produire l'héroïne, la raffiner en Sicile et, surtout, la distribuer eux-mêmes. Ils ont commencé dès 1970 à mettre en place une nouvelle filière d'héroïne qui va devenir aussi active que la filière française. Elle est connue sous le nom de Pizza Connection. Elle durera presque 15 ans et sera démantelée en 1984.

De l'héroïne à la tonne et toujours les Caruana-Cuntrera

Pour produire l'héroïne, la Cosa Nostra sicilienne a implanté de nombreux laboratoires en Sicile. Rien qu'à Palerme, il y en a quatre. Les trafiquants s'approvisionnent en Turquie en opium et en morphine-base qu'ils transforment en héroïne d'aussi bonne qualité que celle fournie par la filière française. Le rendement atteint des sommets. Certains labos siciliens sont capables de produire 50 kilos de drogue par semaine.

En 1982, 80 % de l'héroïne consommée aux États-Unis provient de Sicile. Le puissant mafioso Giuseppe Bono supervise le trafic et la fourniture aux clients de la Cosa Nostra américaine. Plus tard, il participera bien malgré lui à la découverte par la police italienne de l'existence de la famille Caruana-Cuntrera et de son appartenance à la Mafia à un très haut niveau. Pour aller de Sicile au marché étatsunien, le trajet est le même. La majeure partie de la drogue passe par Montréal, et les Caruana-Cuntrera participent activement au trafic et s'enrichissent de plus en plus.

Montréal, plaque tournante de la drogue en Amérique du Nord

En effet, la façon la plus pratique, la plus facile pour faire entrer la drogue en Amérique du Nord et principalement aux États-Unis est de la faire passer par Montréal. Le port et, dans une certaine mesure, les aéroports sont depuis longtemps de véritables passoires. Une fois débarquée, sortie du port ou de l'aéroport, la drogue est acheminée, en général par la route, vers les États-Unis. Les points de passage sont soigneusement étudiés. Nous apprendrons plus tard que deux des principaux points de passage sont situés à Windsor. Le pont Ambassadeur franchit la rivière Detroit et relie le Canada à la ville de Detroit aux États-Unis. Un tunnel relie également les deux villes. C'est par Montréal qu'a transité la plus grande quantité d'héroïne de la filière française et de la Pizza Connection et, soit dit en passant, de la filière libanaise du premier récit de ce livre.

À Montréal, la Mafia règne depuis des décennies. Pour expliquer en partie la montée en puissance de la famille Caruana-Cuntrera, il est indispensable de suivre le parcours montréalais de ses membres et la prise de pouvoir de la Mafia par leur allié, véritable membre de la famille, Nicolo «Nick» Rizzuto[8].

CHAPITRE 5

La Mafia de Montréal – l'enquête Benoît

La *decina* de Montréal

Depuis les années 1950, la Mafia de Montréal agit comme une succursale. En langage mafieux, c'est une *decina*[1]. Elle dépend d'une des cinq familles de la Mafia de New York, celle de la famille de Joe Bonanno. Étrangement, jusqu'au début des années 1980, le chef de la *decina* de Montréal n'est pas un Sicilien, mais un Calabrais, du nom de Vincenzo «Vic» Cotroni. Son bras droit, Paolo Violi, est lui aussi Calabrais. Or, les cinq familles de la Cosa Nostra de New York sont composées principalement de mafiosi originaires de la Sicile. Par conséquent, la *decina* de Montréal est l'unique exception non sicilienne dans la structure de la Cosa Nostra. Sous la supervision et la protection de New York, Vic Cotroni et son clan contrôlent les différentes activités de la pègre locale, protection, vols, jeux, prostitution, etc.

Pour la façade sociale, Cotroni possède d'étroits liens[2] avec des hommes d'affaires montréalais[3], propriétaires d'un cabaret francophone au nom prédestiné, compte tenu du contexte, le Faisan doré[4].

Au début des années 1970, le clan Rizzuto-Caruana-Cuntrera gagne en puissance à Montréal. Il s'oppose de plus en plus ouvertement au clan Cotroni-Violi. Le conflit s'envenime sérieusement entre Nick Rizzuto et Paolo Violi. Une tentative de réconciliation est organisée en décembre 1971. Vingt-sept hauts responsables du crime organisé appartenant aux deux groupes rivaux se réunissent à l'Épiphanie, une petite ville à l'est de Montréal, dans la résidence d'un des membres de la famille Caruana. À l'époque, comme plus tard, Michel Auger suit cette affaire pour le quotidien *La Presse*:

Cette réunion avait pour but de tenter de régler le conflit qui commençait à ce moment-là de se développer sérieusement entre Nick Rizzuto et Paolo Violi. Mais la réunion a été soudainement interrompue par une descente policière. Quand les policiers sont entrés dans la maison, tout le monde jouait aux cartes. Toutes les personnes présentes ont été arrêtées et prises en photos. Les policiers étaient persuadés qu'ils avaient interrompu une partie de jeu clandestin. Ils ont bien reconnu certains représentants du crime organisé comme Paolo Violi ou Pietro Sciara, les bras droits du parrain Vic Cotroni. Par contre, ils ont pour la première fois, découvert les noms de Caruana, Cuntrera et surtout le visage de Giuseppe Cuffaro dont on a là une très bonne photo qui pourtant pendant des années ne servira à rien à la police. Il n'y aura aucune suite sérieuse à cette affaire. Je pense que les gens ont dû recevoir, par la poste, une convocation pour soit se présenter à la cour, soit plaider coupable. Ils ont écopé chacun de 20 piastres[5] d'amende. Ça, c'était pour l'aspect légal. Les policiers n'ont su le véritable objet de la réunion et l'importance réelle des participants que des années plus tard. De l'autre côté, pour les mafiosi, la réunion avait échoué sur tous les plans. Aucun compromis n'avait été trouvé et une guerre de territoire se préparait entre Violi et Rizzuto.

Le destin de Paolo Violi

Au début des années 1960, Paolo Violi ouvre un bar au 5880 de la rue Jean-Talon Est à Saint-Léonard, le Reggio[6] Bar, et, dans une boutique adjointe au bar, une crèmerie-glacier, la Gelateria Violi. Les deux boutiques communiquent de l'intérieur. Le Service de police de la Communauté urbaine de Montréal (SPCUM) surveille étroitement les lieux et ceux qui les fréquentent. Les enquêteurs aimeraient bien savoir ce qui s'y trame, et obtenir des preuves pour intervenir.

Ah, si l'on pouvait écouter ce qui se dit au Reggio Bar !

Vers la fin des années 1960, pour tenter de combattre et si possible de détruire la *decina* de Montréal, la police de la Ville déclenche l'enquête

Benoît. Paolo Violi, qui est le bras droit de Vic Cotroni, parrain de la Mafia de Montréal, est plus particulièrement visé. Comme ceux des autres membres connus du clan, ses téléphones ont bien sûr été placés sur écoute. Mais, dans leurs conversations téléphoniques, les mafieux prudents parlent en langage codé, et donnent donc peu de renseignements. La police rêve d'enregistrer les propos échangés au Reggio Bar, où Violi mène ses affaires, d'autant plus que, pour se faire bien voir du chef mafieux, de nombreux criminels montréalais y vont de temps en temps prendre un verre ou un café et y parlent «affaires». D'autres y viennent simplement pour jouer aux cartes. Dans une sécurité parfaite, supposément à l'abri de toute oreille indiscrète, on parle, on raconte des histoires. Les policiers voudraient aussi cacher quelques micros dans le bureau même de Paolo Violi, là où se traitent les vraies affaires. Écouter et analyser les conversations du Reggio Bar représenterait pour eux une mine d'informations exceptionnelles. Techniquement, c'est tout à fait possible. Les micros cachés seraient branchés sur un relais qui renverrait les conversations recueillies au Reggio Bar vers les bureaux de la police de Montréal, où elles seraient enregistrées sur un magnétophone spécial de 40 pistes déjà installé, et auquel il ne manque que micros et relais pour fonctionner[7]. Tout est prévu, il y a un seul bogue et il est vital pour l'opération. Les techniciens ont besoin d'un local pour placer le relais. Ce local devra se trouver dans le même bâtiment que le Reggio Bar et surtout être d'une sécurité absolue. Il est donc impossible de louer quoi que ce soit dans le voisinage immédiat sans avoir la crainte que l'opération soit découverte et tombe à l'eau. Dans cette histoire, et dans un certain sens grâce à un gros défaut de Violi, des événements vont venir en aide à la police de Montréal.

À louer, un cinq et demie chauffé!

Le chef mafieux va mettre en location le grand logement situé juste au-dessus du Reggio Bar. C'est une imprudence incompréhensible qu'il commet là. Violi est riche, très riche. Il habite une très belle demeure et roule en Cadillac. Mais Violi est terriblement radin, pingre et grippe-sou. C'est un malandrin qui a un comportement de petit voleur. Par exemple, il se tient au courant des mariages et des funérailles célébrés dans les quartiers italiens de Saint-Léonard ou de la Petite Italie. Le jour des noces ou des obsèques, il attend que tout le monde soit à l'église pour envoyer ses hommes de main dévaliser les logements désertés. Quand il s'agit de mariages, ses sbires rapportent en plus les cadeaux faits aux jeunes mariés. Selon le code de morale très strict des mafiosi siciliens, ces rapines sont des crimes impardonnables. Dans ce domaine, un fossé sépare la morale de Violi de celle des hommes d'honneur siciliens[8]. Quoi qu'il en soit, il n'est pas envisageable pour Violi de laisser le revenu même modeste du loyer de son appartement du dessus lui échapper. En janvier 1971, il place une pancarte pour le louer. Cette annonce finira par lui coûter très cher, et même la vie. Les hautes instances de la mafia seront mises au courant de sa décision aux conséquences catastrophiques pour la Cosa Nostra sicilienne. Si cette location va s'avérer plus tard préjudiciable pour Violi et pour sa santé, c'est toutefois un coup de chance inouï pour le service de police de la Ville de Montréal.

Robert « Bob » Ménard alias Robert « Bob » Wilson

Voici enfin le local tant recherché pour placer l'émetteur ! Il est décidé de faire louer l'appartement par un policier infiltré. C'est à ce moment qu'entre en scène le sergent officier Robert « Bob » Ménard, qui est chargé de louer le logement. Dans le langage policier, on va lui confectionner une « légende ». Ménard se présente à Violi comme un petit entrepreneur électricien qui arrive de l'Ontario et parle uniquement anglais. Il devient Robert « Bob » Wilson de la Wilson Electrical Contractors. La police a doté Ménard d'une adresse commerciale, d'un atelier d'électricien, de papiers officiels, dont un permis de conduire et une carte d'assurance maladie, de cartes Mastercard et Shell. On lui a même concocté un petit dossier criminel, au cas où… Bob Wilson se présente avec son épouse, en fait une policière, la femme d'un autre policier. Il va rester dans l'appartement pendant sept longues années, sept ans de planque au-dessus du Reggio Bar, sept ans de voyages quotidiens vers son propre domicile où l'attendent chaque soir, vers 20 h, femme et enfant, sept ans de retours nocturnes vers le 5882 de la rue Jean-Talon. Ménard quitte son logement familial tous les matins à 3 h et va finir sa nuit au-dessus du Reggio Bar. Sept ans sans se faire prendre. Dès que Wilson emménage, une équipe technique de la police de Montréal entre nuitamment dans le Reggio Bar et place quelques micros aux endroits stratégiques. Robert Ménard racontera plus tard :

On a installé des micros partout, dans le café Reggio, la Gelateria Violi, les toilettes, le bureau. Violi ne pouvait aller nulle part dans la bâtisse sans qu'on sache ce qui se disait. C'était d'ailleurs révolutionnaire à l'époque[9].

Les fils des micros sont reliés à travers le plafond à un appareil d'enregistrement qui se trouve dans une commode assez lourde. Les fils passent par un trou du plancher et entrent dans l'un des pieds du meuble, évidé à cette fin. Pour plus de sécurité, Bob Ménard-Wilson a placé sur le dessus du meuble de nombreux bibelots fragiles. Il dira:

Ma job, c'était de veiller au bon fonctionnement du système[10].

Chaque matin, il sort de l'appartement pour se rendre supposément à son travail d'électricien. S'il faut un certain courage pour espionner sous son nez le chef de facto de la Mafia de Montréal, il faut rester surtout très prudent et vigilant. Chaque fois qu'il quitte l'appartement, Bob Ménard coince un cheveu entre la porte et l'huisserie pour vérifier en revenant si Violi ou l'un de ses hommes n'aurait pas visité l'appartement. Ce qui sera très vite le cas. Apparemment, le ou les visiteurs n'ont rien trouvé. Peu à peu, Bob Wilson va gagner la confiance de Violi et rentrer dans ses bonnes grâces. Robert «Bob» Ménard se souviendra:

Un jour, il m'a dit: «Sais-tu ce que j'aime de toi? Tu te mêles que de tes affaires, t'es pas un renifleux, tu te mets pas le nez dans ce qui te concerne pas. Je trouve que t'es un bon garçon, t'es un travaillant. J'sais qu't'as une compagnie et t'es un bon homme[11].»

Quand Bob Wilson sera bien installé, qu'il sentira avoir effacé toute trace de méfiance chez Violi, sa fausse épouse le quittera. Il en recueillera encore plus de sympathie de la part du chef mafieux. Sans devenir intime avec lui, Bob Ménard se rapprochera de Violi.

Toutes les fins de semaine, j'allais faire mon lavage. Toutes ces années, j'ai lavé le même panier de linge. Je peux te dire qu'il était propre. Au retour, Violi m'invitait à prendre un cappuccino et c'est devenu une sorte de routine entre nous la fin de semaine. On parlait de politique, de soccer, de cyclisme[12].

Tout va donc pour le mieux lorsqu'un incident manque tout faire capoter. Ménard n'est pas du tout électricien; il n'y connaît strictement rien, à part peut-être changer une ampoule, et encore. Par contre, son frère, lui, est électricien. Ménard lui refile donc les travaux confiés à sa compagnie. Mais, un soir, Violi signale à Bob Wilson qu'une lumière ne fonctionne pas dans l'escalier. Il lui demande s'il peut s'en occuper. Ménard se défile et dit qu'il n'a pas le temps, mais qu'il va regarder ça le lendemain. Le circuit lumineux est actionné par deux interrupteurs qui, au moyen d'un va-et-vient, commandent la même ampoule, un interrupteur en bas de l'escalier, un autre en haut.

Là, j'étais inquiet en crisse parce que je connais pas rien en électricité. J'appelle mon frère dans la grosse panique. Mon frère, il dit :

— Bien oui, mais maudit, c'est pas dur. Tu ouvres les *switches*[13]...

— Oui, mais je vais pogner des chocs ! J'aime pas ça, les chocs électriques. J'haïs donc l'électricité !

Enfin, il m'explique comment faire.

— Surtout, n'oublie pas de vérifier l'ampoule.

J'y vais. Violi est là pour tenir l'escabeau. Je monte à la première *switch* en haut parce que je suis au deuxième étage, je la checke, elle est toute parfaite. Je descends voir l'autre *switch*. Je la checke, elle est toute parfaite. Là, je commence à avoir des sueurs en crisse. La maudite lumière ne marche toujours pas ! Oh là là ! Paolo dit :

— *What's wrong ?* (Qu'est-ce qui ne va pas ?)

Je lui dis :

— *You've got a real problem here. Just one thing left to check.* (Vous avez un réel problème ici. Encore une chose à vérifier.)

Je repense à mon frère : « L'ampoule, tabarnache, l'ampoule ! »

Je débranche l'ampoule, j'en mets une autre. La lumière s'allume ! Là, Paolo me regarde, puis il dit :

— *You should have checked the fucking light first, hey, Wilson ?* (T'aurais dû vérifier cette foutue lumière en premier, hein, Wilson ?)

Je dis :

— *Well, I like to complicate things, okay ? I'm fucking tired.* (Ben, j'aime compliquer les choses. Je suis vraiment fatigué.)

Il dit :

— *Come and have a coffee with me. Come on ! Come inside !* (Viens prendre un café avec moi. Allez, viens ! Entrons !)

Je viens d'avoir la peur de ma vie. Il me regarde, il dit :

— *I hope you're not going to charge me for that ?* (J'espère que tu ne vas rien me compter pour ça.)

— *Well, I hope you're not going to raise my rent.* (J'espère que vous n'allez pas augmenter mon loyer.)

Il dit :

— *No, no, no, I won't. You're a good boy. You're a good boy, Bob! I like you.* (Non, non, non, je le ferai pas, T'es un bon garçon, Bob ! Je t'aime bien.)

Moi, je l'appelais jamais Paolo, c'était toujours « Mister Violi » [14].

Pour les sept années passées dans l'appartement au-dessus du Reggio Bar, Robert Ménard sera honoré par les autorités siciliennes, de la province et de la ville d'Agrigente et du service de police de la ville de Siculiana.

Pendant ce temps, on enregistre...

La surveillance va donc durer sept ans et accumuler des monceaux de renseignements essentiels pour la police. Entre autres, les policiers apprennent la décision de Paolo Violi d'éliminer Nick Rizzuto et des membres de la famille Caruana-Cuntrera. Ceux-ci sont d'ailleurs partis se mettre à l'abri au Venezuela. Ce sera le vrai début de leur expansion à travers le monde. Ils sont bientôt rejoints par Nick Rizzuto et sa famille. Pendant les six années que vont durer les enregistrements des conversations du Reggio Bar, les confidents malgré eux sont : Paolo Violi, le propriétaire, et Pietro Sciara, son bras droit et son *consigliere* sicilien, ainsi que d'autres membres du crime organisé de Montréal.

Quand les policiers ont décidé d'écouter ce qui se disait dans le Reggio Bar, c'était avant tout pour monter un dossier contre la Mafia de Montréal et Paolo Violi en premier. Ce qu'ils ne savaient pas, c'est que les informations que révéleraient les enregistrements auraient l'effet d'un tremblement de terre pour la Cosa Nostra en Sicile. C'est que tous les mafiosi de passage à Montréal se doivent de visiter le Reggio Bar de Violi ; c'est un must.

Dès leur première rencontre chez Violi, les mafiosi en visite commencent par remercier Dieu de leur avoir permis de faire un bon voyage. Puis tout le monde s'embrasse. On boit des cappuccini et du vin. On parle des mafiosi absents. On parle de Giuseppe Caruana, l'un des oncles paternels de Gerlando, d'Alfonso et de Pasquale Caruana. Giuseppe Caruana a émigré au Brésil en 1957, mais il se trouve alors au Venezuela. C'est le parrain de la famille. On parle aussi beaucoup de Leonardo Caruana, le cousin de Giuseppe Caruana. Leonardo est le *capo mandamento*, le parrain par délégation du fief de Siculiana. Dans les années 1970, Leonardo a été expulsé du Canada. Par les écoutes du Reggio Bar, les policiers apprendront qu'il est parti sans laisser d'adresse et que personne au Reggio Bar ne sait où il se trouve. Violi parle de Leonardo dans les mots les plus crus. Il déteste son arrogance. Violi n'est pas plus tendre pour les autres membres de la famille.

Au Reggio Bar, entre gens de confiance, on déblatère sans retenue. Violi parle très librement des Cuntrera, qui sont partis au Venezuela pour le fuir, puisqu'il menaçait de les liquider. Il ne comprend pas comment une famille de la Mafia peut être au pouvoir dans plusieurs endroits différents en même temps, à Siculiana, au Brésil, au Venezuela et à Montréal, en aidant leur ami Rizzuto à devenir le boss. C'est surtout pour ça que Violi en veut aux Cuntrera. Ils ont accueilli au Venezuela son pire ennemi, Nick Rizzuto, et sa famille. Toutes ces conversations seront dévoilées au cours de la Commission d'enquête sur le crime organisé, la CECO[15]. Ce déballage ne sera pas sans conséquences. Le fait de dévoiler publiquement des conversations entre mafiosi permettra à ces mêmes mafiosi d'apprendre l'opinion que les autres ont d'eux…

Les policiers montréalais s'intéressent avant tout à ce qui se dit au Reggio Bar sur le crime organisé au Québec et surtout à Montréal. Ils ont enregistré une conversation entre Paolo Violi et Leonardo Caruana avant que celui ne disparaisse de Montréal sans donner d'adresse. Violi déteste Leonardo Caruana. Mais il ne lui dit certainement pas en face ce qu'il pense de lui et de sa famille. Par contre, les deux hommes parlent sans crainte ni retenue de ce qui se passe en Sicile. Ce n'est que bien plus tard que je prendrai connaissance du contenu des enregistrements. Leonardo Caruana, qui est membre de la Cupola, connaît tous les détails de la structure de la Cosa Nostra en Sicile. Il parle ouvertement à Violi, donnant des noms de chefs et d'hommes d'honneur.

Un scoop mondial

La police de Montréal vient d'enregistrer un scoop, une primeur mondiale. Pour la première fois au monde, la structure de la mafia sicilienne est dévoilée avec les noms des responsables les plus importants. Des renseignements que la police italienne n'avait, jusque-là, jamais pu obtenir. Mais ce n'est pas fini. Le 22 avril 1974, dans son commerce de crème glacée, la Gelateria Violi, une expansion du

Reggio Bar, Paolo reçoit trois importants mafiosi : Pietro Sciara, son *consigliere*, Giuseppe Cuffaro, un des oncles des frères Caruana, et Carmelo Salemi, un membre important de la Cosa Nostra sicilienne. Salemi est le représentant de Don Giuseppe Settecasi, le grand boss de la puissante famille d'Agrigente dont dépend Siculiana, le fief des Caruana-Cuntrera en Sicile. Ignorant qu'ils sont enregistrés par la police de Montréal, les mafiosi parlent sans contrainte.

> Ils analysent en détail la situation de la mafia et des transformations en cours en Sicile. Salemi informe Violi des postes et des responsabilités des nouveaux patrons en place en Sicile[16].

Ça pourrait peut-être intéresser la police italienne ?

Il faut attendre deux ans pour que la police de Montréal, qui surveille avant tout Paolo Violi, prenne conscience de l'extrême importance de ce qui a été enregistré. Nous sommes en 1976. Devant ce qui semble être des informations capitales, on expédie les enregistrements et les transcriptions des différentes conversations à la direction de la police d'Agrigente. Mais force est de constater que l'*omertà*, inviolable sous peine de mort, est bien respectée : les policiers siciliens ne connaissent pas le moindre nom des mafieux mentionnés. Leonardo Caruana est un parfait inconnu pour eux et les noms qu'il a donnés n'éveillent donc aucun soupçon. Ils ne voient par conséquent aucune utilité à ce dossier. Ils le placent dans un tiroir où il va dormir quelques années. Ce n'est que huit ans plus tard, en 1984, qu'il est ressorti et qu'il sert dans le cadre d'un gigantesque procès, le Maxi-Procès de Palerme qu'instruit le juge Giovanni Falcone. Les autorités policières reconnaîtront alors :

> Quand le document a ressurgi, il nous a beaucoup aidés. Cela nous a permis de voir la mafia de l'intérieur et de comprendre sa mentalité et ses façons de faire comme jamais auparavant. Nous avons pu voir comment ils pensent, comment ils agissent, comment ils se comportent entre eux et avec les autres. On croyait qu'on le savait, mais on s'est rendu compte qu'on ne savait rien[17].

Ménard avouera pour sa part :

Même nous, nous n'avions pas conscience de l'importance du contenu de nos enregistrements[18].

La découverte tardive du dossier Benoît à Agrigente provoque un mini-tremblement de terre que les Italiens baptisent «*il giallo canadese*», le polar canadien. Devant l'importance des révélations contenues dans le dossier, le juge Falcone se déplace au Canada afin de compléter les informations. Et c'est ainsi que les écoutes du Reggio Bar servent finalement à condamner des mafiosi… en Italie… mais pas au Canada.

Les écoutes du Reggio Bar mises au jour ajoutent un effet tragique au destin de Paolo Violi. Non seulement elles permettent aux juges Falcone et Borselino d'instruire le Maxi-Procès de Palerme[19], mais elles révèlent aussi aux autres mafiosi ce que Violi pense et dit d'eux, crûment et sans fard. Elles achèvent de discréditer le mafioso en révélant l'histoire des sbires volant les cadeaux de noce des jeunes mariés italiens, pendant la cérémonie à l'église. Il s'agit d'une violation grave aux valeurs morales des mafiosi siciliens.

1976 – Règlements de compte à Montréal – 1 – Pietro Sciara

Entre février 1976 et janvier 1978, il y a quelques règlements de compte spectaculaires dans la pègre de Montréal. D'abord Pietro Sciara, 60 ans, le *consigliere* de Violi. Les écoutes révèlent que Sciara, en dépit de ses origines, s'était rangé du côté des Calabrais en appuyant la décision de Violi d'expulser Rizzuto de la *decina* de Montréal. Pour les Siciliens, Sciara est devenu un ennemi dangereux et un traître. Le 14 février 1976, moins de trois mois après sa comparution devant la CECO, Pietro Sciara est tué de deux coups de *lupara*, un fusil de chasse de calibre .12, à canon scié, l'arme des règlements de compte de la Mafia sicilienne. Il est abattu à la sortie du cinéma Riviera dans le nord de Montréal. Le cinéma est alors la propriété de Palmina Cotroni, la sœur de Vic, le parrain en titre de la mafia de Montréal et, ironie du destin, Sciara vient de voir *Il Padrino II*, la version italienne du *Parrain II*. Enfin, marque suprême de mépris envers Sciara, la scène se déroule devant sa femme. En général, sauf exception, par respect pour le condamné, les règlements de compte ne se font jamais en présence d'un membre de sa famille. Pour les tueurs et leurs commanditaires, il s'agit donc bien ici d'une exception et d'un exemple.

Février 1977 – Règlements de compte à Montréal – 2 – Francesco Violi

Deuxième exécution, en février 1977, Francesco Violi, l'un des frères de Paolo Violi, est abattu de deux coups de fusil devant les bureaux de sa compagnie, Violi Importing and Distributing, à Rivière-des-Prairies. Il avait 38 ans. Paolo Violi purge à ce moment-là une peine d'un an de prison pour refus de témoigner devant la CECO. L'exécution de son frère est un avertissement direct : on lui demande expressément de ne pas s'accrocher à la direction de la *decina* de Montréal. Paolo Violi comprend qu'il est le prochain sur la liste. Ce n'est plus qu'une question de temps.

1978 – Règlements de compte à Montréal – 3 – Paolo Violi

En 1978, à sa sortie de prison, Violi reprend le contrôle des affaires de la Mafia de Montréal. Il vend le Reggio Bar[20], mais continue de le fréquenter. L'établissement est rebaptisé le Bar Jean-Talon. Violi y vient souvent jouer aux cartes avec des amis. Mais en même temps, avec le scandale déclenché par les révélations des écoutes de la police, lucide, Paolo Violi s'attend au pire.

   Comme on l'apprendra plus tard, Carmine Galante[21], alors parrain de la famille Bonanno de New York, aurait contacté discrètement Nick Rizzuto et donné le feu vert à l'assassinat de Paolo Violi. Depuis des semaines, des hommes déguisés et armés rôdent tous les soirs autour du Bar Jean-Talon. Leurs intentions ne sont en rien pacifiques. Je connais le détective qui sait que Violi va se faire assassiner. Il l'a appris par les écoutes. Violi a même été prévenu, mais il ne veut pas en tenir compte. Il sait que, de toute façon, il est condamné. Pendant un mois, le détective suit Violi tous les jours. Il voit les assassins s'habiller à trois reprises, voler des véhicules, mettre leurs chiennes[22] et leurs cagoules, et prendre leurs armes. Plusieurs fois à la nuit tombée, les tueurs s'approchent du bar parce qu'ils savent que certains soirs Violi vient y jouer aux cartes avec des amis. Ils passent sur le trottoir et regardent à travers la vitrine s'ils aperçoivent leur victime. À deux reprises même, les tueurs entrent dans le bar, mais Violi en est absent et chaque fois ils repartent bredouilles. Il ne fait aucun doute que tous les joueurs de cartes présents connaissent les meurtriers.

Exécution sans appel!

Le 22 janvier 1978, la journée du meurtre, il y a un vol à main armée important. L'enquête nécessite une escouade de filature. Mais il n'y en a qu'une de disponible, que se disputent l'escouade des vols à main armée et celle des homicides. Qui doit-on filer, les voleurs ou ceux qui veulent tuer Violi? Alors, finalement, le patron tranche:

— Écoutez, dit-il aux membres de l'escouade des homicides, ça fait un mois que vous suivez Violi et vous n'avez toujours rien. Aujourd'hui, l'équipe de filature, c'est pour l'escouade des vols.

C'est ainsi que la filature des tueurs de Paolo Violi a été abandonnée ce jour-là. Ceux-ci avaient le champ libre.

Le cochon est ici

Michel Amyot, policier au Service de police de la Communauté urbaine de Montréal, a bien suivi l'affaire:

> L'écoute électronique au Bar Jean-Talon révèle que quelqu'un a appelé Paolo Violi pour l'inviter à jouer aux cartes. On sait aussi que lorsque Violi est entré dans le Bar Jean-Talon après 19 heures, cette même personne a appelé le Venezuela pour prévenir Nick Rizzuto alors réfugié là-bas. Il s'est limité à quatre mots en sicilien: «*U porcu é cca.* Le cochon est ici.»

> Vers 19 h 32, Violi tourne le dos à la porte et joue aux cartes.

> Deux hommes armés, portant des cagoules de ski, pass[ent] par la porte arrière. «Tout le monde au plancher», ordonne l'un d'eux... La douzaine de clients présents plong[ent] en vitesse sous les tables de billard pour se protéger, tous sauf Violi[23].

Il ne bouge pas, il sait ce qui l'attend. L'un des tueurs est armé d'une *lupara*. Il s'approche de Violi. Il lui tire à bout portant une cartouche de .12 dans la tête. Un deuxième coup de téléphone est immédiatement passé à Nick Rizzuto, au Venezuela. « *U porcu é mortu.* » (« Le cochon est mort. ») Les deux tueurs sortent par la porte arrière donnant sur la ruelle où une voiture les attend.

La clémence est en marche

Finalement, les trois hommes seront arrêtés et poursuivis en justice. L'un d'entre eux est Domenico Manno, le beau-frère de Nick Rizzuto. Les deux autres, Giovanni Di Mora et son beau-frère Agostino Cuntrera[24], appartiennent à la famille Caruana-Cuntrera[25]. Un quatrième suspect, Paolo Renda, le gendre de Nick Rizzuto, échappe à l'arrestation en se réfugiant au Venezuela chez les frères Cuntrera. Plaidant coupables pour éviter les témoignages au procès qui dévoileraient plus qu'il n'en faudrait sur le complot, les trois hommes arrêtés sont condamnés à la prison, sept ans pour Manno et cinq pour les deux autres. Condamnés, non pas pour meurtre, mais pour complot en vue de commettre un meurtre. Michel Amyot raconte :

> Ils ont plaidé coupables et ont écopé d'une sentence ridicule. Comme par hasard, aucune des personnes présentes dans le Bar Jean-Talon n'avait la moindre idée de qui pouvaient bien être ces tueurs.

Une sentence ridicule qui arrange plutôt la police

Il faut dire que cette sentence légère n'arrange pas que les mafiosi. Ça ne dérange pas trop la police. D'abord, les mafiosi font le ménage entre eux. Mais, surtout, il serait très gênant de révéler toutes les preuves que détiennent les policiers. Les filatures et les écoutes téléphoniques apportent des éléments de preuve du complot qu'il est nécessaire de protéger pour d'autres enquêtes. Faire valoir ces éléments et les rendre publics reviendrait à saborder les écoutes téléphoniques du Bar Jean-Talon. On dit aussi que Vic Cotroni a été prévenu et qu'il n'a rien dit, rien fait pour prévenir Violi. « S'il avait dit ou fait quelque chose, il y aurait eu deux morts au lieu d'un », a fait savoir plus tard le milieu proche des Rizzuto et des Caruana-Cuntrera.

Nick Rizzuto prend la place

En tout cas, la voie est désormais libre pour Nicolo Rizzuto et ses amis et protecteurs de la famille de Siculiana. Il envoie son fils Vito à Montréal pour reprendre la ville en main en son nom. Par décence[26], Nick Rizzuto attend le décès de Vic Cotroni, le 16 septembre 1984, pour réapparaître au Québec. Et avec l'accord de la Cosa Nostra de New York, il y revient comme chef présumé de la Mafia de Montréal[27].

Sur le parcours des Caruana-Cuntrera, il faut évoquer la rencontre d'un homme très important, un ami personnel de la famille. Il s'agit de Tommaso Buscetta, dit Don Masino. Leurs routes se croiseront à de nombreuses reprises.

Tommaso Buscetta

Buscetta est un homme d'honneur et un membre incontournable de la Mafia. Après avoir été l'un des plus actifs dans le trafic de drogue, il sera finalement l'une des nombreuses victimes des conflits meurtriers internes à la Mafia et condamné à mort par Salvatore Toto Riina, le chef de la Cupola.

En 1982, ne pouvant atteindre personnellement Buscetta, qui vit au Brésil, Riina fait enlever et assassiner Antonio et Benedetto, deux de ses fils. Le frère de Buscetta, Vincenzo, est abattu avec son fils. Subissent le même sort son gendre, son beau-frère brésilien et d'autres proches. En tout, 33 membres de son entourage seront exécutés ou disparaîtront à jamais. Dans le but de protéger d'autres membres de sa famille de la fureur meurtrière de Riina et de Leggio, tant que lui-même sera en vie, Buscetta décide de se suicider. Il avale de la strychnine, mais est secouru juste à temps. Une fois rétabli, Buscetta prend la décision qui va déclencher un tsunami et ébranler durablement la Cosa Nostra, tant en Sicile qu'aux États-Unis. Il va devenir le plus important *pentito*, le plus célèbre repenti de l'histoire de la Cosa Nostra sicilienne. Buscetta sera le premier homme d'honneur, mais aussi le plus haut responsable de la Cosa Nostra sicilienne à rompre le mur du silence de l'*omertà*. Il témoignera aux États-Unis dans le procès de la Pizza Connection et collaborera étroitement avec la justice italienne et le juge Giovanni Falcone.

Reconnu pour sa ténacité, le sergent d'état-major Mark Bourque est mort au cours d'une mission humanitaire en Haïti, en 2005. L'annexe 1 présente sa biographie.

LA FILIÈRE LIBANAISE

Béchir Gemayel, futur président de la République du Liban.

Jimmy Hopper devait assassiner Béchir Gemayel et son frère.

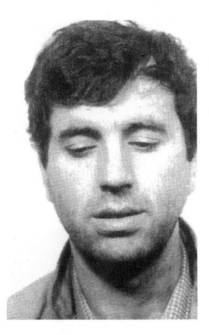

Joseph Abizeid, dirigeant de la filière libanaise, en 1981.

Le passeport de Jimmy Hopper avec le visa d'entrée au Liban.

Sam Cammarata, le parrain de la mafia de Houston, en 1983.

Wayne Speck, procureur américain du procès de Sam Cammarata et de ses complices.

21		"Cammarata told Hopper while
22		Teutsch was out of the office that if Hopper
23		developed a plan to assassinate the president and
24		vice-president while Hopper was in Lebanon to go
25		ahead and perform the assassination. Cammarata
1		told Hopper that the plastic explosives would be at
2		Hopper's disposal if Hopper needed the explosives
3		to assassinate the Lebanon officials."

«Cammarata a dit [...] que si Hopper avait dressé un plan pour assassiner le président et le vice-président pendant son séjour au Liban, il pourrait aller de l'avant. [...] le plastic serait à sa disposition s'il avait besoin des explosifs pour assassiner les officiels libanais.»

Deux chèques de « petits » montants
pour tester la banque où les Caruana-
Cuntrera-Cuffaro veulent blanchir de
beaucoup plus grandes quantités de
dollars américains.

La plus grosse traite obtenue en
une seule journée (1 049 791 $),
le 8 février 1982, issue d'une
succursale de la Banque Nationale.

Neuf traites émises par la Banque
d'Épargne de 100 000 $ US et une
traite de 103 700 $, toutes datées
du 10 juin 1981. En échange d'une
bonne cinquantaine de kilos de billets
de banque américains...

6

LE CFSEU

L'équipe du Combined Forces Special Enforcement Unit, le CFSEU, une unité spéciale chargée de la lutte contre le crime organisé installée à Newmarket, à une soixantaine de kilomètres de Toronto. Pendant de longs mois, cette unité a traqué Alfonso Caruana et a finalement procédé à son arrestation.

Le superintendant Ben Soave dirigeait l'unité.

Tony Saldutto, enquêteur.

Bill Sciammarella, enquêteur.

Le sergent Larry Tronstad.

Arrestation d'Alfonso Caruana par Mina Alborino du CFSEU.

Le quotidien italien *La Repubblica* et un titre devenu très rapidement célèbre.

Mark Bourque interrogé par Michel Auger pour l'émission *Auger enquête*. À l'arrière-plan, le boulevard Saint-Michel, l'emplacement de la succursale de la Banque Nationale où fut tirée la traite record de 1 049 791 $, le 8 février 1982.

Les écoutes du Reggio Bar confirment le témoignage de Buscetta

Depuis 1979, le juge Falcone est le responsable du pool antimafia mis en place à Palerme. Situation extrêmement dangereuse, puisque Leggio et Riina n'hésitent pas à faire assassiner journalistes, hommes politiques, policiers et juges. La cellule antimafia italienne a déjà obtenu un certain succès, mais l'arrivée de Buscetta va faire l'effet d'un cataclysme. S'il peut y avoir des doutes sur la sincérité et la véracité du témoignage de Buscetta, ils sont balayés quand le juge Falcone compare ses propos à ceux enregistrés par la police de Montréal dans le Reggio Bar de Paolo Violi, dans les années 1970.

J'ai rencontré Tommaso Buscetta

Au cours de l'enquête Pèlerin, je rencontre deux fois Tommaso Buscetta aux États-Unis. Il bénéficie alors du programme de protection des témoins. Je veux l'interroger pour savoir s'il peut m'aider dans mon dossier sur les Caruana-Cuntrera. C'est avec d'énormes précautions et sous la surveillance permanente de marshals des États-Unis que nous pouvons rencontrer l'un des hommes à l'époque les mieux protégés sur terre. Je dis « nous » parce que, Buscetta préférant parler en italien, que je ne parle pas, je le rencontre avec un interprète de choix, le sergent d'état-major de la GRC Rocky Graziano. La première fois, nous rencontrons Buscetta à New York et sept ou huit mois plus tard en Floride. Buscetta me confirme que les écoutes du Reggio Bar ont bien servi à persuader le juge Giovanni Falcone que ce qu'il lui révélait sur la mafia était l'entière vérité.

Ses amis Cuntrera et Caruana

Buscetta évoque aussi ses relations avec les Caruana-Cuntrera. Il me parle de son séjour à Montréal en octobre 1969. Il y est allé dans le but de consulter un médecin pour une maladie vénérienne. Il a dû rester trois semaines. Il a d'abord été hébergé chez Pasquale Cuntrera pendant huit jours, et il a logé à l'hôtel durant le reste de son séjour. Buscetta me dit qu'à l'époque, officiellement, Pasquale Cuntrera et la famille étaient propriétaires de pizzerias. Mais il ajoute en riant que, vu le luxe étalé dans la demeure, les meubles, les bijoux, les voitures, il fallait en vendre, de la pizza, pour se payer tout ça. Il me confirme que les Cuntrera faisaient alors leur argent principalement avec le trafic d'héroïne du Proche-Orient via la fameuse French Connection. La drogue arrivait par bateau et était passée en voiture aux États-Unis. En 1969, Alfonso Caruana, le futur parrain de la famille, est alors âgé de 23 ans. C'est lui qui sert de chauffeur à Tommaso Buscetta pendant son séjour à Montréal.

Le Maxi-Procès à Palerme – 474 mafiosi inculpés

Le témoignage de Tommaso Buscetta, corroboré par les écoutes du Reggio Bar va donc permettre à la police italienne d'arrêter des centaines de personnes appartenant à la mafia. Le juge Giovanni Falcone en inculpera 474. Elles seront jugées dans un maxi-procès qui se tiendra à Palerme et durera 22 mois. Mais il n'y a pas assez de preuves pour poursuivre les Caruana-Cuntrera qui passeront entre les mailles du filet.

Les Caruana-Cuntrera, une famille téflon à l'épreuve des guerres internes

En 1981, le rôle joué par l'organisation des Caruana-Cuntrera dans la Cosa Nostra sicilienne est déjà trop complexe, trop important et trop utile à toutes les familles de la Cosa Nostra sicilienne pour que leur entreprise soit mise en danger par des règlements de compte sanglants. Les filières de drogue et de blanchiment d'argent organisées par la famille enrichissent tout le monde, les amis[28] et même les ennemis des amis[29]. Pendant toute cette période assassine, les Caruana-Cuntrera n'ont à déplorer qu'une seule et unique victime : Leonardo Caruana, considéré alors comme le parrain de la famille restée à Siculiana[30]. Leonardo est assassiné en 1981, au mariage de son fils Gerlando[31]. On ne sait pas exactement pourquoi et sur ordre de qui il a été tué. Il y a plusieurs pistes.

Saura-t-on jamais qui a tué Leonardo Caruana ?

On a évoqué une vengeance des Calabrais. Il ne faut pas oublier que les Calabrais et Violi ont été éliminés de la direction de la Mafia de Montréal

par le clan Rizzuto et que les Caruana-Cuntrera ont participé activement à l'assassinat de Paolo Violi, trois ans auparavant, en 1978. Cela
dit, il ne faut pas non plus écarter totalement la possibilité que le coup
mortel soit venu de l'intérieur même de la famille. Leonardo Caruana
faisait constamment valoir qu'il était un membre de la Cupola, l'instance suprême de la Mafia. Aussi réclamait-il le titre de chef suprême de
la famille Caruana-Cuntrera. Il était entré en compétition pour la direction de celle-ci avec son frère aîné Giuseppe Caruana[32]. Puis, après le
retrait de Giuseppe de la direction de la famille, Leonardo s'était opposé
à son cousin Pasquale Cuntrera. Tommaso Buscetta a soutenu que
Pasquale Cuntrera détestait Leornardo Caruana. Finalement, la mort de
ce dernier n'arrangeait peut-être pas que les ennemis du clan.

Mais Pierre de Champlain[33] est formel :

> À mon humble avis, Caruana a été assassiné par le groupe des
> Corléonais de Salvatore Toto Riina. Ils souhaitaient avoir la main-
> mise totale sur la Cupola et ainsi être à même de pouvoir contrô-
> ler le trafic de l'héroïne destinée à l'Amérique, entre autres. Nos
> mafieux locaux n'ont rien eu à voir avec ce meurtre[34].

À l'appui de cette affirmation, alors que toutes les familles sont
redevables aux Caruana-Cuntrera, nous verrons plus tard qu'en 1985,
Toto Riina ordonnera l'exécution d'Alfonso Caruana qui ne lui donne
pas assez d'argent par rapport à ce que le clan Caruana-Cuntrera ré-
colte. L'ordre ne sera pas respecté, mais son origine est un peu moins
mystérieuse.

Cela dit, pour les Caruana-Cuntrera, l'impact négatif de cette guerre
interne le plus notable est la perte de leur source turque d'approvisionnement d'héroïne. Nous l'avons vu[35], la guerre en Sicile a détruit leurs
connexions avec les filières d'héroïne de Turquie. Jusqu'en 1984, ils
devront chercher en Asie orientale de nouvelles sources pour ces drogues. Leurs filières de cocaïne restent intactes du côté des Amériques.
Quant au blanchiment d'argent, la planète entière est à leur
disposition.

Le décor global étant planté, il est temps maintenant de s'intéresser
de plus près à la plus puissante famille de la Cosa Nostra sicilienne
des 30 dernières années du XXᵉ siècle. D'où venait-elle ? Que faisait-
elle ? Et surtout où allait-elle ?

Et comment par l'enquête que j'ai menée pour la GRC, j'ai participé activement à sa chute... mais ailleurs qu'au Canada.

Giuseppe Caruana

Giuseppe Caruana est né en 1910, c'est un cousin des frères Cuntrera et un oncle paternel des frères Caruana. Attention, ça se complique – comme si c'était possible : Giuseppe Caruana deviendra le beau-père d'Alfonso Caruana lorsque celui-ci épousera sa fille Giuseppina.

Après quelques accrochages en Sicile avec la police et la justice, en 1957, Giuseppe Caruana part pour le Brésil ; il s'installe à Rio de Janeiro. Il reviendra en Sicile en 1961. À l'époque, il est le *capofamiglia*, le parrain du clan Caruana-Cuntrera[12]. Après les événements tragiques du 30 juin 1963 de Ciaculli, et la mort de sept policiers, la pression policière est omniprésente en Sicile. Les incessants contrôles dans les rues, les fréquentes descentes de police, les placements en résidence forcée hors de Sicile des mafieux les plus visibles en obligent un grand nombre à s'exiler pour gagner leur vie ailleurs. Plusieurs mafiosi se réfugient aux États-Unis. Parmi eux, il y a Giuseppe Caruana. Les nouveaux immigrants mafiosi s'adaptent mal aux règles américaines et tentent de prendre une certaine indépendance. Mais la Cosa Nostra locale leur donne peu de latitude. Aussi, un certain nombre d'entre eux choisissent de partir vers d'autres cieux pour opérer leurs affaires plus librement.

Destination Rio

C'est ce que fait Giuseppe Caruana. Il se réfugie de nouveau au Brésil où il a déjà vécu quatre ans. À son arrivée là-bas, il ouvre rapidement des magasins de linge de maison à Rio de Janeiro, et commence à établir des liens étroits avec les milieux politiques et financiers du pays. Il se lie aussi avec Antonio Salamone, le représentant officiel de la Mafia au Brésil.

Giuseppe Caruana rencontre Tommaso Buscetta

Les actions de Giuseppe Caruana au Brésil sont éclairées par un autre fameux mafioso qui a également choisi le Brésil, mais lui dès 1949. Il s'agit du futur repenti Tommaso Buscetta. Buscetta a déclaré dans ses confessions au juge Falcone que les Caruana-Cuntrera avaient été impliqués au Brésil dans le trafic massif de stupéfiants, non seulement avec Salamone, mais aussi avec Giuseppe Bono, le principal artisan de la Pizza Connection.

Pour ses implications dans les trafics de drogue, Giuseppe Caruana n'a jamais été inquiété ni au Brésil ni au Venezuela. Par contre, durant l'été 1997, il est condamné à Palerme en Italie à cinq ans de prison… mais *in absentia*[13], dans le procès Beddia+12[14]. Il n'y a pas de traité d'extradition entre l'Italie et le Brésil. Par deux fois, le Brésil refuse d'extrader Giuseppe Caruana.

Dans le même procès Beddia+12, en 1997, son neveu et gendre Alfonso Caruana prend 20 ans de prison, mais lui aussi *in absentia*. Par contre, moins heureux parce qu'ils comparaissent en personne devant le tribunal italien, ses trois cousins Cuntrera écopent de peines de prison ferme : Pasquale, 20 ans ; Gaspare et Paolo, 13 ans chacun. Peines qu'ils purgent en entier dans les prisons de Palerme puis de Rome. Mais on y reviendra plus tard[15].

Pendant ce temps, Giuseppe Caruana continue à couler des jours heureux à Rio de Janeiro, dans son confortable appartement de l'avenue Atlantica à Copacabana. Le journaliste Marco Antonio Martins a spécialement suivi le destin de Giuseppe Caruana.

Il bénéficiait également, d'une pension de vieillesse de la part du gouvernement brésilien ainsi que d'une indemnité pour invalidité à la suite d'un accident à la colonne vertébrale[16].

Les sources de la drogue

Dès avant son arrivée à Rio, Giuseppe Caruana sait parfaitement que le Brésil est un couloir privilégié pour le passage de la cocaïne en provenance de Colombie et du Pérou. Un couloir où passe la drogue qui sort du pays, mais aussi où circulent, dans l'autre sens, les produits chimiques nécessaires au raffinement de la cocaïne. Sans raffinement de la cocaïne, la production n'a pas de sens. Il y a à gagner sur les deux tableaux. C'est un endroit rêvé pour un trafiquant, le pays de cocagne pour qui veut faire de l'argent dans le commerce interdit de la drogue. Mais Giuseppe Caruana veut se rapprocher des sources mêmes de la production de la drogue. Il fait plusieurs voyages au Venezuela. Il y installe une base et prépare le terrain pour la famille et de nombreux amis mafieux qui iront s'y installer plus ou moins longtemps.

Le Venezuela

Le Venezuela sera bientôt la base arrière, le château fort de la famille. Dans ses confessions au juge Giovanni Falcone, Tommaso Buscetta racontera comment les Caruana-Cuntrera sont devenus des trafiquants de drogue incontournables tant au Venezuela qu'au Brésil. Le Venezuela, la Colombie et le Brésil étant frontaliers, la sortie de la drogue d'Amérique du Sud peut se faire par l'un ou l'autre de ces trois pays.

Mais toujours le Brésil

D'abord sous le contrôle de Giuseppe Caruana puis d'autres membres de la famille ou de ses alliés, le Brésil demeurera l'une des portes de sortie massive de la drogue. De 1991 à 1994, le clan expédie vers l'Italie, en 8 cargaisons, 11 tonnes de cocaïne pour un total de quelque 990 millions de dollars[17]. La moitié des cargaisons part du Brésil. Le 5 mars 1994, le huitième et dernier envoi de drogue est saisi par les policiers de l'unité antidrogue italienne dans un entrepôt non loin de Turin ; il y a 5,5 tonnes de cocaïne, un record pour l'époque. Jusqu'à ce que les mafiosi soient découverts, le principe d'expédition sera toujours le même. João Carlos Abraços, ancien enquêteur de la police fédérale brésilienne, connaît bien les méthodes employées par les Caruana-Cuntrera pour sortir la drogue du pays :

> Ils achetaient différents produits, du café, des bonbons, des sucettes. Dans une saisie, il y avait des bonbons de la marque Juquinha de la sucrerie Santa-Fe. Le café pouvait être en boîtes ou en paquets. Ils y cachaient la cocaïne. Ainsi camouflée, les chiens renifleurs ne pouvaient pas détecter la drogue. Ils utilisaient des compagnies différentes, des bateaux différents. Il y a des dizaines de conteneurs qui ont été envoyés à l'étranger, vers les États-Unis, le Canada et l'Europe. On a découvert le stratagème grâce aux saisies faites en Italie. On peut penser que la majeure partie de la cocaïne partie du Brésil, ainsi cachée dans des marchandises, est passée à travers les mailles[18].

1967-1968 – Au tour des trois frères Caruana de quitter Siculiana pour Montréal

Au fil des années, les trois jeunes frères Caruana, Gerlando, Alfonso et Pasquale, ont grandi en faisant leurs classes à Siculiana. Ils sont presque prêts pour traverser l'Atlantique. D'abord en 1967, l'aîné Gerlando arrive à Montréal où il retrouve ses oncles Cuntrera. Les deux autres frères Caruana, le cadet Alfonso et le benjamin Pasquale, sont restés à Siculiana. Ils doivent bientôt rejoindre leur frère aîné.

Tragédie

Mais, le vendredi 2 août 1968 à 14 h 06, les trois frères Caruana ont à affronter l'une des pires tragédies qui puissent frapper n'importe quelle famille. Un quadrimoteur d'Alitalia, en provenance de Rome avec 95 personnes à bord, s'apprête à atterrir à l'aéroport Malpensa de Milan. Parmi les passagers se trouvent Francesca Vella, la mère des trois frères Caruana, et leur sœur, Anna Maria. Il y a aussi Pasquale Caruana, le benjamin de la famille. Alors que l'avion est en approche, sur le point de se poser, une forte rafale de vent, ce que l'on appelle un « *wind shear* », déséquilibre et soulève l'avion, rendant l'atterrissage impossible. Le pilote perd le contrôle du quadrimoteur qui continue son vol et va toucher terre dans un bois à plus de 10 kilomètres de l'aéroport. Après avoir arraché les arbres sur une cinquantaine de mètres, l'appareil s'immobilise. La plupart des passagers et des membres d'équipage arrivent à sortir de l'avion qui commence à prendre feu. Douze personnes meurent dans l'accident. Parmi les victimes se trouvent Francesca Vella et Anna Maria Caruana. Tant bien que mal, Pasquale Caruana réussit à s'extraire de l'appareil. Choqué, il passe quelques jours à l'hôpital, puis en repart sans séquelles importantes. Si ce n'est le profond sentiment d'injustice d'avoir survécu à sa mère et à sa sœur. Alfonso Caruana est dévasté par ces pertes.

> Alfonso Caruana avait perdu des parents ou des amis assassinés – c'était l'un des risques du métier qu'il pratiquait – mais la mort injustifiée d'innocents était une chose à laquelle ni comme fils ni comme frère il n'était préparé. Des années plus tard quand sa fille naîtra, il l'appellera Anna Maria, en souvenir de sa sœur. Plus tard, il prénommera son autre fille Francesca du nom de sa mère[19].

Cette tragédie familiale n'empêche pas Alfonso Caruana de partir quelques semaines plus tard pour le Canada rejoindre son frère Gerlando. Il aura bientôt 23 ans.

Il arrive par bateau à Halifax et se présente à l'immigration comme électricien. Il n'a, déclare-t-il, que 100 dollars dans ses poches. Pasquale Caruana, le benjamin, va retrouver ses frères un peu plus tard, après sa convalescence. Comme leurs oncles Cuntrera, les trois frères Caruana obtiennent assez rapidement la nationalité canadienne. À Montréal, pendant plusieurs années, Alfonso Caruana vit avec sa famille dans la plus grande discrétion. Il gère un petit dépanneur à Ville d'Anjou sans que les policiers le soupçonnent d'appartenir d'une façon quelconque au crime organisé.

Pas de drogue à Montréal

Dans les années 1970, le parrain de la Mafia montréalaise, Vic Cotroni, et son bras droit, Paolo Violi, font savoir qu'ils ne veulent pas de trafic de drogue à Montréal. Ils craignent que cela n'attire l'attention de la police. Les membres du clan Caruana-Cuntrera refusent d'obéir. Les écoutes du Reggio Bar montrent que Violi ira jusqu'à les menacer de mort s'ils ne cessent pas leur trafic. L'interdiction du trafic de drogue est aussi un bon prétexte pour remettre à sa place Nicolo « Nick » Rizzuto.

Paolo Violi commence à menacer, mais il en fait un peu trop

C'est que, aux yeux de Violi, Nick Rizzuto prend un peu trop ses aises dans la structure de la Mafia montréalaise.

> Il va d'un côté à l'autre, ici et là, et il ne dit rien à personne, il fait des affaires dont on ignore tout[20].

Visiblement, ça énerve Violi. Il est vrai que Rizzuto, tout en faisant ami-ami avec les autres mafieux, affiche de plus en plus sa volonté de ne plus dépendre de personne, et surtout de l'équipe Cotroni-Violi. Devant les menaces proférées par Violi à leur égard, et qui leur sont rapportées en 1970, Pasquale Cuntrera décide prudemment d'aller s'installer au Venezuela avec ses frères, Gaspare et Paolo[21], dans le nid préparé par Giuseppe Caruana. Les trois Caruana, Gerlando, Alfonso et Pasquale, resteront un certain temps à Montréal avant de rejoindre leurs oncles à Caracas. De son côté, averti d'un contrat passé sur lui par Violi, Nick Rizzuto va également juger plus prudent d'aller retrouver les Cuntrera en Amérique du Sud. Il y restera quelques années avant de revenir à Montréal fin 1984, une fois Paolo Violi liquidé et Vic Cotroni décédé[22].

C'est d'ailleurs de la liquidation de Violi que vont s'occuper, avec des proches de Nick Rizzuto, des membres du clan Caruana-Cuntrera restés à Montréal. Lorsque Rizzuto rentrera en tant que nouveau patron de la Mafia locale, ce sera, pour les Caruana-Cuntrera, la garantie de bénéficier de l'aide inconditionnelle de la Mafia pour réaliser tranquillement leurs trafics de drogue, et bientôt leurs opérations de blanchiment d'argent à Montréal. Le blanchiment massif des dollars américains en petites coupures va commencer dès que Violi aura disparu en 1978.

Pasquale Cuntrera rencontre Meyer Lansky

Pour l'instant, au début des années 1970, Pasquale, Gaspare et Paolo Cuntrera sont au Venezuela. Ils ne vont y rester que quelques mois, mais y reviendront quatre ans plus tard et en feront leur bastion, leur zone de repli. Cependant, d'abord, direction l'Italie. Quelque temps plus tôt, au cours d'un voyage à Toronto, Pasquale Cuntrera a rencontré un vieux renard du crime organisé américain, Meyer Lansky. Celui-ci va le conseiller dans un domaine qu'il maîtrise parfaitement, celui du blanchiment d'argent provenant de transactions illégales et criminelles. Lansky est en quelque sorte le conseiller financier de la Cosa Nostra américaine. On le suit un peu partout aux États-Unis, mais aussi à Cuba, avant l'arrivée de Fidel Castro. C'est Lansky qui recommande à Pasquale Cuntrera de partir pour l'Italie. Le conseil vient d'un grand pro du crime organisé américain. Lansky a mis au point des méthodes infaillibles de blanchiment d'argent. Il va les expliquer à Pasquale Cuntrera. À partir de ce moment, le destin de la famille va être profondément modifié. Les trafiquants de drogue vont mettre une corde de plus à leur arc. Après la rencontre de Pasquale Cuntrera avec Lansky, ils vont ajouter à leurs activités le blanchiment d'argent massif et devenir « *I Rothschild della Mafia* », « les Rothschild de la

Mafia », comme les a surnommés Giuseppe D'Avanzo, un journaliste du quotidien *La Republica* dans l'édition du 17 décembre 1989[23]. Les Caruana-Cuntrera vont organiser des réseaux de blanchiment d'argent pour eux-mêmes, bien sûr, mais également pour un grand nombre de familles de la Cosa Nostra sicilienne. Ils vont savoir se rendre indispensables. À part une seule exception, que nous verrons plus loin, ils sont dorénavant au-dessus des querelles meurtrières.

Il faut développer le Mezzogiorno

Pasquale Cuntrera va suivre fidèlement les conseils du maître Lansky. Tout en gardant le contrôle des affaires au Venezuela, il va s'installer avec ses frères en Italie, dans la région de Rome. Ils auront ainsi l'œil sur le trafic d'héroïne vers les États-Unis, et ils pourront plus facilement organiser le blanchiment de l'argent qui en reviendra. En effet, l'endroit est propice pour ce genre d'activité. Avant 1965, en dépit de deux lois-cadres de développement[24] de la partie de l'Italie se trouvant au sud de Rome, le Mezzogiorno, la région est une zone oubliée et défavorisée. Le contraste est gigantesque avec le nord développé du pays. En 1965, le gouvernement italien promulgue donc la troisième loi-cadre depuis 1950 pour faciliter le développement du Mezzogiorno. L'État prévoit des créations d'entreprises. Il faudra construire des bâtiments, des maisons et des routes. Partout dans le monde, le bâtiment et la voirie sont deux zones économiques où se brasse beaucoup d'argent. En plus, voirie et construction sont des secteurs qui intéressent un peu partout le crime organisé, tout spécialement en Italie, et particulièrement à cette époque. Le blanchiment d'argent est plus facile dans ce secteur que dans bien d'autres domaines. C'est pourquoi Meyer Lansky aurait conseillé à Pasquale Cuntrera de s'installer en Italie et de créer des compagnies, des entreprises qui, d'une part, rapporteront beaucoup d'argent et, d'autre part, serviront de couvertures légales pour camoufler un vaste réseau de blanchiment d'argent.

La famille s'installe

Pasquale Cuntrera et ses frères s'installent donc au sud de Rome. Selon les désirs du gouvernement, ils fondent une entreprise de construction et de travaux publics, Cantieri edili Perelli, à Frosinone et une boucherie à Velletri, la première de ces villes se trouvant à 76 kilomètres de la capitale italienne et la seconde à 35 kilomètres. Le colonel des carabiniers, Angiolo Pellegrini, qui sera plus tard chef des enquêtes antimafia à Palerme, en Sicile, connaît bien le dossier.

C'était une région tranquille où les Caruana-Cuntrera pouvaient exercer leurs activités sans être dérangés. Les gens de la mafia choisissent toujours des régions tranquilles lorsqu'ils s'éloignent de leur terre d'origine[25].

Grâce aux infiltrations de la Mafia et avec la connivence d'autorités locales bien placées, en particulier du maire de Frosinone et du conseiller régional, Dante Spaziani, Cantieri edili Perelli remporte tous les contrats pour lesquels elle soumissionne. Elle construit de nombreux bâtiments dont des écoles. En s'installant dans cette région, la famille s'est s'infiltrée dans le tissu social et politique. Et au lieu de terroriser, elle va corrompre des élus locaux et d'autres personnages bien placés, maires ou conseillers décisionnaires. Cantieri edili Perelli construit ainsi des routes dans la région, des bâtiments publics dans un large rayon de petites villes autour de Rome, par exemple un hôpital à Ceccano et un réseau hydraulique à Fiuggi. Les affaires florissantes permettent à la famille de s'enrichir tout en lui donnant une façade de respectabilité. Parce qu'il s'agit de contrats publics obtenus évidemment grâce à leurs relations politiques, *grâce à la corruption*, les frères Cuntrera n'ont aucune concurrence dans les projets où ils sont soumissionnaires. Ce que confirme le colonel Angiolo Pellegrini :

Personne ne se présentait pour répondre aux appels d'offres. Les seules entreprises à être sur les rangs étaient celles dirigées par les Caruana-Cuntrera[26].

Alfonso Caruana arrive à la rescousse

Toujours au début des années 1970, les frères Cuntrera sont bientôt rejoints en Italie par Alfonso Caruana. Celui-ci ouvre une concession automobile à Frascati, à 15 kilomètres de Rome. La famille s'enrichit de plus en plus, à raison de millions de dollars. Nick Rizzuto se joint à elle pour profiter de la manne. Il habite à Frosinone[27]. Il s'associe à

Paolo Cuntrera, à Alfonso Caruana et à Salvatore Vella[28], et investit 1 million de dollars dans leurs affaires. Il va sans dire que les entreprises servent également de couvertures pour les opérations de blanchiment d'argent de grande envergure. La famille blanchit pour elle-même et pour d'autres familles de la Cosa Nostra. Elle devient de plus en plus indispensable. Comme ville de résidence pour la famille, les frères Cuntrera ont choisi Ostie, l'ancien port de la Rome antique, devenu une station balnéaire à la mode par sa proximité avec la capitale. C'est à Ostie qu'un policier italien perspicace découvrira, un peu plus tard, l'importance de la famille Caruana-Cuntrera.

Le premier choc pétrolier

Fin 1973, un événement mondial va donner à la famille l'occasion de rentrer au Venezuela, où l'argent va jaillir comme jamais. Le premier choc pétrolier vient d'imposer au monde entier une révision complète de son utilisation du pétrole. Sous divers prétextes, économiques, politiques et techniques, l'OPEP, l'Organisation des pays exportateurs de pétrole, vient de tripler le prix du baril[29]. Or, le Venezuela regorge de pétrole.

Retour au Venezuela

On se rappelle qu'avant de passer en Italie, au début des années 1970, menacés de mort par Paolo Violi, Pasquale Cuntrera et ses frères ont quitté Montréal pour le Venezuela. Ils y ont continué le travail commencé par Giuseppe Caruana et ont fait de ce pays le deuxième château fort de la famille après Siculiana. Ils ne sont pas arrivés les mains vides. Dans leurs valises, il y avait une quarantaine de millions de dollars de l'époque[30], moisson de leurs trafics à Montréal. En 1973, quand ils reviennent au Venezuela, c'est avec encore plus de dollars qu'ils ont amassés en Italie. Avec cet apport, ils vont finir d'installer une impressionnante machine à faire de l'argent et à le blanchir. Le triplement du prix du pétrole a révolutionné les structures mêmes de l'État et favorisé la corruption.

Rodolfo Schmidt, journaliste et analyste politique et ancien directeur du quotidien *El Diaro* de Caracas, est l'un des premiers à avoir enquêté sur la famille Caruana-Cuntrera.

Le grand boom pétrolier a apporté un grand désordre financier et une forte croissance de l'État vénézuélien. En cinq ans, on est passé de 700 000 à presque 1 200 000 fonctionnaires. Ça donne une idée de l'étendue du désordre et de la corruption bureaucratique. Sans parler des fonctionnaires corrompus, avec des pourcentages sur les affaires ou des ristournes[31].

La corruption est le pain béni de la famille

Les Caruana-Cuntrera vont naturellement plonger la tête la première, investir et trafiquer massivement dans le secteur pétrolier avec argent, diplomatie et persuasion. Ils vont continuer à étendre leur emprise dans le pays. La famille tisse des liens avec le pouvoir en place, et profite impunément de l'élasticité de la loi. Carlos Tablante, ancien député à l'Assemblée nationale du Venezuela, a été très impliqué dans la lutte contre le crime organisé. Il était président de la Commission nationale antidrogue de 1996 à 1998 à Caracas. Il dit :

Au cours des années, on a pu vérifier des liens évidents entre certains mafieux importants et des représentants du pouvoir politique.

Il a été démontré que le clan a participé au financement de plusieurs campagnes politiques. Parfois, il faut savoir parier sur le bon cheval. Voici l'exemple d'un coup qui finalement n'a pas fonctionné pour la famille, montrant qu'il y avait tout de même à l'époque des policiers et des juges qui ne se laissaient pas corrompre. Ceux-là n'étaient pas dans le même camp.

Des élections au Venezuela qui rebondissent jusqu'à Montréal

Le 4 décembre 1988, le Venezuela doit tenir des élections présidentielles. Plusieurs partis sont sur les rangs. Le parti Acción Democrática[32] présente Carlos Andrés Pérez, ancien président de la république de 1974 à 1979. L'opposition, le parti social chrétien COPEI[33], présente pour sa part Eduardo Fernandez « El Tigre », soutenu financièrement par le clan Caruana-Cuntrera et leur allié Nick Rizzuto.

Depuis un certain temps, la police de Caracas surveille Rizzuto et un autre Canadien, Gennaro Scaletta, soupçonné de trafic massif de cocaïne.

En décembre 1987, le chef de la police vénézuélienne s'est déplacé à Montréal pour en savoir plus sur les deux hommes. Ayant entendu parler du projet Pèlerin, il a tenu à me voir. J'avais reçu des directives de mon patron me demandant de lui dire tout ce que je savais. Je l'ai reçu au quartier général de la GRC à Westmount. Je lui ai dressé le portrait le plus exact possible de Nick Rizzuto, le nouveau parrain présumé de la Mafia de Montréal. Je lui ai raconté ce que nous savions sur les Caruana-Cuntrera, le blanchiment d'argent et la saisie des 58 kilos d'héroïne. Quant à Gennaro Scaletta, je lui ai dit qu'il tombait à pic, car nous suivions justement de près ses affaires. Nous le suspections de trafics divers, dont le trafic de drogue, mais nous n'avions jamais pu le prendre la main dans le sac. Scaletta opérait alors une petite compagnie d'import-export à Montréal. Il importait surtout de la vaisselle. C'était vraiment une petite binerie, une petite société sans gros chiffre d'affaires. Mais ça ne l'empêchait pas de lessiver annuellement, et toujours légalement à l'époque, de grosses quantités d'argent : 700 000, 800 000[34] dollars. Ainsi demeurait-il dans une très belle maison qui ne correspondait pas exactement aux rentrées d'argent de l'entreprise.

Avec Revenu Canada, nous suivions donc avec attention le dossier Scaletta parce que, sans entrer dans les détails, le blanchiment d'argent en masse était tellement important que nous l'avions inclus dans le projet Pèlerin. J'ai tenu à montrer au chef de la police de Caracas la maison et le commerce de Scaletta. En revenant au bureau, je lui ai fait prendre connaissance du dossier que Revenu Canada avait établi après avoir perquisitionné son commerce.

Dans les comptes de sa compagnie figuraient des dépenses ayant servi à la réception en grande pompe d'une femme et de sa fille venues du Venezuela. Elles étaient en vacances et avaient séjourné dans la luxueuse demeure de Scaletta. Tous frais payés par sa compagnie : les billets d'avion, l'hébergement, les repas, le service de limousine, les distractions, tout, toutes les moindres dépenses avaient été réglées par la compagnie de Scaletta.

J'ai montré les photos des deux Vénézuéliennes au chef de la police de Caracas. La réaction a été immédiate :

— Ouah ! Ça, ça va faire du bruit au Venezuela.

— Vous les connaissez ?

— Bien sûr que je les connais. C'est la femme et la fille d'Eduardo Fernandez, le chef de l'opposition. Et dans un an tout juste, en décembre, il sera candidat aux élections présidentielles.

Il semblait vraiment très content quand il est reparti.

Parfois, il faut savoir choisir son camp

Gennaro Scaletta et Nick Rizzuto sont arrêtés à Caracas trois mois plus tard, en février 1988, avec deux autres mafiosi montréalais[35]. Nick Rizzuto est appréhendé après la saisie à son domicile d'une série d'échantillons de cocaïne de différentes origines, visiblement rassemblés en vue de prospecter un marché. Il y en avait pour un poids total de 700 grammes, une quantité minime pour un homme qui, depuis plus de deux décennies, participe à des trafics de tonnes de stupéfiants de toutes sortes. Rizzuto sera acquitté à l'issue d'un premier procès, sans doute arrangé par la famille Cuntrera. Mais il sera poursuivi et jugé de nouveau, et écopera d'une peine de six ans de prison pour possession. Il aurait dû être libéré en 1994. Les répercussions du voyage du chef de la police de Caracas à Montréal, et les renseignements qu'il en avait rapportés ont sans aucun doute contribué à la défaite d'Eduardo Fernandez face à Carlos Andrés Pérez de l'Acción Democrática. L'accueil généreux de la Mafia de Montréal fait à l'épouse et à la fille de Fernandez a été largement publicisé par la presse au grand bonheur de son adversaire. Il est à noter que l'influence des Caruana-Cuntrera, pourtant grande dans le pays, n'a pu éviter à leurs quatre amis et complices d'être condamnés à six ans de prison.

Souvent, en affaires comme en politique, il faut savoir choisir son camp.

Le pouvoir des Cuntrera dans le pays reste immense

Il n'empêche que l'influence des Cuntrera restait immense auprès d'autres institutions que la justice vénézuélienne. L'ancien directeur du quotidien *Diaro* de Caracas, Rodolfo Schmidt, est formel :

Les Caruana-Cuntrera, en plus d'introduire la Mafia dans le pays, ont bouleversé le paysage politique et moral du Venezuela. Les gens se rendent compte que des fonctionnaires importants, des chefs de police sont corrompus et possèdent des maisons qu'ils ne peuvent justifier. Pourtant, il ne se passe rien. Alors, pourquoi le simple policier, le simple fonctionnaire ne ferait-il pas la même chose que son chef? Et cette méthode sera développée et raffinée par le clan Caruana-Cuntrera.

Même chose pour le blanchiment bancaire officialisé. La méthode Caruana-Cuntrera était de pratique courante au Venezuela, comme l'a constaté l'ancien député Carlos Tablante:

> Vous présentiez une valise remplie d'argent dans n'importe quel établissement bancaire et on ne vous demandait pas d'où venait l'argent, ou quelle était son origine légale, où était le certificat d'origine légale de cet argent que vous vouliez investir. Ce climat d'impunité a créé un contexte favorable pour attirer les capitaux générés par les activités du crime organisé.

Le Venezuela, dans ces années-là, était un vrai paradis pour les criminels, confirme Rodolfo Schmidt:

> La mise en place des pratiques mafieuses et leur succès a révélé à beaucoup de personnes en situation d'autorité qu'il y avait bien des façons de faire fortune.

Petit velours, petite satisfaction pour Eduardo Fernandez « El Tigre », battu aux élections de 1988 : il ne va pas être le seul à écoper ; son adversaire Pérez recevra plus tard une note encore plus sévère.

Corruption pour corruption, le 31 août 1993, un an avant la fin de son mandat, le président Pérez est destitué de sa fonction par le Congrès national du Venezuela pour détournement de 250 millions de bolivars, environ 17 millions de dollars[36]. Il est l'unique président de la République vénézuélienne à avoir subi une telle indignité.

La vie quotidienne des Cuntrera à Caracas

À Caracas, les trois frères Cuntrera étaient installés dans un quartier résidentiel. Ils y menaient une vie confortable et sans tapage dans des résidences jumelles, nommées «Mary» et «Dalila», dans la *calle* Terepaima. Plutôt discrètes, les maisons étaient protégées des regards indiscrets et surveillées par des gardes, tout un arsenal de caméras et d'équipement électronique. On pouvait voir les maisons de la rue sans qu'on les remarque pour autant. Guillermo Jiménez a été commissaire général de la police vénézuélienne. Pendant des années, il a suivi à la trace Pasquale Cuntrera et ses deux frères.

> J'avais pris l'habitude de les observer à Caracas dans un lieu appelé Le Grand Café. Tous les groupes italiens s'y réunissaient le week-end et même en semaine. Ils étaient plutôt simples et tranquilles. Si je devais décrire leur comportement, je dirais qu'ils vivaient une vie plutôt familiale mais socialement intégrée. Ils étaient assez humbles. Pasquale était toujours en complet-cravate, alors que Gaspare et les autres s'habillaient plus simplement. Personne n'aurait pu dire qu'ils étaient des membres importants du crime organisé. Ils avaient l'air de chefs d'entreprise italiens qui, avant d'immigrer ici, travaillaient dans l'agriculture.

Au Venezuela, les Caruana-Cuntrera étaient propriétaires d'une cinquantaine de comptes de banque et de plus de 30 compagnies. La plus importante était Aceros Prensados, une entreprise de matériel et de produits en acier. Le propriétaire était Paolo Cuntrera, et l'un des associés principaux, Giuseppe Cuffaro. Ses locaux étaient situés dans le quartier industriel de Caracas. Durant des années, les mafiosi se sont servis d'Aceros Prensados comme compagnie légale, mais aussi et surtout pour recycler dans l'économie normale de colossales sommes d'argent déjà blanchies ailleurs dans le monde par d'autres membres de la famille. Le modus operandi était en gros celui-ci. Les membres de la famille ou des complices restés à Montréal, en Italie, en Suisse, en Grande-Bretagne ou ailleurs faisaient parvenir régulièrement à l'entreprise des traites bancaires d'argent blanchi. Par la suite, Aceros Prensados réinjectait cet argent dans des activités légales. Cela n'empêchait pas non plus de blanchir de l'argent sur place, notamment dans des hôtels que possédait la famille.

Un enquêteur vénézuélien avait calculé que pour réaliser le chiffre d'affaires déclaré pour l'ensemble de ces hôtels, il aurait fallu en louer toutes les chambres à longueur d'année, à de nouveaux clients, toutes les sept minutes.

La Ganaderia Rio Zappa

Mais pour la drogue, en particulier la cocaïne, le haut lieu de la famille était une ferme d'élevage, une *ganaderia*, la Ganaderia Rio Zappa. On ne compte aucun Vénézuélien parmi les associés, mais tous sont bien connus. On y trouve Paolo Cuntrera, le plus jeune de la fratrie, Alfonso Caruana, Nick Rizzuto, John Gambino, de la puissante famille Gambino de New York, ainsi qu'Antonio Napoli, un autre important mafioso new-yorkais. Il y a aussi Salvatore Cicchitteddu Greco, l'ancien premier *capo di tutti capi* de la Cupola de 1957. Il s'est fâché avec Toto Riina qui a aussitôt menacé de le tuer. Greco vit au Venezuela sous le nom de Renato Martino Caruso. Deux autres partenaires, Angelo et Francesco Mongiovi, sont apparentés aux Rizzuto. On élève véritablement du bétail à la *ganaderia*. Les bêtes sont destinées au marché local ou à l'exportation.

La ferme d'élevage est située dans le nord du Venezuela dans l'État de Barinas. Elle possède deux pistes d'aviation pour avions légers. Ce qui est très pratique pour cette ferme située à seulement quelques kilomètres de la frontière avec la Colombie, à cette époque le premier producteur mondial de cocaïne. L'élevage a l'avantage d'offrir, en plus de bons profits, une façon pratique de passer la drogue dans les cargaisons de bétail vivant, de carcasses ou de peaux. Selon la Drug Enforcement Administration, la DEA étatsunienne, on a expédié au moins 15 tonnes de cocaïne du Venezuela de cette façon, uniquement en 1987. Et tout cela sans trop se cacher.

Intouchables

Antonio Nicaso est un spécialiste du crime organisé italien. Avec le journaliste Lee Lamothe, il a écrit le livre le plus complet sur la famille Caruana-Cuntrera[37]. Il dit :

> Ils étaient pratiquement intouchables, au Venezuela. Ils avaient des bonnes relations avec la jet-set. Avec leur argent, dans un pays où 80 % de la population était pauvre, ils pouvaient tout acheter : des officiers de police, des politiciens, des services, tout. Alors, ils sont devenus quelques-uns des plus importants hommes d'affaires du Venezuela[38].

Surf and turf – la viande et le poisson – Punto Fijo

Dans le nord-est du Venezuela, dans l'État de Falcón, la presqu'île de Paraguana, à la frontière de la Colombie. Vue du ciel ou sur une carte, la presqu'île ressemble à une grosse grenade, rattachée au continent par un mince cordon de terre. La ville de Punto Fijo est le chef-lieu de la municipalité de Carirubana. Elle abrite le port de pêche de Las Piedras. En 1974, alors que Pasquale Cuntrera et ses frères sont en Italie, Leonardo Caruana[39] et l'omniprésent Giuseppe Cuffaro fondent à Punto Fijo une compagnie de pêche, la Mediterranea Pesca. La compagnie possède un bateau suffisamment puissant pour traverser les mers ou du moins capable de livrer de la drogue jusqu'aux États-Unis. L'odeur de poisson est d'ailleurs d'une grande efficacité pour qui veut tromper le museau des chiens des douanes. Les 94 kilomètres qui séparent la péninsule vénézuélienne de l'île d'Aruba font de Punto Fijo un comptoir stratégique. Il suffit en effet d'une demi-heure d'avion ou de quatre heures de ferry-boat pour aller de la presqu'île à l'île, où les Caruana-Cuntrera ont des intérêts importants.

Aruba

Avant le 1er janvier 1986, Aruba était une colonie des Pays-Bas, rattachée territorialement et administrativement aux Antilles néerlandaises[40]. Depuis, l'île forme un État autonome à l'intérieur du Royaume des Pays-Bas et reste sous le contrôle de La Haye en ce qui concerne les relations extérieures et la défense. Les accords avec la « mère patrie » prévoyaient l'indépendance pour Aruba en 1996. Mais la présence trop évidente du crime organisé dans l'île et la forte pression des États-Unis, de la Grande-Bretagne, de la France et du Venezuela ont fait reculer les Pays-Bas. Les accords d'indépendance n'ont ainsi jamais pu être concrétisés.

Les services secrets et de sécurité de ces pays ont en effet démontré les liens étroits entretenus entre des membres importants du gouvernement d'Aruba et les trafiquants de drogue. Il faut avouer que l'administration de l'île, avec la bienveillance évidente des Pays-Bas, leur a tendu une belle perche en installant une zone franche utilisée par les trafiquants vénézuéliens et colombiens pour acheminer la cocaïne vers l'Europe et l'Amérique du Nord.

La contrebande, une tradition séculaire

Il s'agit là, en effet, d'une longue tradition. Dès l'époque coloniale, pour échapper à la domination commerciale espagnole, Aruba était devenue une plateforme pour la contrebande. L'île a longtemps été la plus grande exportatrice de café de la région, alors qu'on n'y trouve aucune plantation de caféiers. C'est également elle qui exporte le plus de cigarettes et de whisky, deux produits dont les noms sont, plus que d'autres, accolés à celui de contrebande. Plusieurs facteurs font aussi d'Aruba un important centre de blanchiment d'argent. C'est une région touristique pour une clientèle aisée. Il y a de nombreux casinos et, très important, une monnaie forte et stable[41]. C'est dire que les Pays-Bas et le gouvernement local savent pertinemment que l'île est l'un des importants paradis fiscaux de la planète. Dans les années 1980, le blanchiment d'argent se fait ouvertement avec à peine un minimum de prudence et de précautions.

Les Cuntrera à Aruba

À Oranjestad, la capitale d'Aruba, Pasquale Cuntrera est alors connu comme un homme charmant et discret, un vrai gentleman. Il possède des commerces qui facilitent le blanchiment d'argent. Il est propriétaire, entre autres, du Holiday Inn Casino. En 1987, bien qu'il assure ne pas connaître la famille Cuntrera, Henny Eman[42], à ce moment-là premier ministre d'Aruba, signe de sa main le permis d'exploitation de la boîte de nuit Visage pour le frère de Pasquale, Paolo Cuntrera, et de son fils Giuseppe. Selon Eman, à l'époque de la signature du permis, Paolo Cuntrera et son fils étaient d'honorables citoyens parmi d'autres habitants du Venezuela venant investir à Aruba. Pourtant, depuis trois ans, depuis 1984, les Cuntrera étaient parfaitement identifiés comme mafiosi au Venezuela ; leurs photos avaient même été publiées dans la presse. Il n'est pire aveugle que celui, ou celle, qui ne veut voir. Le Parlement vénézuélien semble cependant avoir vu. Il a en effet adopté une motion affirmant l'existence de liens secrets entre la famille Cuntrera et le Aruban People's Party du premier ministre Henny Eman. Il a conséquemment exigé la démission du premier ministre ainsi que celle du ministre de la Justice, Edgar Vos. Une demande d'enquête parlementaire a même été déposée, sans qu'on y donne suite pour autant. Les deux hommes politiques ont été réélus aux élections suivantes. Eman a déclaré plus tard à propos des Cuntrera :

Quand nous avons appris qui ils étaient vraiment, nous les avons expulsés[43].

Ce qu'a réfuté Pasquale Cuntrera, affirmant que ses frères et lui étaient partis de leur propre chef. Un départ qui n'a en rien mis fin à leurs différents trafics dans l'île.

En mars 1993, après l'arrestation et l'extradition du Venezuela vers l'Italie des trois frères Cuntrera, Pasquale, Gaspare et Paolo, le très important quotidien italien *Corriere della Sera* affirmait que le clan Caruana-Cuntrera possédait alors 60 % de l'île d'Aruba. Il est difficile de savoir si ce chiffre est l'expression d'une réalité. Il révèle en tout cas l'influence dominante du clan dans l'île.

Qui sont donc les vrais propriétaires ?

Deux thèses s'opposent. La première : l'île est sous le contrôle de la Mafia et, dans les années 1980 et au début des années 1990, les Caruana-Cuntrera en auraient été les représentants principaux et même plus, les propriétaires.

La seconde : le contrôle des activités souterraines était et reste entre les mains d'une famille d'origine libanaise, par ailleurs très bien implantée légalement à Aruba, la famille Mansour qui tient dans l'île le haut du pavé. Cette deuxième thèse est défendue par deux agents spéciaux de la DEA, David Lorino et John Costanzo.

La première thèse, celle des 60 % appartenant aux Caruana-Cuntrera dont a parlé le *Corriere della Sera*, est aussi celle qu'avance Tom Blickman[44] dans son article «The Rothschild of the Mafia on Aruba[45]». C'est également ce que dit Claire Sterling[46] dans son livre *Thieves' World*[47]. Merill Parks, à l'époque chef des opérations contre le crime organisé du FBI, spécialisé dans la lutte contre le trafic de drogue, a lui aussi exposé cette thèse dans une entrevue accordée au journaliste Kevin Noblet[48]. Sterling, Blickman et Parks ont étudié en particulier le rôle des Caruana-Cuntrera et plus généralement celui de la Mafia sicilienne dans l'île d'Aruba. À leurs yeux, cette dernière était alors contrôlée par la Mafia, dont les Caruana-Cuntrera étaient les principaux représentants dans les années 1980 et au début des années 1990. Après leur arrestation en 1992 et leur extradition du Venezuela vers l'Italie, la Mafia aurait gardé le contrôle de l'île. La réputation d'Aruba comme l'île de la Mafia est devenue publique en mars 1993 quand le *Corriere della Sera* l'a décrite comme «le premier État à avoir été acheté par la Cosa Nostra». On ajoute :

> Il est allégué que le clan sicilien des familles Cuntrera et Caruana a pris le pouvoir dans l'île. Entre 1988 et 1992, ils ont acquis 60% d'Aruba à travers des investissements dans les hôtels, les casinos, et la campagne des élections d'un premier ministre.

À l'appui de cette affirmation, Merill Parks a révélé, dans l'entrevue donnée à Kevin Noblet, qu'étant donné le peu de ressources naturelles de l'île, les différents gouvernements d'Aruba s'étaient tournés vers le tourisme, les casinos et les abris fiscaux comme sources de revenus, tous des domaines où l'argent liquide coule à flots[49].

> Les frères Cuntrera ont infiltré des casinos, des hôtels et le tourisme. Ils ont fait de larges investissements à Aruba à la fin des années 1980 et au début des années 1990[50].

Claire Sterling est encore plus directe ; elle écrit dans *Thieves' World* :

> Aruba a été achetée et payée pour la Mafia par Pasquale et Paolo, deux frères de la plus puissante famille de la Mafia, à Siciliana, à Caracas et au Venezuela. Ils ont amassé un milliard de dollars durant les 25 ans pendant lesquels ils étaient le pivot de la Mafia pour le trafic d'héroïne en Amérique du Nord. L'approvisionnement en drogue de l'Amérique leur a fourni les moyens nécessaires pour acheter Aruba. Opération qui a démarré à la fin des années 1980. Ils se sont servis de leurs 70 divers comptes en banque pour acheter tout ce qui avait de l'importance dans l'île, hôtels, casinos, installations touristiques, terrains à construire, bâtiments, police, douanes, le ministre de la Justice, le premier ministre et les partis tant au pouvoir que dans l'opposition[51].

Il faut que tout change...

Si depuis 1993, à Aruba, le blanchiment d'argent est considéré comme un crime et que l'identification de transactions et d'individus suspects est obligatoire, l'effet de ces mesures est loin d'être probant. Les lois ont été modifiées et réécrites dans la mesure où, selon une réplique tirée du roman *Le Guépard* de Lampedusa, « il faut que tout change pour que rien ne change[52] ». Les spécialistes expliquent cette situation par la mainmise sur Aruba de la Mafia italienne. Celle-ci aurait acquis, dès la fin des années 1980, à peu près tout ce qui était achetable sur l'île. Après l'extradition des frères Cuntrera du Venezuela vers l'Italie, en 1992, Merill Parks a observé que les groupes italiens avaient continué à infiltrer massivement les casinos, les hôtels et le secteur du tourisme non seulement à Aruba, mais également dans d'autres îles des Antilles néerlandaises, Bonaire et Curaçao, et dans la partie méridionale de l'île de Saint-Martin[53].

Selon la seconde thèse, défendue par David Lorino et John Costanzo de la DEA, l'île d'Aruba était en 1990 sous le contrôle des Mansour, une famille d'origine libanaise. Lorino affirme que les Mansour étaient de très importants trafiquants, et que c'étaient eux les patrons à Aruba. Lorino sait de quoi il parle. Nous verrons dans un autre chapitre que son chef, John Costanzo, et lui ont réussi, en tant qu'agents infiltrés, à pénétrer jusqu'au cœur de la famille Cuntrera au Venezuela. Au début des années 1990, ils ont rencontré Pasquale Cuntrera à San Antonio de Los Altos, à une vingtaine de kilomètres au sud de Caracas, dans la résidence d'un membre du clan.

Lorino et Costanzo connaissent parfaitement leur dossier. Pour appuyer leur thèse, ils démontrent que les Mansour ont fait leur immense fortune comme fabricants de cigarettes sous licence Philip Morris, et qu'ils étaient à l'époque les principaux fournisseurs de Marlboro dans les Caraïbes.

En plus, la famille Mansour a des intérêts un peu partout au Venezuela, à Maracaibo, à Caracas, à Punto Fijo et à Coro, où ils vivaient avant de déménager à Aruba.

Par conséquent, pour les deux agents de la DEA, si une famille possède 60 % de l'île, c'est celle des Mansour, installés très solidement dans la région depuis beaucoup plus longtemps que les Caruana-Cuntrera.

Mansour contre Caruana-Cuntrera ?

Il est cependant indéniable que, depuis leur arrivée au Venezuela et ensuite à Aruba, les Caruana-Cuntrera s'entendent très bien avec cette puissante famille et jouissent de grandes facilités dans l'île, notamment pour les expéditions de drogue par la zone franche. Leurs opérations de blanchiment d'argent passent par des établissements bancaires très complaisants, dont la Banque Interbank de la famille Mansour[54]. Au début des années 1990, Guillermo Jiménez, le chef de la division du crime organisé de la Policia Técnica Judicial (PTJ) du Venezuela, a fait parvenir à la police d'Aruba des dossiers sur des transactions bancaires entre les Mansour et les Cuntrera. En retour, il n'a jamais su si ces informations avaient servi à quoi que ce soit à Aruba. Il faut dire que tout document impliquant les Mansour était alors gardé secret par les autorités de l'île.

Les Américains entrent en scène

Les Américains ne se sont pas découragés et ont continué à chercher, et, surtout, comme disait Picasso, à trouver. À la fin des années 1980, un enquêteur du comité d'investigation dirigé par le sénateur John Kerry sur l'affaire Iran-Contra[55] a interrogé des trafiquants de drogue dans la prison de West Miami et leur a demandé :
— Qui sont les Mansour ?
Ils ont répondu :
— La grande famille à Aruba que nous utilisons pour le blanchiment d'argent et les expéditions de cocaïne.
Donc, pour la DEA et pour le Comité du Sénat des Affaires étrangères, les vrais boss à Aruba, ce sont les Mansour et non les Caruana-Cuntrera. Cela semble assez logique et correspond à ce que l'on sait de la famille mafieuse. Si l'on observe son comportement général, on s'aperçoit que ses membres n'ont pas intérêt à prendre le contrôle d'un endroit précis.
Pourquoi prendre le contrôle d'Aruba, alors qu'ils peuvent s'adonner tout à fait à leur guise à leurs activités de trafic de drogue et de blanchiment d'argent ? Il faut ajouter que lorsque la famille s'installe dans un pays, elle le fait le plus discrètement possible. C'est ce qu'elle a fait partout où elle s'est établie, au Brésil, en Italie, en Suisse, au Venezuela. C'est d'autant plus vrai à Montréal où elle a permis à Nick et à Vito Rizzuto de prendre toute l'avant-scène.

Le mot de la fin

Le dernier mot sur cet épisode a été donné avec humour par Alfonso Caruana lui-même, en février 1997. En 1995, Alfonso Caruana, qui n'a jamais été poursuivi au Canada, est revenu au pays depuis trois ans. Il vit avec sa famille à Toronto, mais rend souvent visite à une parente qui a une très belle résidence à Westmount, en plein centre de l'île de Montréal. Revenu Canada l'a repéré et lui réclame 28,5 millions de dollars en impôts impayés. Pour échapper au fisc, le 6 mars 1995, Alfonso Caruana invoque la faillite.

Revenu Canada le poursuit en justice à Montréal. Le 12 février 1997, Caruana est convoqué devant le tribunal à Montréal. Il ne fuit pas et se présente devant le juge. Il déclare qu'il est sans ressources, qu'il vit pauvrement avec son épouse. Il ajoute qu'il est un simple employé dans un lave-auto Autobahn de Woodbridge, en banlieue de Toronto. C'est officiellement sa seule source de revenu. Il gagne 500 dollars par semaine. Lee Lamothe explique :

> Il avait appris plusieurs années auparavant à n'avoir aucun actif à son nom. La maison était louée d'un autre membre de la famille. Sa voiture, une Cadillac toute neuve, était prise en location par une compagnie[56].

Le gérant de la concession Cadillac Ville-Marie, dans le quartier Hochelaga-Maisonneuve près du Stade olympique, où avait été loué le véhicule, affirmait ignorer qui l'avait retenu et qui payait la location.

Alfonso Caruana a comparu les 12, 13 et 27 février 1997 au palais de justice de Montréal. Au cours d'une des auditions, la procureure de Revenu Canada lui lance :

— Je vais quand même vous poser la question à savoir : est-ce que vous êtes au courant qu'on dit que vous possédez, vous et monsieur Cuntrera ou le clan Caruana-Cuntrera, 60 % de l'île d'Aruba ?

Alfonso Caruana répond ces mots en italien, traduits simultanément par l'interprète :

— Au moins, si c'était vrai[57] !

Finalement, le juge, après avoir déclaré publiquement qu'il ne croit pas un mot du témoignage d'Alfonso Caruana, reconnaît qu'il doit appuyer son jugement sur des preuves que Revenu Canada n'a pas été en mesure de donner. Alfonso Caruana est donc libéré de sa dette de faillite de 28,5 millions de dollars pour la somme globale et forfaitaire de 90 000 dollars… payable en 3 ans. À sa sortie de la cour, des témoins présents à l'audience ont ainsi pu apercevoir le seul et vrai sourire d'Alfonso Caruana en trois jours de procès.

Accord entre la Mafia et les cartels de drogue colombiens

Selon le FBI, la branche vénézuélienne de la Mafia a organisé pendant des années la livraison de tonnes d'héroïne en provenance d'Europe vers les États-Unis et, réciproquement, de tonnes de cocaïne du Venezuela vers les États-Unis et l'Europe. Quand on parle de branche vénézuélienne de la Mafia, il ne peut s'agir que des Caruana-Cuntrera et de leurs amis et associés. D'autant plus que, toujours d'après le FBI, se sont mêlés au trafic de très importants mafieux tels Salvatore «Cicchiteddu» Greco et John Gambino. Rappelons que la base principale des Caruana-Cuntrera pour le trafic de cocaïne avec les cartels colombiens se trouvait dans le nord du Venezuela, à la Ganaderia Rio Zappa, à seulement quelques dizaines de kilomètres de la frontière avec la Colombie, et que parmi leurs associés dans la Ganaderia se trouvaient justement Salvatore «Cicchiteddu» Greco et John Gambino. Il y avait aussi, de New York, Antonio Napoli, un autre mafioso d'envergure, ainsi que des Mongiovi, apparentés aux Cuntrera[58] et aux Rizzuto.

Donc, aux yeux du FBI, il n'y a pas l'ombre d'un doute que, dès les années 1970, les Caruana-Cuntrera étaient partie prenante du trafic. Toujours selon les Américains, ils faisaient transiter par le Venezuela les deux tiers de leurs chargements d'héroïne venant d'Europe et les quatre cinquièmes de la cocaïne colombienne partant vers l'Europe et les États-Unis. Il leur était donc très facile de conclure par eux-mêmes toutes sortes d'accords avec les Colombiens. Mais la Cosa Nostra sicilienne et les principaux cartels de drogue colombiens ont décidé de collaborer plus efficacement, plus… officiellement.

Fin 1987, après de nombreuses discussions tenues à Miami, en Sicile, à New York et à Aruba a été finalisé un accord formel entre quatre familles de la Cosa Nostra sicilienne, dont les Corléonais de Toto Riina, et des cartels colombiens de cocaïne, dont le cartel de Medellin des frères Ochoa, de Pablo Escobar et de José Gonzalo Rodriguez Gacha. L'esprit de cet accord est simple : il faut rééquilibrer les marchés !

Trop de cocaïne… trop d'héroïne

Depuis les années 1970, il y avait trop de cocaïne en Amérique, où l'offre excédant la demande provoquait l'effondrement des prix, alors qu'en Europe un surplus d'héroïne avait le même effet. Les Siciliens et les Colombiens du cartel de Medellin ont alors décidé de mettre en place une structure d'échange afin de mieux répartir la marchandise pour contrôler les prix de l'héroïne dans les Amériques, avant tout aux États-Unis, et faire de même avec la cocaïne en Europe.

Selon Claire Sterling[59], dans les années 1970, le kilo de cocaïne valait 11 000 dollars[60] en Amérique et 50 000 dollars[61] en Europe, où la consommation en était à ses débuts. Par contre, l'héroïne se vendait 200 000 dollars[62] le kilo en Amérique et seulement 50 000 dollars en Europe, où la consommation était toutefois plus répandue. Depuis leur arrivée au Venezuela, les Caruana-Cuntrera se fournissaient en cocaïne auprès des cartels colombiens, mais rien n'indique qu'il y ait eu alors des accords d'échange concernant la cocaïne et l'héroïne.

La toute première joint-venture de la drogue

Les circuits d'héroïne et de cocaïne ont fonctionné séparément pendant des années sans qu'il y ait eu d'accord global et ce n'est qu'à la fin de 1987 qu'un pacte d'échange a été conclu entre les patrons de la Mafia sicilienne et les cartels sud-américains, celui de Medellin en particulier. Les Caruana-Cuntrera ne sont pas directement impliqués dans le pacte. Mais leur place privilégiée au Venezuela et à Aruba laisse imaginer qu'ils en ont grandement profité. On peut dire que cet accord a scellé la naissance d'une première joint-venture[63] internationale de trafic de drogue. C'est en 1987, dans l'île d'Aruba, qu'a été finalisé cet accord historique. Le déroulement des événements est particulièrement bien documenté grâce au témoignage du repenti Joseph « Joe » Cuffaro devant le juge Giovanni Falcone, le 30 janvier 1990. Joe Cuffaro était le bras droit de John Galatolo, le négociateur d'alors représentant la Mafia.

Une pêche au gros, pour conclure un accord

L'ultime rencontre pendant laquelle l'accord a été entériné réunissait, du côté sicilien, John Galatolo et Joe Cuffaro et, du côté colombien, Waldo Aponte Romero du cartel de Medellin. Tout au long de ce séjour, l'ambiance a été détendue et conviviale. Romero est arrivé en jet privé, accompagné d'une véritable suite venue passer quelques jours de vacances à Aruba. Galatolo et Romero ont pris ensemble des bains de soleil, ont bu des daiquiris à la fraise, et se sont promenés en bateau. Ils ont même pêché le marlin. Des photos saisies par le FBI montrent Galatolo et Romero, bronzés et souriants, en short et chemise hawaïenne, posant de part et d'autre d'un splendide poisson.

Mais toutes ces activités ne les ont pas empêchés d'établir les bases d'un accord hors du commun. Selon Joe Cuffaro, les cartels colombiens devaient initialement livrer en Sicile, via Aruba, des chargements de 400 à 700 kilos de cocaïne. En 1988, ce sont 40 tonnes de drogue qui sont entrées ainsi en Europe, et ce chiffre n'a cessé d'augmenter pour atteindre 100 tonnes par année. Joe Cuffaro a donné une montagne de renseignements au juge Falcone sur ce trafic. Par exemple, le 7 juin 1988, le bateau *Big John* quitte Aruba avec plus d'une demi-tonne de cocaïne à bord. Joe Cuffaro est responsable de sa réception dans le port de Palerme. Dès la cargaison débarquée, il téléphone à Waldo Aponte Romero, le représentant du cartel de Medellin, qui attend près d'une cabine téléphonique en Espagne. Joe Cuffaro dira au juge Falcone :

> Le déchargement a été supervisé par trois ou quatre agents et un inspecteur des douanes italiennes. À Palerme, on entre dans le port et on en sort sans aucun problème.

Les faits, les chiffres, les saisies de drogue indiquent que le trafic n'a jamais cessé d'augmenter jusqu'au milieu des années 1990. En 1982, déjà les quatre cinquièmes de la cocaïne livrée aux États-Unis et en Europe partaient du Venezuela, sous le contrôle des Caruana-Cuntrera. Leur implication a été confirmée par les polices vénézuélienne et italienne qui, à partir de 1982, avaient chacune de son côté, et sans en informer l'autre, placé sur écoute téléphonique des membres de la famille Caruana-Cuntrera.

Le blanchiment d'argent

Ça, c'était pour la drogue ; maintenant, passons au blanchiment d'argent. Le blanchiment d'argent effectué par les Caruana-Cuntrera à travers leurs multiples comptes en banque a été estimé, toujours pour l'année 1982, à 2 milliards de narcodollars[64].

En raison de leur double proximité avec les États-Unis, premier marché consommateur de stupéfiants au monde, et les pays producteurs de drogue latino-américains, les centres offshore des Caraïbes et en particulier Aruba étaient, et sont toujours aux dernières nouvelles, au cœur de nombreux circuits de blanchiment d'argent. Selon des estimations de la DISIP[65], les services secrets vénézuéliens, le circuit passant par Aruba blanchissait environ les deux tiers des sommes issues du trafic de cocaïne au Venezuela, aussi bien pour les Colombiens que pour les Siciliens, donc pour les Caruana-Cuntrera.

Une lettre de Bill Clinton

La DEA a poursuivi son enquête sur Aruba. Elle avait suffisamment d'informations pour que, le 2 décembre 1996, le président Bill Clinton écrive une lettre aux présidents et aux illustres membres des comités de la Chambre des représentants et du Sénat pour les allocations de budget et les relations internationales afin de les mettre en garde contre un certain nombre de pays délinquants coupables de couvrir des trafics de drogue et le blanchiment d'argent. Le président a ajouté Aruba sur la liste des principaux pays constituant des plaques tournantes pour la drogue.

> Nous avons identifié Aruba comme un important pays par lequel transite la drogue. Aruba est située sur une route principale du trafic de drogue. La vaste majorité de la cocaïne et de l'héroïne qui passe par Aruba est destinée aux États-Unis. [...] La cocaïne y est introduite en contrebande en utilisant des cargos, des bateaux de croisière, des bateaux de plaisance et des bateaux de pêche. En plus, selon la DEA, les trafiquants utilisent les installations de la zone franche pour transborder de gros chargements de cocaïne sans aucun contrôle local officiel. Une partie importante de cette zone d'activités appartient et est administrée par la famille Mansour qui a été poursuivie aux États-Unis pour conspiration et pour blanchiment d'argent[66].

Cette énigme étant réglée, poursuivons avec les autres différents endroits où les Caruana-Cuntrera se sont installés pour plus ou moins de temps, d'abord la Suisse.

La loi helvétique au service de la famille

En 1981, Alfonso Caruana, accompagné de son oncle Giuseppe Cuffaro, s'installe en Suisse italienne, à Lugano. On les voit aussi à Zurich où les deux mafiosi vont blanchir des millions de dollars en profitant de la loi helvétique sur le secret bancaire[67]. Ils ont eu auparavant l'occasion de tester la discrétion du système suisse. En effet, le 18 novembre 1978, Alfonso Caruana et Giuseppe Cuffaro ont été retenus par la police à l'aéroport de Zurich, alors qu'ils arrivaient d'Allemagne, pour avoir introduit clandestinement, dans une valise, une somme en liquide de 600 000 dollars américains[68]. Après avoir été retenus quelques heures, ils ont enfin été libérés… avec la valise et les 600 000 dollars. Alfonso Caruana achète une villa à Lugano, près de la frontière italienne. Le secret bancaire helvétique[69], essentiel au blanchiment d'argent, permet à l'oncle et au neveu de déposer des sommes considérables en liquide ou en traites bancaires, sans devoir en déclarer la provenance. Bon nombre de ces traites proviennent de banques montréalaises. Mais pas uniquement ; elles arrivent aussi du Venezuela, du Brésil, de l'Italie et de Grande-Bretagne.

L'Angleterre de Liborio Cuntrera

La famille s'est installée en Angleterre en 1975. Liborio Cuntrera, l'aîné des quatre frères, y a acheté une superbe résidence à Woking[70] dans le Surrey, une grande banlieue très huppée de Londres. Liborio est né en 1929. Depuis les années 1950, il est citoyen canadien, et a vécu plus ou moins longtemps, avec ou sans ses frères, au Québec, au Venezuela, à Aruba et à Rome. Une fois à Woking, il organise une filière en coordonnant le trafic en provenance des pays grands producteurs d'héroïne et de hachich[71]. La principale filière d'héroïne de la famille passe désormais par l'Angleterre.

En quelques années, Liborio Cuntrera bâtit un redoutable pipeline pour inonder les États-Unis d'héroïne. Un arrêt presque total de l'approvisionnement a lieu entre 1981 et 1984, arrêt dû à la guerre interne de la Cosa Nostra sicilienne durant la même période, qui coupe les Caruana-Cuntrera de leur source d'approvisionnement sicilienne[72]. À part cette suspension de trois ans dans l'approvisionnement, selon les services spécialisés britanniques, pendant le séjour des Caruana-

Cuntrera en Angleterre, le trafic d'héroïne est en constante expansion. La quantité totale de drogue saisie lors de l'entrée au pays décuple entre 1976 et 1985. Elle passe d'environ 20 kilos d'héroïne en 1975 à environ 200 kilos en 1985. Et encore, Scotland Yard estime les saisies à seulement 10 % du total du trafic. Il est impossible de soumettre au contrôle tous les conteneurs passant par les ports anglais.

Longtemps, les autorités et la police britanniques ont attribué l'explosion du trafic de l'héroïne en provenance d'Asie à de multiples facteurs. Pendant des années, la Grande-Bretagne a accueilli des centaines de milliers de sujets de Sa Majesté en provenance des pays du Commonwealth décolonisés. Comme pour toute société qui se déplace, les nouveaux arrivants étaient accompagnés du meilleur et du pire. Le pire étant les membres du crime organisé appartenant à ces communautés. La police britannique croyait donc que l'explosion des trafics de drogue était due à la venue en Grande-Bretagne de petits trafiquants pakistanais, indiens, vietnamiens ou nigérians. Or, l'explication de cette augmentation spectaculaire ne se trouvait pas dans les quartiers pauvres à majorité ethnique non européenne, mais d'abord dans la très chic banlieue de Woking et dans les docks de ports anglais de Felixstowe et de Southampton.

Alfonso Caruana remplace Liborio Cuntrera

Courant 1981, atteint d'une cirrhose du foie, Liborio tombe malade ; il mourra l'année suivante, le 28 juillet 1982. Peu de temps avant sa mort, Alfonso Caruana et son frère Pasquale le rejoignent à Woking pour prendre le relais et recevoir les consignes et les détails des opérations. Dès que les approvisionnements seront de nouveau assurés, le flot d'héroïne vers le Canada et les États-Unis reprendra de plus belle. Quand Alfonso Caruana et son frère arrivent en Angleterre en 1982, ils viennent directement de Suisse où ils sont restés plus d'un an. Alfonso achète un superbe manoir à Woking. Pasquale l'imite en achetant une belle demeure un peu plus modeste.

Francesco Di Carlo

En 1982, tandis qu'Alfonso Caruana et son frère Pasquale sont confortablement installés à Woking, l'un de leurs meilleurs amis est un personnage clé de la Mafia sicilienne, Francesco Di Carlo. Il possède lui-même un manoir à Woking. Les trois hommes deviennent rapidement de très bons amis. Ils se fréquentent et se reçoivent régulièrement dans leurs somptueuses demeures.

Di Carlo est un important trafiquant rattaché au clan des Corléonais que dirigent Toto Riina et Luciano Leggio. Les Caruana-Cuntrera tentent d'être le plus neutres possible et d'avoir de bons rapports avec toutes les familles. Ils doivent des comptes à beaucoup de chefs des différentes familles qui font appel à eux pour blanchir de l'argent ou faire des affaires. Cependant, ils sont plus liés à des ennemis de Toto Riina qu'au chef sanglant de la Mafia en Sicile. Di Carlo est un Corléonais, mais il a été expulsé de la Cosa Nostra sicilienne par la Cupola, sous le contrôle de Riina, parce qu'il a, disons, oublié plusieurs fois de payer ce qu'il devait à des boss de la Mafia. Il n'a eu la vie sauve que parce qu'il appartenait au camp des Corléonais, et qu'il leur avait rendu précédemment de grands services. Mais il lui a été ordonné de quitter la Sicile et l'Italie.

Il a choisi de s'installer à Londres où il a acheté un hôtel et lancé plusieurs affaires, un commerce d'antiquaire, un bar à vins et un bureau de change, très utiles pour blanchir soi-même de l'argent. Avec Alfonso et Pasquale Caruana et d'autres complices d'origine sicilienne, Di Carlo participe au trafic de drogue passant par Felixstowe et Southampton, avec pour destination finale les États-Unis via le port de Montréal.

Toto Riina ordonne l'exécution d'Alfonso Caruana

Saura-t-on jamais précisément ce qu'ont fait Alfonso et Pasquale Caruana pour irriter Toto Riina ? On a parlé de mauvais retour sur investissements dans les filières de drogue ou de blanchiment d'argent ; on a parlé également de jalousie. Quoi qu'il en soit, un jour du printemps 1982, Francesco Di Carlo reçoit l'ordre de Riina de liquider Alfonso et son frère Pasquale. Mais il refuse.

— Je ne peux pas faire ça, dit-il, Alfonso Caruana est comme un frère pour moi[73].

Mais désobéir à un ordre de Toto Riina, c'est mettre sa propre vie en danger. Comme il le racontera plus tard, pour échapper à la vengeance du chef de la Cupola, Di Carlo accepte, en échange de la vie sauve pour les frères Caruana, de s'occuper du sort d'un banquier italien dont le nom va soudain devenir mondialement connu un matin de juin 1982.

La banque Ambrosiano – le guichet du Vatican

Il s'agit de Roberto Calvi. À l'époque, Calvi est le directeur de la première banque privée italienne, la banque Ambrosiano. Une banque avec des succursales aux Bahamas et en Amérique latine, au Pérou notamment, ce qui permet de blanchir plus facilement l'argent. Parmi ses clients, la banque Ambrosiano compte alors la Mafia sicilienne, la puissante loge maçonnique néofasciste italienne Propaganda Due, plus connue sous le nom de P2, et la banque du Vatican avec laquelle Calvi, surnommé pour cela « le Banquier de Dieu », travaille en étroite collaboration.

La banque du Vatican est alors dirigée par le cardinal américain monseigneur Casimir Marcinkus. La banque Ambrosiano est une banque importante pour la Mafia sicilienne. Or, début 1982, elle déclare faillite. Il manque dans les caisses près de 1,3 milliard de dollars, dont une bonne partie appartient… enfin, appartenait à la Mafia. Ne demandant pas son reste, Roberto Calvi fuit d'Italie et se réfugie à Londres. Peu d'informations filtreront sur son court séjour dans la capitale britannique.

Ce qui est certain, c'est que, quelques jours plus tard, le matin du 18 juin 1982 vers 7 h 30, un postier découvre, sous le pont de Blackfriars qui enjambe la Tamise, le corps pendu sans vie de Roberto Calvi. Ses jambes trempent dans l'eau du fleuve. Une corde de nylon le suspend par le cou à un échafaudage dressé sur le quai, en dessous du pont. Ses vêtements sont alourdis par des briques et l'on découvre dans ses poches une somme de 15 000 dollars.

Une première enquête conclut au suicide. Mais la famille de Calvi n'accepte pas le verdict. Une deuxième enquête est ouverte. Francesco Di Carlo est alors accusé du meurtre qu'il nie. Il est blanchi ultérieurement par un complément d'enquête. Il a bien été contacté pour supprimer Calvi, racontera-t-il plus tard, mais finalement il a compris que le travail avait été exécuté, assurément par d'autres que lui.

En 2003, six accusés dont des membres de la Camorra napolitaine seront poursuivis pour meurtre prémédité. Monseigneur Marcinkus lui-même sera soupçonné d'avoir été mêlé à l'affaire, ainsi que Licio Gelli, le grand maître de la loge maçonnique P2[74].

Les principales raisons de l'élimination de Calvi ont été divulguées par la justice britannique. C'était avant tout pour le punir de sa mauvaise gestion des immenses sommes d'argent perdues que lui avaient confiées la Cosa Nostra sicilienne, le Vatican et la loge P2. Mais c'était aussi pour l'empêcher de révéler quoi que ce soit sur les filières de blanchiment d'argent de la banque Ambrosiano. Enfin, son assassinat devait avant tout servir d'exemple pour quiconque tenterait de semblables initiatives.

Le cardinal Marcinkus a été poursuivi par le parquet de Milan pour «aide à une faillite frauduleuse», mais il a été protégé par le Vatican et finalement libéré de toute poursuite conformément à l'article 11 des accords du Latran signés entre l'État italien et le Vatican lors de la fondation de ce dernier en février 1929 :

Les organismes centraux de l'Église catholique sont affranchis de toute ingérence de la part de l'État italien.

Rassuré et muni d'un passeport du Vatican, monseigneur Marcinkus est reparti pour les États-Unis en 1989[75].

Les soupçons se sont dirigés un moment vers la loge P2. La mort de Calvi réduisait à néant toute possibilité pour lui d'exercer un chantage sur les membres de la loge et en particulier sur son grand maître, Licio Gelli. S'il n'a pas été poursuivi pour l'assassinat de Calvi, Gelli a tout de même été condamné pour fraude dans la faillite de 1,3 milliard de dollars de la banque Ambrosiano. Ce qui sous-entend que Roberto Calvi, ami personnel de Licio Gelli, en savait beaucoup plus, beaucoup trop à propos de cette faillite. Quoi qu'il en soit, il n'y a plus jamais eu de demande de la part de Toto Riina pour supprimer Alfonso Caruana. Francesco Di Carlo allait pouvoir continuer à trafiquer en Angleterre avec les frères Caruana.

1982 – La fin de la période incognito de la famille

En 1982, aux États-Unis, la DEA et le FBI ont placé sur écoute le mafioso Giuseppe Bono, soupçonné d'être un membre important de la Pizza Connection qui approvisionne la Cosa Nostra américaine en héroïne. La police américaine a fait parvenir la transcription dactylographiée des enregistrements et une copie des bandes à la police italienne.

Un jour, le chef de la section des crimes économiques du service central opérationnel de la police nationale italienne, Alessandro Pansa, écoute, un peu par routine, une bande enregistrée d'une des écoutes téléphoniques de Giuseppe Bono. Il a déjà lu les textes, mais est curieux d'entendre la voix de Bono et de ses correspondants. L'une des conversations en apparence très banale va non seulement appeler son attention, mais le troubler suffisamment pour qu'il mène sa petite enquête.

Giuseppe Bono téléphone des États-Unis à une correspondante en Italie. Le mafioso présente ses profondes condoléances à la veuve d'un inconnu, Liborio Cuntrera. Ce qui frappe Pansa, ce ne sont pas les mots, c'est le ton de Bono. L'homme est en général arrogant et direct, grossier même. Or, là, il parle à la veuve avec une très grande déférence ; visiblement il se force, à la limite de l'obséquiosité. Pansa se demande alors pourquoi ce gars, habituellement assez lourd, change maintenant d'attitude avec cette dame qui, à en juger par le timbre de sa voix, ne paraît pas être une vieille femme. Pourquoi est-il si prévenant ? Pourquoi se force-t-il à être si poli ? Le policier se dit, connaissant Bono, que ça ne peut être que la veuve d'un mafioso important. Pansa vérifie le nom du propriétaire de la ligne téléphonique. Il s'agit d'un certain Pasquale Cuntrera, complètement inconnu au bataillon. Le téléphone est celui d'un appartement se trouvant à Ostie, une station balnéaire à la mode près de Rome.

Si Pansa s'en était tenu au texte de la conversation, il n'aurait certes pas été intrigué par le ton de Bono à l'égard de cette inconnue. Et il n'aurait pas non plus amorcé une enquête sur les occupants de l'appartement d'Ostie, qui vont se révéler être parmi les membres les plus importants de la Mafia. L'enquête que Pansa mène par la suite lui permet d'apprendre le nom de la femme à laquelle Bono téléphonait. C'est la veuve de feu Liborio Cuntrera.

Plus tard, je rencontrerai Pansa à Montréal et à Rome. Nous échangerons nos renseignements sur les Caruana-Cuntrera, au bénéfice finalement de la justice. Mais il faudra encore quelque temps pour que nous découvrions l'ampleur gigantesque de l'empire de la famille de Siculiana. Les écoutes du Reggio Bar, le témoignage de Tommaso Buscetta confirmant ces écoutes mais aussi l'enquête Pèlerin que je dirige joueront un rôle déterminant dans l'arrestation et la condamnation des principaux membres de cette famille inconnue à l'époque, mais pourtant déjà solidement installée dans le monde entier.

Francesco Di Carlo décide de parler

Lors de la saisie des 58 kilos d'héroïne le 21 juin 1985[76], des arrestations ont lieu à Montréal[77] et en Grande-Bretagne. En Angleterre, les deux plus importantes arrestations sont celles de Francesco Siracusa et de Francesco Di Carlo ; chacun sera condamné à 25 ans de prison. Di Carlo est menacé d'extradition en Italie, où la justice le réclame pour trafic de drogue et association de malfaiteurs. Il risque là-bas une lourde peine de prison. Sachant sa liberté compromise, et pour longtemps, il décide de collaborer comme *pentito*, comme repenti, auprès de la police et de la justice italienne.

Ils sont partis à temps... au Canada

Comme par miracle, Alfonso et Pasquale Caruana sont passés une fois de plus à travers les mailles du filet. Ils n'attendent pas que le vent tourne. Ils quittent précipitamment la Grande-Bretagne pour le Venezuela.

En 1986, ne se sentant plus l'objet de menace de la part de la police, ils reviennent s'installer à Montréal où ils vont retrouver la GRC en pleine enquête Pèlerin que je continue à faire progresser.

Bien que les activités de blanchiment d'argent soient tout à fait légales à l'époque et que la loi soit l'alliée des Caruana, je vais, avec l'aide de Revenu Canada, parvenir à délester Alfonso Caruana d'une très importante somme d'argent.

CHAPITRE 7

L'enquête Pèlerin continue

Alfonso Caruana est de retour à Montréal

Comme on l'a vu, après la saisie de 58 kilos d'héroïne par les douanes britanniques et canadiennes, Alfonso Caruana fuit la Grande-Bretagne pour le Venezuela. Au bout de quelque temps, quand il se rend compte que la police britannique ne le recherche pas, ne le soupçonne même pas pour le trafic d'héroïne, il donne des ordres afin que son manoir de Woking soit mis en vente. Quelques mois plus tard, en 1986, il décide de revenir au Canada dont, il ne faut pas l'oublier, il est toujours citoyen et où rien n'indique qu'il puisse être poursuivi pour quoi que ce soit. De retour à Montréal, Alfonso Caruana décide tout de même de faire profil bas. Il sait que ses nombreux et massifs blanchiments d'argent, réalisés avec la complicité de la loi et des banques, l'ont fait remarquer par la GRC et par Revenu Canada, mais il n'a rien fait d'illégal. Il sait qu'il est repéré, sans être recherché, et choisit par précaution de se noyer dans la population d'origine italienne.

Monsieur et madame Alfonso Caruana, gérants d'une pizzeria

J'apprendrai plus tard qu'il a pris en gérance une pizzeria, la Pizza Toscana, rue Jean-Talon, dans le quartier italien de Saint-Léonard. Il y fabrique lui-même les pizzas pendant que son épouse tient la caisse. Mais, le soir, ils rentrent tous les deux dans leur confortable mais, pour éviter d'attirer l'attention, pas trop luxueuse demeure de 200 000 dollars[1] située à Laval, de l'autre côté de la rivière des Prairies.

Mais toujours sous surveillance

Ce qu'Alfonso Caruana ignore, c'est qu'à Revenu Canada et à la GRC, nous continuons de surveiller attentivement les mouvements de ses comptes en banque. Et c'est comme ça qu'un jour, je suis informé qu'il a présenté un chèque pour encaissement, libellé en livres britanniques, d'un montant équivalant à 832 000 dollars canadiens. Il s'agit de l'argent que lui a rapporté la vente de son manoir anglais. Mais, avant de pouvoir être encaissé, un chèque d'un tel montant doit être contrôlé par les services officiels de change, ce qu'on appelle le circuit de compensation. Ça donne largement deux à trois semaines à mes collègues de Revenu Canada et à moi-même pour réagir et préparer les outils nécessaires afin de saisir légalement les 832 000 dollars.

Logiquement, on ne devrait pas pouvoir y toucher, mais parce qu'Alfonso Caruana n'a jamais rien déclaré aux impôts des millions blanchis et qu'il doit beaucoup d'argent à Revenu Canada, il est décidé de saisir cette petite fortune[2]. Une perspective qui n'est pas faite pour me déplaire : c'est toujours ça de pris. Un jour de mai 1986, la GRC et Revenu Canada sont avertis au petit matin par les services officiels de change que le compte en banque d'Alfonso Caruana a été crédité dans la nuit des 832 000 dollars.

Course contre la montre

Seul problème, on doit impérativement arriver avant l'ouverture de la succursale de la banque où doit être viré le montant du chèque. C'est la Caisse populaire Saint-Damase, située au 3800 de la rue Villeray, dans le nord de Montréal. Si Alfonso Caruana se pointe le premier, il peut transférer les 832 000 dollars n'importe où sur la planète, en Suisse, au Venezuela ou ailleurs, et on ne les retrouvera jamais. Il faut absolument que j'arrive avant lui pour bloquer le compte. Je ne suis prévenu qu'un peu après mon arrivée au QG à Westmount, vers 9 h. J'ai intérêt à m'activer parce que la succursale ouvre à 10 h. Et je dois reprendre ma voiture et passer chercher René Gagnière à Revenu Canada pour la légalité de l'opération, puisqu'à l'époque je n'ai pas le droit, en tant que policier, de contrôler les comptes en banque des suspects et encore moins de faire des opérations de saisie.

Revenu Canada a été prévenu ; ce n'est pas un agent mais deux qui m'attendent devant l'immeuble de Revenu Canada sur le trottoir du boulevard Dorchester. Une fois les agents de Revenu Canada dans ma voiture, nous avons moins de 15 minutes pour effectuer le trajet, qui, en temps normal, peut prendre une bonne demi-heure. Alors, je déclenche la sirène, je place le gyrophare sur le toit de la voiture. Je remonte le boulevard Saint-Laurent en slalomant à toute vitesse. Sirène hurlante, je grille au ralenti une bonne vingtaine de feux rouges, puis je redémarre. Je vais récupérer le boulevard Saint-Michel. Il est 9 h 55. J'accélère. À droite enfin, la rue Villeray, encore cinq ou six stops passés au ralenti sirène hurlante, 15... 16... 17... 18ᵉ avenue... le 3800 Villeray, la banque est juste au coin. Je me gare devant. Il est 9 h 58, deux minutes avant l'ouverture de la succursale. Nous bondissons de la voiture et frappons à la porte.

Quelqu'un vient voir, je montre ma plaque de police et fais signe que nous voulons entrer tout de suite. La porte s'ouvre. Le gérant arrive, le visage tendu, intrigué par notre irruption matinale. René Gagnière lui présente la demande de saisie des 832 000 dollars arrivés dans la nuit sur le compte de monsieur Alfonso Caruana. Le gérant de la succursale part à rire.

— Voyons, les gars, quels 832 000 dollars ? Il n'y a que 2000 piastres sur son compte.

Je lui réponds :

— Non ! Ce matin, tu as eu l'autorisation de payer un chèque de 832 000 dollars. On veut l'argent.

Il pique alors une sainte colère.

— Qui vous a donné ce renseignement ? C'est privilégié et personnel. Vous ne pouvez pas faire ça...

— Je suis désolé, mais je n'ai pas le droit de te dire quoi que ce soit en rapport avec cette affaire. Mais si tu tiens absolument à savoir pourquoi, alors tu dois venir avec moi jusqu'au palais de justice et, là, tu réitéreras ta demande au juge chargé de l'affaire et si le juge est d'accord pour que je te fournisse le renseignement, je me ferai un plaisir de te le donner.

D'un coup, le ton change du tout au tout.

— Non, non, ça va, j'en ai pas besoin, j'te crois, j'te crois, je ne veux pas aller en cour. Oui, c'est vrai, il y a bien 832 000 dollars qui viennent d'arriver cette nuit.

Ne faisant ni une ni deux, les agents de Revenu Canada saisissent la somme. Nous en profitons pour vider le compte ; on prend aussi les 2000 dollars qui s'y trouvaient avant le dépôt du chèque. Un peu plus tard, Alfonso Caruana conteste la saisie, prétextant que Revenu Canada l'a imposé à tort pour l'année 1981 :

En 1981, je ne restais pas au Canada, je ne travaillais pas au Canada, donc je n'avais pas à payer d'impôts au Canada. Je faisais des affaires au Venezuela et je payais mes impôts là-bas.

Mais l'enquête détermine qu'en 1981, il habitait bien au Canada, qu'il payait des taxes scolaires et des taxes municipales, que ses enfants allaient à l'école ici. Et puis, il y a eu aussi, deux ans plus tôt, jusqu'à 9 millions de dollars dans un compte à son nom à la succursale de Dollard-des-Ormeaux. Bien curieux de savoir d'où venait cet argent, les gens de Revenu Canada ont demandé de le rencontrer. Finalement, Alfonso Caruana laisse tomber sa poursuite. Il fait savoir qu'il ne veut plus parler avec les gens de Revenu Canada. Il dit simplement :
— Gardez les 832 000.
Après notre descente, la situation au Canada doit lui sembler moins sécuritaire qu'il ne l'espérait ; il liquide tout, vend tout ce qui lui appartient, puis repart pour Caracas.

Alessandro Pansa à Montréal

À la même époque, un coup de chance inouï va m'aider dans mes recherches sur le réseau de drogue et surtout de blanchiment d'argent de la famille Caruana-Cuntrera dont je découvre chaque jour un peu plus la puissance. Quelques mois plus tôt, alors que je commençais mon enquête à Montréal, en Italie, à Palerme, le juge Giovanni Falcone instruisait le maxi-procès de plusieurs centaines de mafiosi. Pour son instruction, il s'est servi entre autres des écoutes téléphoniques captées dans le Reggio Bar de Paolo Violi et dévoilées durant des séances de la CECO[3]. Ce que j'ignorais, c'est que le juge a aussi utilisé certains éléments recueillis à Montréal pendant l'enquête Pèlerin que je dirige et qui lui ont été communiqués. À présent, le juge Falcone se rend à Ottawa pour assister à une conférence internationale sur le crime organisé. Il est accompagné par le policier qui, le premier au monde, a découvert l'importance de la famille Caruana-Cuntrera, le carabinier italien Alessandro Pansa[4].
Alessandro Pansa s'absente de la conférence d'Ottawa et vient à Montréal. Il veut rencontrer des responsables de la GRC parce qu'il a été mis au courant de la saisie des 58 kilos d'héroïne, ainsi que du blanchiment d'argent dans les banques montréalaises. Il demande à

me voir. Je lui parle des transactions bancaires et des flots d'argent blanchi que j'ai trouvés. Alors, il me dit :

— J'en ai bien d'autres pour vous en Italie.

En effet, dès 1982, les autorités suisses et américaines ont commencé à filer et à espionner les Caruana-Cuntrera. Ce sont les Suisses qui ont tiré la sonnette d'alarme quand ils se sont rendu compte que les mafiosi brassaient vraiment beaucoup d'argent américain. Ils ont alors averti Washington, mais également, puisqu'il s'agissait de Siciliens, les Italiens, qui ont enquêté à leur tour et réuni une foule de preuves.

Un petit tour en Italie très payant

Ainsi, mon ami René Gagnière, l'agent de Revenu Canada, et moi, nous nous payons[5] un voyage en Italie. Là-bas, nous trouvons de nouvelles preuves, mais aussi des éléments qui viennent confirmer ce que nous avons commencé à découvrir à Montréal. Par exemple, c'est là que nous nous rendons compte que beaucoup de traites proviennent de la Banque Nationale et que la grande majorité des dépôts se font en Suisse. La GRC dépose alors une requête pour avoir accès aux renseignements bancaires suisses. Notre demande est refusée, parce que les Suisses ne reconnaissent pas les autorités policières. Quand un crime est commis au Canada, les autorités responsables de l'enquête, ce sont les corps policiers. Mais, en Europe, ce sont les juges d'instruction. Il faut donc faire approuver notre demande par un document écrit de Justice Canada. Notre deuxième demande est formulée selon les normes helvétiques et est acceptée.

Les plaisanteries sur les Suisses sont souvent liées à la prétendue lenteur de leurs réactions. René Gagnière et moi y goûtons pour de vrai. Au bout d'un bon mois et demi, nous recevons enfin une réponse positive. Les Suisses vont s'occuper de notre affaire. Ils ajoutent qu'ils ne tarderont pas à nous envoyer tout ce qu'ils auront trouvé sur les transactions bancaires d'Alfonso Caruana. « Ne pas tarder » n'a pas la même valeur pour les Suisses que pour Gagnière et moi. Il nous faut attendre encore sept mois avant de recevoir quelque chose.

Mais l'autre réputation des Suisses n'est pas usurpée. Le travail a été superbement bien fait. Nous récupérons plus d'un mètre linéaire, un mètre et demi de haut de documents bancaires suisses concernant non seulement Alfonso Caruana, mais d'autres membres de la famille :

Pasquale et Paolo Cuntrera, et aussi Giuseppe Cuffaro. Avec René Gagnière et Gaétan Côté, un autre agent de Revenu Canada, nous mettons tout à plat et commençons à faire des liens. L'argent blanchi à Montréal est acheminé en Suisse dans, peut-être, une demi-douzaine de comptes. Au fur et à mesure, nous découvrons tous les complices et tous les fournisseurs à travers les virements et les transferts de fonds. Finalement, ça a vraiment valu le coup d'attendre.

Le travail des Suisses nous aide énormément. Spécialement à Horgen, dans le canton de Zurich, dans les comptes de la succursale d'une banque suisse aux noms des Cuntrera, des Caruana et autre Cuffaro. Tout cela a été déclenché par le voyage en Italie qui a été plus que payant ; il a été essentiel dans une enquête qui durera en tout plus de cinq ans.

L'enquête Pèlerin progresse

Pour compléter mon dossier, je me sers du travail fait par les polices de plusieurs pays. Quand les Britanniques ont saisi les cargaisons de drogue en 1984 puis en 1985, ils se sont rendus en Inde, en Thaïlande et au Cachemire afin d'établir une preuve sans faille pour leurs procès. Ce qui leur a permis de condamner les personnes arrêtées à de très lourdes peines. Mais pas Alfonso Caruana et son frère Pasquale qui ont réussi à leur échapper. Cependant, avec le dossier suisse et ce qu'ils avaient déjà découvert par eux-mêmes, les Italiens ont décidé de poursuivre les Caruana-Cuntrera et consorts. Les carabiniers se sont déplacés en Suisse et au Venezuela. Ils sont également allés en Inde et en Thaïlande chercher des preuves pour leur poursuite. Je peux donc récupérer tous ces travaux d'enquête et les adjoindre à ma preuve. En me servant des enquêtes de mes confrères étrangers, j'arrive à rassembler des témoignages décisifs dans neuf pays et, après de longs mois, à reconstituer enfin un portrait plus global des activités de la famille Caruana-Cuntrera.

La preuve s'accumule

Pour résumer, la preuve récoltée par l'enquête Pèlerin nous révèle qu'au début, jusqu'en 1981, l'opium brut vient de Turquie et est raffiné en Sicile. Ensuite, le produit fini, l'héroïne, est acheminé vers

Montréal via l'Angleterre, plus précisément les ports de Southampton et de Felixstowe. De Montréal, la drogue passe clandestinement sur le marché américain. Une fois la marchandise livrée aux États-Unis, on ne s'occupe plus de la drogue, mais on commence à suivre le mouvement de l'argent. L'argent revient en dollars américains, en petites coupures qui sont déposées dans les banques canadiennes et échangées contre des traites libellées en devises américaines. À partir du Canada et dans un premier temps, on voit d'abord les traites partir pour le Venezuela. Puis pour la Suisse. S'il y a quelques petits problèmes en Suisse, les traites sont envoyées au Luxembourg ou en Allemagne. Puis, quand les problèmes sont réglés, elles reviennent en Suisse. À un moment donné, il y a une rupture brutale dans la production et l'acheminement des traites qui est causée, comme nous l'avons vu plus haut, par la sanglante guerre mafieuse de 1981-1983, où les fournisseurs siciliens de la famille Caruana-Cuntrera sont éliminés et où le circuit turc de l'opium est interrompu.

Cela oblige Giuseppe Cuffaro et Alfonso Caruana à se rendre en Inde, puis au Cachemire et principalement en Thaïlande pour trouver de nouvelles sources de drogue, surtout d'héroïne. Une fois le nouveau circuit établi, il faut mettre en activité des routes maritimes avec des compagnies façades pour expédier et recevoir la marchandise. Les drogues en provenance de Thaïlande voyagent alors de l'Inde jusqu'à l'Angleterre, où l'on se sert des mêmes anciennes filières de transport vers Montréal et les États-Unis, gérées par les mafiosi. Puis une fois les drogues passées et vendues aux États, l'argent revient à Montréal pour être blanchi. Et le manège continue à tourner.

Si on fait la liste des pays qui ont recueilli de la preuve pour mon dossier, en plus du Canada, il y a l'Inde, l'Italie, le Venezuela, les États-Unis, la Grande-Bretagne, l'Allemagne, la Suisse et le Luxembourg. Ce qui fait que quand je finis de rassembler tous les documents de ces 9 pays, je me retrouve avec 300 témoins, qui pourraient d'ailleurs être 500, 600 ou 700 si je ne faisais pas un tri très strict pour sélectionner les 300 témoins incontournables.

Un travail de moine m'attend

Maintenant, il faut que je rassemble les documents écrits et les textes des témoignages, que j'étudie toutes les traites, une à une, recto verso, que je repère les noms, les tampons, les indices me montrant le chemin suivi par chacune. Au début, c'était pour le Venezuela. Après ça, on les a vues aller au Luxembourg et en Allemagne. Mais la majorité des traites ont pris la direction de la Suisse. À partir de tous ces renseignements, je fais une liste des villes, puis des institutions financières dans ces villes où les traites ont été expédiées. L'étape suivante consiste à demander aux différentes banques étrangères de collaborer et ensuite à attendre, parfois pendant des semaines, leur réponse. Ça aussi, c'est un long cheminement, une partie de l'enquête plutôt complexe et délicate. C'est pourquoi l'enquête de la GRC, mon enquête, dure plus de cinq ans.

Pendant ce temps, l'enquête sur les Caruana-Cuntrera continue dans d'autres pays. Grâce à la précision et à l'importance de mon dossier de preuve, ainsi qu'à mon étroite collaboration avec des membres de la DEA, l'agence antidrogue américaine, les Américains comprennent le danger que représente la famille de Siculiana. Et, finalement, ils font pression sur le Venezuela pour que Pasquale Cuntrera et ses frères Gaspare et Paolo soient expulsés vers l'Italie; qui les recherche depuis des années.

Nous verrons dans le prochain chapitre comment les États-Unis, le Venezuela et l'Italie sont arrivés à une première vague d'arrestations qui a sérieusement ébranlé les fondements mêmes de la famille Caruana-Cuntrera.

CHAPITRE 8

La chute des trois frères Cuntrera

Le vent commence à tourner

En 1986, un an après le début de l'enquête Pèlerin, les polices italienne et canadienne sont les seules à vraiment s'intéresser à la famille Caruana-Cuntrera. Moi-même, je commence à peine à comprendre sa structure et sa dimension. Et plus j'avance, plus je me rends compte que le fil sur lequel j'ai eu l'idée de tirer un jour de juin 1985 nous a fait découvrir la plus grande organisation de la Mafia de l'époque en ce qui concerne le trafic de drogue et le blanchiment d'argent. Voilà plus de 30 ans que ce tentacule de « la Pieuvre » grossit et s'allonge. Pour l'instant, seul Gerlando Caruana a été condamné à 20 ans de pénitencier après son arrestation dans l'affaire de la saisie des 58 kilos d'héroïne[1]. Il a été libéré en mars 1993. Alfonso Caruana et Giuseppe Cuffaro sont passés à travers les mailles du filet. Ils ont bien été arrêtés en Suisse, à l'aéroport de Zurich, pour avoir introduit clandestinement une somme en liquide de 600 000 dollars américains[2], mais, comme nous l'avons vu plus haut, après avoir été retenus quelques heures par la police helvétique, ils ont été libérés, paradis fiscal oblige, avec les 600 000 dollars.

En 1986, sous le contrôle du parrain Pasquale Cuntrera, la famille gère sans trop de soucis ses affaires depuis le Venezuela. Jusque-là, les mafiosi de Siculiana étaient de parfaits inconnus pour les polices du monde entier. Mais ils commencent maintenant à être repérés dans plusieurs pays, notamment en Italie et au Canada. En 1986, après le démantèlement de la filière anglaise, Alfonso Caruana vit au Venezuela, à Valencia, à une centaine de kilomètres de Caracas. Pour l'instant, il a échappé à la justice italienne, anglaise et canadienne. Mais rien ne l'arrête. Il continue ses activités de trafic de drogue et de blanchiment d'argent. Il planifie même des opérations qui vont battre tous les records établis jusqu'ici.

Le FBI et la DEA entrent en scène

À la fin des années 1980, c'est au tour des Américains de s'intéresser sérieusement aux Caruana-Cuntrera. Le FBI et la DEA ont été avertis de l'importance des activités criminelles de la famille. Les agences américaines savent que cette dernière a reproduit au Venezuela l'organisation hiérarchique de la Cosa Nostra sicilienne.

Elles savent que la famille est l'un des principaux fournisseurs d'héroïne pour les États-Unis. Elles savent que Cuntrera, Caruana et Rizzuto sont des noms apparaissant dans les dossiers de la Pizza Connection. Elles savent ce qui se passe au Canada depuis la saisie des 58 kilos d'héroïne. Elles sont tenues au courant de l'évolution de l'enquête par la GRC. J'ai moi-même personnellement établi un contact permanent avec des membres de la DEA. Grâce aux différents rapports de l'enquête Pèlerin que nous leur avons fait parvenir régulièrement, ses agents connaissent bien désormais le clan Caruana-Cuntrera-Rizzuto. Ils savent qui sont Alfonso Caruana, Giuseppe Cuffaro et tous leurs complices découverts au Canada.

Le rapport transmis par Alessandro Pansa et les autorités italiennes leur permet d'en apprendre davantage sur la partie de la famille installée en Italie, au Brésil et au Venezuela. En 1988, la DEA sait que le parrain s'appelle Pasquale Cuntrera et demeure à Caracas avec ses frères Gaspare et Paolo. L'Agence antidrogue américaine décide alors de mettre tout en œuvre pour arrêter le chef mafieux et l'emprisonner aux États-Unis.

Le scénario d'un (très) bon polar – un certain Raffaele Bellizi

Digne d'un bon scénario, l'histoire de cette opération va se dérouler sur plus de deux ans. Elle commence, début 1988, par l'arrestation aux États-Unis d'un petit trafiquant de drogue. Afin de bénéficier d'une réduction de peine, ce dernier se met à table et révèle qu'il travaille pour un certain Raffaele Bellizi, un homme d'affaires italo-américain qui réside à Miami mais brasse d'importantes affaires au Venezuela. Le petit dealer assure que Bellizi est un gros trafiquant. Pour l'instant, Bellizi est inconnu à la Drug Enforcement Administration. David Lorino et John Costanzo sont les enquêteurs de la DEA chargés du dossier de Pasquale Cuntrera et de ses frères. En écoutant ce que leur dit le petit trafiquant, ils comprennent que Bellizi est, en fait, un pion majeur pour leur enquête. Lorino racontera :

> Il nous a dit que monsieur Bellizi se vantait d'avoir des contacts avec la famille Caruana-Cuntrera. En particulier avec Pasquale Cuntrera et ses frères[3].

Les deux agents de la DEA poussent leur enquête sur Bellizi et apprennent qu'il possède une compagnie de transport maritime et qu'il aurait activement participé aux différentes filières de drogue et de blanchiment d'argent dirigées par le clan Caruana-Cuntrera. Ils apprennent également qu'il possède une demeure au Venezuela, à San Antonio de Los Altos, à une vingtaine de kilomètres de Caracas. Costanzo et Lorino décident alors d'infiltrer le réseau mafieux en se servant de Bellizi pour atteindre Pasquale Cuntrera.

Wiseguy

L'opération reçoit le nom de *Wiseguy*[4]. Les deux hommes sont d'origine italienne et parfaitement bilingues. Ils vont se faire passer pour des mafiosi de Miami et proposer à Pasquale Cuntrera de participer avec eux à d'importants trafics de drogue. Pour cette mission, Costanzo devient Don Vincenzo, un chef, un *capo* d'une présumée famille de New York. Dans un premier temps, Lorino et Costanzo n'ont aucune difficulté à approcher Raffaele Bellizi. Pour Pasquale Cuntrera, ce n'est pas la même musique. Il faudra à Costanzo et à Lorino de la patience et, surtout, beaucoup de temps avant de rencontrer le parrain de la famille. Et d'abord, selon David Lorino, beaucoup de rencontres avec Bellizi.

> Pendant une période de 18 mois, il a fallu entre 35 ou 40 rencontres sous couverture avec monsieur Bellizi, même plus. Des repas à au moins 100 dollars et des excursions ou des balades autour de Miami dans sa Rolls-Royce, dans le but de gagner suffisamment sa confiance pour que, finalement, il organise une rencontre pour nous[5]

Enfin

Enfin, dans l'après-midi du 26 octobre 1989, les deux agents américains rencontrent pour la première fois Pasquale Cuntrera.

L'événement tant attendu se déroule au domicile de Raffaelle Bellizi à San Antonio de Los Altos. David Lorino racontera :

> Je me souviens que Don Pasquale est arrivé dans une petite voiture. De la taille d'une Coccinelle Volkswagen, si vous voulez. Il n'était pas habillé comme je l'avais prévu. Il était vêtu très simplement. Mais il n'y avait pas non plus de question à se poser quand il a passé la porte, on savait qui il était. Il était enveloppé d'une sorte d'étrange aura. Et c'était très excitant [6].

Pasquale Cuntrera est venu avec l'un de ses hommes de confiance, Ignazio Fiannaca, dont on reparlera plus tard. Bellizi présente Costanzo et Lorino comme des trafiquants de drogue et de produits chimiques nécessaires à la transformation de la coca en cocaïne.

— Ce sont aussi, dit-il, des spécialistes du blanchiment d'argent.

Les Américains et Pasquale Cuntrera se serrent la main et entament une grande discussion. Ils abordent des sujets variés, comme la drogue, bien sûr, mais aussi la politique et l'économie. Visiblement, les deux Américains séduisent le parrain de la famille. La discussion se conclut dans une franche ambiance de confiance. David Lorino décrira la scène :

> Monsieur Bellizi se leva pour porter un toast à la grande rencontre du Nord et du Sud en ajoutant : « Nous allons travailler ensemble, nous allons faire beaucoup l'argent », et tout le reste à l'avenant [7].

Tout le monde sort ravi de la rencontre, prêt à collaborer, avec la certitude d'avoir mené à bien ses affaires, qui n'étaient évidemment pas les mêmes pour Costanzo et Lorino d'un côté et pour Pasquale Cuntrera, Fiannaca et Bellizi de l'autre. En fait, ça a encore mieux marché pour Costanzo et Lorino qu'ils ne pouvaient l'espérer.

Un mariage bienvenu

Quelque temps plus tard, les deux Américains apprennent par Bellizi que Pasquale Cuntrera marie sa fille et qu'ils sont tous les deux invités à la noce. Mais, connaissant Pasquale, sa fortune et sa fierté de marier sa fille, Costanzo et Lorino prévoient que le mariage se déroulera en grande pompe et qu'il y aura des dizaines, voire des centaines d'invités. À la réception, il risque d'y avoir un mafioso ou un bandit qu'ils ont peut-être déjà croisé en tant qu'agents de la DEA. Ne voulant prendre aucun risque, ils prétextent une impossibilité de venir au Venezuela à cette date et déclinent l'invitation. David Lorino dira :

> Bon alors, ce que nous avons fait, c'est qu'au lieu d'y aller, nous avons pris 5000 dollars dans la caisse de la DEA. Nous les avons donnés à Bellizi, et nous l'avons envoyé avec les 5000 dollars comme cadeau pour la mariée. En y repensant maintenant, ce sont les meilleurs 5000 dollars que nous avons dépensés dans toute cette histoire. Nous avons acheté toute une masse de crédibilité en faisant ça[8].

Les Canadiens pas très coopératifs

Lors de la rencontre chez Bellizi, Pasquale Caruana a proposé aux deux agents infiltrés de leur vendre 6 tonnes de hachich. Il a demandé un dépôt de 200 000 dollars. La DEA est d'accord pour en sortir 100 000. Or, le chargement n'est pas destiné aux Américains, mais aux Canadiens. Les Américains se disent que les Canadiens peuvent faire un effort pour coincer le chef de la famille dont, en plus, de nombreux membres sont de nationalité canadienne. Ils demandent donc au gouvernement canadien les 100 000 dollars manquants. Mais les autorités canadiennes refusent et l'affaire en reste là.

Passons aux vraies affaires

Un peu dépités, Costanzo et Lorino présentent alors à Pasquale Cuntrera une transaction inverse. Ils proposent de lui vendre 20 kilos d'héroïne pure à plus de 90 %. Le prix est très avantageux et le chef mafieux accepte. L'affaire doit se régler à New York. Il s'agit maintenant d'y amener Pasquale Cuntrera afin de l'arrêter. Costanzo et Lorino l'invitent dans la Grosse Pomme afin de finaliser la vente des 20 kilos d'héroïne et de lui montrer leur manière de travailler. Mais, après avoir accepté de se déplacer, Pasquale Cuntrera renonce finalement à quitter le Venezuela. Il envoie à sa place à New York son homme de confiance, Ignazio Fiannaca, avec les pleins pouvoirs pour régler l'achat. Costanzo et Lorino connaissent Fiannaca, puisque celui-ci avait participé à la rencontre tenue chez Bellizi à San Antonio de Los Altos. Fiannaca arrive à New York à la mi-avril 1990. Costanzo et Lorino viennent le chercher avec une limousine. Ils l'informent que la transaction de drogue aura lieu dans quelques heures et, en attendant, lui proposent de lui faire visiter Manhattan. Fiannaca veut voir Coney Island où il n'a jamais été. Après la visite, David Lorino commande au chauffeur de les conduire à leurs bureaux. Il racontera plus tard :

> M. Fiannaca a pensé que nous allions lui montrer les bureaux où nous faisions nos affaires à New York. En fait, nous avons amené la voiture dans le sous-sol du bâtiment de la DEA. Nous sommes sortis de la voiture avec lui et c'est alors que nous lui avons dit qu'il était en état d'arrestation. Il a vraiment été surpris[9].

Au même moment, à Miami, Raffaele Belizzi est arrêté dans sa résidence américaine et emprisonné au Metropolitan Correctional Center. Pénible déception pour Lorino et Costanzo, les arrestations menées par la DEA n'ont rien changé aux affaires de la famille. Pasquale Cuntrera vient d'échapper à la justice américaine ; il continue ses activités. Mais les Américains tiennent absolument à l'arrêter, ainsi que ses frères. Leur détermination est telle que les jours de liberté des trois frères sont désormais comptés.

Personnellement, je suis assez content d'avoir participé d'une certaine manière à leur arrestation grâce à l'enquête Pèlerin et au travail accompli avec mon équipe à la GRC. En 1990, on sait que ni le Canada, ni les États-Unis, ni l'Italie n'ont de traité d'extradition avec le Venezuela. Les Cuntrera et les Caruana sont donc intouchables là-bas dans leur forteresse. Pour les extrader, il faut trouver une solution. Ça commence par une information publique plus large par les médias. Il faut faire comprendre non seulement au public, mais aussi et surtout aux responsables politiques l'importance qu'a la famille de Siculiana à l'intérieur de la Mafia et son rôle au Venezuela. Mais en priorité il faut sensibiliser les autorités américaines, à commencer par le président lui-même. George Bush père occupe alors la Maison-Blanche. Pour atteindre leur objectif, les Américains préparent un petit scénario.

ABC News me demande une entrevue

Durant l'été de 1990, les gens du service de l'information de la chaîne de télévision américaine ABC entrent en contact avec moi. Ils veulent réaliser un documentaire d'une dizaine de minutes sur la famille Caruana-Cuntrera. Ils ont été informés par la DEA de l'existence de l'enquête Pèlerin. Ils me disent que, dans quatre mois, au début décembre, le président du Venezuela, Carlos Andrés Pérez, se rendra en visite officielle aux États-Unis. Ils me disent aussi qu'ils savent que le président George Bush[10] a l'habitude de regarder les nouvelles à ABC tous les soirs. Et puis, après les nouvelles, il y a habituellement un petit documentaire d'une dizaine de minutes qu'ABC rattache au bulletin du soir. L'équipe d'ABC vient donc à Montréal. D'après les preuves accumulées dans l'enquête Pèlerin, ils réalisent avec moi une séquence où je raconte ce que je sais des activités des Caruana-Cuntrera au Québec, en Italie et en Suisse. Puis, un soir, quand le président Pérez vient en visite officielle aux États-Unis, ABC diffuse l'extrait dans lequel j'explique que nous avons affaire à la plus active famille de la Mafia sicilienne. Comme on me le racontera plus tard, lors de leur rencontre seul à seul du lendemain, le 8 décembre 1990, le président Bush demande à Pérez s'il a regardé les nouvelles sur ABC et s'il a vu le reportage. Le président vénézuélien a dû être prévenu à l'avance de sa diffusion, car il l'a effectivement vu. Bush lui demande également s'il veut collaborer au règlement de ce dossier criminel. Il est difficile pour Pérez de dire non au président des États-Unis, les plus importants clients du pétrole vénézuélien. Le président du Venezuela est par la suite averti discrètement que si rien n'est fait, les Américains se débrouilleront pour ramener les Caruana-Cuntrera aux États-Unis, par n'importe quel moyen.

David Lorino à Caracas

Quelque temps plus tard, David Lorino part pour Caracas avec un dossier contenant toutes les informations que la DEA et la GRC ont recueillies sur Pasquale Cuntrera, ses frères et Alfonso Caruana. Une partie importante de ces informations vient de la preuve canadienne récupérée dans Pèlerin. Lorino fait une présentation des preuves à Luis Piñerua Ordaz, le ministre de l'Intérieur. Nous sommes début 1991, il va falloir attendre un an et demi, en septembre 1992, pour que les Cuntrera soient enfin extradés du Venezuela, non pas vers les États-Unis, mais vers l'Italie.

Les Italiens ne dorment pas

En effet de leur côté, les Italiens réclament depuis des mois l'extradition des Caruana-Cuntrera du Venezuela. Les attentats meurtriers contre les juges Giovanni Falcone et Paolo Borsellino, en mai et en juillet 1992, ont exaspéré au plus haut point l'Italie. Le gouvernement se doit de réagir. Tous les mafiosi importants sont pourchassés. Le dossier monté par Alessandro Pansa montre que les Caruana-Cuntrera sont impliqués dans de nombreuses affaires de drogue et de blanchiment d'argent en Italie. En plus, les Italiens ont des projets d'investissements importants au Venezuela. Au même moment, les accusations de corruption contre Carlos Andrés Pérez se multiplient. Pour redorer son image, le président vénézuélien se dit prêt à reconsidérer la requête d'extradition des Cuntrera présentée par les Italiens. Rodolfo Schmidt est journaliste, analyste politique et ancien directeur du *Diaro de Caracas. Comme nous l'avons déjà vu*[11], *il a été le premier à dénoncer dans la presse les activités des Caruana-Cuntrera au Venezuela. Il dira plus tard :*

> J'ai l'impression que l'une des conditions suggérées par le gouvernement italien était qu'il serait prudent de mettre un terme à cette déplorable situation des réclamations judiciaires italiennes, et qu'on les extrade. C'était un marché : tu me donnes les mafieux, et je te donne les investissements.

Opération secrète

Malgré tout, Pérez ne bouge pas beaucoup. Les jours, les mois passent. Commençant à être sérieusement excédé par l'attitude du Venezuela et ne voyant rien venir après la mission de David Lorino auprès du ministre de l'Intérieur, la DEA demande à son agent de retourner au Venezuela et de planifier l'enlèvement des frères Cuntrera. Lorino repart pour Caracas. Il va y rencontrer le chef de la division du crime organisé, Guillermo Jiménez, qui est, selon lui, un gentleman. Jiménez deviendra peu après commissaire général, le grand patron de la police vénézuélienne. Nous avons vu au chapitre 6 combien il s'est impliqué dans l'enquête sur les frères Cuntrera. Quelque temps après sa rencontre avec David Lorino, il obtient par hasard un renseignement que ne lui a pas révélé l'agent américain. Il racontera :

J'étais en train d'écouter les nouvelles lorsque j'ai entendu que les États-Unis voulaient enlever les mafiosi italiens et qu'il y aurait une intervention commando.

En tant que chef de la police, Guillermo Jiménez décide alors d'agir le premier. Le 29 septembre 1992, à 5 h 30 du matin, sur son ordre, des policiers vénézuéliens faisant partie d'une unité commando investissent discrètement les résidences Mary et Dalila des frères Cuntrera dans la *calle* Terepaima à Caracas. Guillermo Jiménez dira par la suite :

Nous avons procédé aux arrestations et les avons amenés à la direction de la police.

Pendant plusieurs jours, Jiménez va garder les trois hommes prisonniers dans ses bureaux dans le plus grand secret. Le ministre de l'Intérieur, Luis Piñerua Ordaz, est l'un des quelques rares privilégiés à être au courant de cette détention.

Jiménez vise aussi Alfonso Caruana

Contrairement à la DEA qui se concentre uniquement sur Pasquale Cuntrera et ses deux frères, Guillermo Jiménez surveille de près les activités d'Alfonso Caruana. Il donne à ses hommes l'ordre de l'arrêter chez lui à Valencia, à une bonne centaine de kilomètres de Caracas.

Mes hommes ont été à Valencia à 5 h du matin, ils ont attendu qu'il soit 5 h 30, l'heure prévue pour la perquisition. Mais en pénétrant dans la maison, ils n'ont pas trouvé trace d'Alfonso Caruana. Et pourtant mes hommes avaient surveillé les allées et venues des autos dans les rues du quartier. Seuls un camion et une auto étaient passés. On ne s'est jamais rendu compte de qui était à l'intérieur de cette auto. Selon les informations que j'ai eues plus tard, Alfonso se trouvait bien à bord. Il avait dû sortir discrètement à pied de sa maison et rejoindre la voiture. C'est ainsi qu'il a pris la fuite.

Une fois de plus, Alfonso Caruana échappe à l'arrestation. Pendant plusieurs mois, il se cache au Venezuela avant de repartir discrètement pour le Canada.

Mais impossible d'extrader les Cuntrera

Trois jours après l'arrestation des trois frères Cuntrera, le ministre Ordaz convoque l'ambassadeur des États-Unis à son bureau. David Lorino accompagne ce dernier. Le ministre s'assoit, regarde Lorino et déclare :
— Nous avons trois Cuntrera en prison. J'en ai marre de les avoir au Venezuela.

En droit local et international, la situation est sans issue. Et ce, pour deux raisons. D'abord, droit constitutionnel local, impossibilité d'extrader les trois Cuntrera. Ils sont citoyens vénézuéliens. Et la Constitution du Venezuela ne permet pas d'extrader ses citoyens.

Ensuite, droit international, le Venezuela n'a d'accord d'extradition ni avec les États-Unis ni avec l'Italie. L'ancien directeur du quotidien *Diaro* de Caracas, Rodolfo Schmidt, était bien au courant de cet obstacle :

> Pour pouvoir les expulser, il fallait leur retirer la nationalité véné- zuélienne. Et ainsi, on avait la possibilité de les renvoyer dans leur pays d'origine, l'Italie. À ce moment-là, il n'y aurait plus besoin de traité d'extradition. Ils seraient chassés tout simplement.

Mais, pour retirer sa nationalité à quelqu'un, il faut trouver une faute grave. Un fait important qu'il ou elle aurait sciemment caché.

David Lorino à la rescousse

David Lorino va trouver ce qu'ont caché les frères Cuntrera aux auto- rités vénézuéliennes. Et c'est gros, gros mais banal et évident. Les Cuntrera ont menti lors de leur demande de citoyenneté, en cachant tout simplement leur appartenance à la Mafia. Le ministre Ordaz réagit immédiatement. Il rencontre David Lorino, qui racontera ainsi cet entretien :

> « Si je comprends bien ce que vous dites, ils auraient reçu frauduleusement leur citoyenneté vénézuélienne. » Et [Ordaz] ajouta : « C'est vrai, ils sont ici sous de faux prétextes. » Et il continua : « À 5 h ou 5 h 30, cet après-midi, je vais signer un ordre révoquant leur citoyenneté vénézuélienne. » Avant la fin de la réunion, le ministre ajouta : « Je vais les mettre dans un avion partant pour Rome à 6 h. J'aurais préféré de loin vous les remettre pour être jugés aux États-Unis, mais la loi ne me le permet pas. Si je révoque leur nationalité, je dois les renvoyer dans leur pays d'origine[12]. »

Destination Rome

Une heure après la signature du document par le ministre, sous forte escorte, Pasquale Cuntrera et ses frères sont conduits à l'avion à destination de Rome, un DC10 de la compagnie vénézuélienne VIASA. David Lorino et Guillermo Jiménez les escortent. Une fois assis dans l'avion, Pasquale Cuntrera s'adresse à Guillermo Jiménez :

— Vous allez être les seuls policiers à nous ramener en Europe. Car ni les USA, ni l'Italie, ni le Canada n'ont pu le faire et je vous félicite de ne pas vous être laissé corrompre.

Jiménez précisera :

> Ce furent les seuls mots prononcés par Pasquale[13].

Avec David Lorino, la réaction du mafioso n'est pas tout à fait la même. C'est la première fois que Pasquale Cuntrera le revoit depuis la rencontre de San Antonio de Los Altos, chez Bellizi. Lorino dira :

> Je me rappelle, moi le regardant et lui me regardant, et je ne sais pas mais j'imagine que si ses yeux avaient lancé des flèches, elles m'auraient définitivement transpercé[14].

Le lendemain matin, le DC10 se pose à l'aéroport Léonard-de-Vinci à Rome. Une armée de policiers italiens accueille Pasquale Cuntrera et ses frères. Une caméra capte les images de Pasquale Cuntrera descendant péniblement la passerelle de l'avion. Il a de grandes difficultés à marcher. Il est aidé par deux policiers. Arrivé sur le tarmac, il s'assoit dans un fauteuil roulant qu'il ne quittera plus désormais lors de ses déplacements, même en prison. Après les formalités d'usage et les premiers interrogatoires, les trois mafiosi iront attendre leur procès à la prison de Palerme. Compte tenu de l'importance du dossier d'instruction, le procès ne se tiendra à Palerme qu'en 1996, près de quatre ans après leur arrestation. J'y participerai en tant que témoin responsable de l'enquête Pèlerin. Je serai accompagné par mon collègue le sergent d'état-major Lucien Guy, témoin de la saisie des 58 kilos d'héroïne de juin 1985. Saisie qui a amorcé la prise de conscience de la GRC, puis des polices du monde entier de la puissance de la famille Caruana-Cuntrera.

Le procès Beddia+12

Il faut noter que les noms des trois Cuntrera n'apparaissent pas dans l'intitulé du dossier de leur procès. Comme il s'agit d'un procès collectif avec 13 accusés, le dossier porte le titre « Beddia+12 ». Dans un procès collectif, il est de coutume en Italie de donner au dossier le nom du premier accusé par ordre alphabétique. Le premier nom est Beddia, Lucio Beddia. Ce Beddia-là est loin d'être un inconnu pour moi, mais particulièrement pour Lucien Guy. Il est en effet l'un des trois hommes arrêtés lors de la grosse saisie d'héroïne à Montréal en 1985. Beddia n'a pas été poursuivi à l'époque; il a été relâché. En ce qui nous concerne, pour Lucien surtout, la boucle est ainsi symboliquement bouclée.

Parmi les autres accusés...

... se trouvent Giuseppe Caruana, l'homme du Brésil, l'oncle et le beau-père d'Alfonso Caruana, et Alfonso Caruana lui-même. Les deux hommes n'ont pas été arrêtés; ils seront donc jugés in absentia. À l'issue du procès sont condamnés pour association mafieuse et trafic de drogue Pasquale Cuntrera à 20 ans et 10 mois de prison et Gaspare et Paolo Cuntrera à 13 ans chacun. Absent, Alfonso Caruana est condamné à la même peine que son oncle Pasquale Cuntrera, 20 ans et 10 mois, et Giuseppe Caruana est condamné à 5 ans.

Erreur de communication

Les trois Cuntrera font immédiatement appel du jugement. Près de deux ans plus tard, au printemps de 1998, toujours en prison, ils attendent leur procès en appel, prévu pour la mi-mai. Mais, début mai, une incroyable erreur de communication entre les services judiciaires et pénitentiaires va permettre à Pasquale Cuntrera de sortir très officiellement de la prison de Parmes où il est incarcéré. Selon la réglementation pénale particulière à l'Italie, on ne peut garder en prison au-delà d'un certain temps un inculpé qui n'a pas encore été jugé par la troisième et dernière instance : la cour de cassation. Ce qui est le cas pour les trois frères Cuntrera. Il faut donc les relâcher.

Mais il y a une possibilité de contourner cette disposition de la loi. Voici les faits selon l'enquête du *Giornale di Sicilia* qui a été le premier à donner la nouvelle. Le 25 février 1998, sur ordre de la cour de cassation, Gaspare et Paolo Cuntrera sont libérés, mais ils sont immédiatement arrêtés de nouveau sous de nouvelles accusations. Le 6 mai, pour les mêmes raisons que ses deux frères, la cour de cassation ordonne la libération de Pasquale Cuntrera de la prison de Parme où il est détenu. Mauvais concours de circonstances, la libération a lieu un vendredi, le vendredi 8 mai. Troublée par la directive de la cour de cassation de libérer un prisonnier aussi important, la direction de la prison de Parme tient absolument à entrer en contact avec le juge chargé du dossier Beddia+12 pour l'avertir qu'elle s'apprête à relâcher Pasquale Cuntrera. Si, comme ses frères, Pasquale Cuntrera doit être réincarcéré immédiatement, il est peut-être préférable qu'il reste dans sa cellule. Mais le parrain de la famille est en prison à Parme, dans la région d'Émilie-Romagne, dans le nord de l'Italie, alors que le juge se trouve à Palerme, en Sicile, à 785 kilomètres de là, avec un bras de mer à franchir. Une télécopie est expédiée au bureau de la magistrature de Palerme à 1 h de l'après-midi. Mais on est un vendredi et le temps que l'on trouve son bureau, le juge l'a déjà quitté. Et il n'est pas seulement parti pour la fin de semaine ; il est parti pour quelques jours. Il ne doit rentrer que le mercredi suivant.

L'employé chargé de lui remettre la télécopie la dépose tout de même sur son bureau. Le juge n'en prendra connaissance que lorsqu'il reviendra, cinq jours plus tard. Pendant ce temps, assis dans son fauteuil roulant, Pasquale Cuntrera est sorti sans encombre de la prison. Il a été chaleureusement accueilli par son épouse Giuseppa Vella

Cuntrera et des amis, dont Vito Triassi, l'un des principaux complices des Caruana-Cuntrera en Italie.

Triassi avait été prévenu la veille par téléphone par Alfonso Caruana.

Il lui avait dit de se rendre à la prison où Pasquale Cuntrera était détenu. Caruana avait dit à Triassi que le vieil homme «allait sortir»[15].

De Parme, Pasquale Cuntrera est amené directement dans un des appartements que la famille possède à Ostie. Le lendemain, Alfonso Caruana téléphone; il vient aux nouvelles et parle avec Pasquale Cuntrera. Les deux hommes sont joyeux et plaisantent:

— Comment te sens-tu?

— J'ai mal aux jambes.

— Arrangeons-nous pour qu'ils ne nous attrapent plus, merde[16]!

Il faut fuir très loin...

Même s'il ignore qu'il possède cinq jours d'avance sur le juge italien qui, en rentrant de congé, ordonnera sa réincarcération, Pasquale Cuntrera se rend bien compte qu'il a bénéficié d'une chance inouïe, une chance que n'ont pas eue ses deux frères. Par prudence, il lui faut quitter rapidement l'Italie pour des lieux plus sûrs. Dans les jours qui suivent, une voiture conduite par Vito Triassi et son frère Vincenzo emmène vers l'Espagne Pasquale Cuntrera et son épouse Giuseppa, destination la petite ville de Fuengirola, sur la Costa del Sol, où ils sont attendus.

Pasquale devra y rester le temps qu'Alfonso Caruana lui trouve un point de chute dans un pays ne possédant pas de traité d'extradition avec l'Italie. Si possible un pays des Amériques. Le 20 mai 1998, Vito Triassi téléphone à Alfonso Caruana. Il l'informe qu'il s'occupe de faire passer Pasquale de l'autre côté de l'Atlantique et qu'il l'accompagnera pour plus de sécurité. Au cours de la conversation, ils parlent aussi de la mort de Frank Sinatra survenue quelques jours plus tôt, le 14 mai.

Au début, il a été envisagé de renvoyer Pasquale Cuntrera au Venezuela, mais des informations venues de ce pays indiquent que les Italiens ont prévenu les autorités vénézuéliennes et qu'un comité d'accueil l'attend. Cependant, depuis qu'il est arrivé à Fuengirola, Pasquale

se sent enfin libre. Il abandonne son fauteuil roulant. Il marche diffi-
cilement, mais se déplace désormais avec une canne. Il sort souvent se
promener, accompagné de Giuseppa.

Mais la GRC veille

C'est dans la rue que Pasquale Cuntrera sera repéré et de nouveau arrêté. Cependant, s'il a été repéré, c'est grâce à la Gendarmerie royale
du Canada. Ce qu'ignorent tous les membres de la famille, les
Cuntrera comme les Caruana, c'est qu'une équipe spéciale de la GRC
est depuis quelques mois sur les traces d'Alfonso Caruana. Elle l'a
cerné et n'attend qu'un faux pas de sa part pour l'arrêter en flagrant
délit. Le nom de code de l'opération est Omertà. Devant l'importance
de la mission, l'unité spéciale a été regroupée, loin des regards indiscrets, à Newmarket, à quelque 50 kilomètres de Toronto. Après des
mois de filatures et d'écoutes électroniques, l'enquête de la GRC a
permis de retrouver Alfonso Caruana. Il est maintenant surveillé nuit
et jour dans son domicile de Woodbridge, dans la banlieue de
Toronto, et lors de ses déplacements dans la région dont il ne s'éloigne
jamais. Non seulement son téléphone et ceux de tous les membres de
sa famille, de ses complices et de ses relations sont sur écoute, mais,
en plus, les policiers peuvent écouter tous les téléphones publics utilisés par Alfonso Caruana. Nous verrons comment tout cela a été mis
en place dans le prochain chapitre.

Le hasard fait bien les choses

Ce n'est qu'au bout de quelques jours après la disparition de Pasquale
Cuntrera que la police italienne entre en contact avec la GRC. Après
avoir annoncé qu'ils recherchent Pasquale Cuntrera, les Italiens voudraient savoir si celui-ci, citoyen du Canada depuis 1957, possède un
passeport en règle de ce pays. L'équipe d'Omertà répond qu'elle sait
très bien qui est Pasquale Cuntrera et promet une collaboration assi-
due. Ses agents vont prêter, si l'on peut dire, une oreille attentive aux
bandes enregistrées des conversations d'Alfonso Caruana et de ses
proches et complices. C'est ainsi que l'équipe de Newmarket retrouve
les différentes conversations tenues entre Alfonso Caruana et Pasquale
Cuntrera d'une part et Alfonso Caruana et Vito Triassi d'autre part.

C'est finalement une conversation de Pasquale Cuntrera avec l'un de ses fils qui permet aux membres de l'équipe d'Omertà de repérer à quel endroit exactement se trouve le parrain de la famille. Il est en Espagne, à Fuengirola. Ils ajoutent même une précision qu'ignorent naturellement les policiers italiens : Pasquale Cuntrera a été amené en Espagne par la route dans une voiture conduite par les frères Triassi. La police italienne, peut-être un peu blessée dans son amour-propre, envoie à Toronto l'un de ses membres en poste à Miami pour vérifier les dires des policiers canadiens. Après avoir écouté quelques bribes d'une des bandes, le policier italien se lève et téléphone immédiatement à Rome pour confirmer la nouvelle.

Une aiguille dans une botte de foin

Petit problème tout de même : si l'on sait dans quelle ville habite Pasquale Cuntrera, on ignore exactement où. Avec les renseignements donnés par la GRC, les policiers espagnols, aidés par des membres de la brigade antimafia de la police d'État italienne, commencent à quadriller la ville de Fuengirola. Ils savent que Pasquale Cuntrera marche et ne sort plus en fauteuil roulant. Au bout de quelques jours et de quelques écoutes téléphoniques, les policiers apprennent que le parrain vit avec son épouse dans un immeuble de prestige, le Residencial Las Camelias. Mais allez savoir dans quel appartement, il y en a plus de 800. Impossible de fouiller chaque appartement, l'opération avertirait sans plus tarder Pasquale Cuntrera et ses complices. C'est à la fois la chance et une imprudence commise par Pasquale Cuntrera lui-même qui vont permettre son arrestation. « Le voilà ! », le 24 mai 1998, un des policiers de l'équipe de recherche vient d'apercevoir Pasquale Cuntrera…

> [...] s'appuyant sur une canne et qui marche bras dessus bras dessous avec sa femme le long d'un boulevard jalonné de palmiers. [...] Pasquale Cuntrera porte une chemise blanche, des pantalons foncés, un cardigan de laine et des souliers dans lesquels il va pieds nus. [...] Comme il convenait à son statut qui le plaçait parmi les grands de la Mafia sicilienne, il n'est pas armé. Poli, presque amusé, il se laisse arrêter sans faire d'histoire[17].

Il accepte même d'être immédiatement extradé en Italie sous la seule réserve que les policiers laissent partir son épouse Giuseppa sans aucune poursuite. Souhait rapidement exaucé par les autorités italiennes. Le lendemain, le 25 mai, Pasquale Cuntrera comparaît devant un juge espagnol. Il confirme l'acceptation sans réserve de son extradition.

Retour en Italie

Très vite, un avion de l'armée espagnole le reconduit sous bonne garde en Italie, au grand soulagement de quelques ministres, dont le premier, et de plusieurs membres de la justice et de l'administration pénitentiaire. Quelque temps après l'arrestation du parrain de la famille, les policiers de Newmarket enregistrent une conversation entre Alfonso Caruana et Oreste Pagano, un membre important de la Camorra napolitaine, associé dans le trafic de drogue et le blanchiment d'argent avec les Caruana-Cuntrera. Les deux hommes reportent la responsabilité de sa capture sur Pasquale Cuntrera lui-même, lui reprochant de ne pas être resté caché à l'intérieur de l'appartement et d'avoir absolument voulu se promener. C'est ironique, parce que si Pasquale Cuntrera s'est fait prendre, c'est avant tout à cause de l'enquête menée par l'équipe de Newmarket sur Alfonso Caruana. Sans les écoutes électroniques de l'enquête Omertà, Pasquale Cuntrera n'aurait peut-être jamais été retrouvé ou du moins pas aussi rapidement. Quelque temps plus tard, la cour de cassation condamne de nouveau les trois frères Cuntrera. Si elle confirme les 13 ans pour Paolo et Gaspare Cuntrera, elle condamne Pasquale Cuntrera à un an de plus qu'à l'issue du premier procès, soit 21 ans. Comme son oncle Pasquale, Alfonso Caruana est condamné à 21 ans et 10 mois de prison, mais toujours *in absentia*. Cependant, en 1998, l'étau de la police commence très sérieusement à se resserrer sur le nouveau parrain de la famille.

Alfonso Caruana n'a jamais été incarcéré. En 1998, les choses vont changer.

CHAPITRE 9

La chute d'Alfonso Caruana

Un cheminement irréversible

Lorsque, en septembre 1992, les frères Cuntrera sont extradés du Venezuela, la chute de la famille a déjà commencé depuis sept ans. En juin 1985, Gerlando, le frère aîné d'Alfonso Caruana, est arrêté à Montréal à la suite de la saisie des 58 kilos d'héroïne. Le 9 septembre 1988, son jeune frère, Pasquale Caruana, et leur oncle, Giuseppe Cuffaro, sont appréhendés à Weil-am-Rhein, à la frontière entre l'Allemagne et la Suisse. Ils sont remis au BKA, le Bundeskriminalamt, l'Office fédéral de la police criminelle allemande. Tous les deux sont alors sous mandat d'arrestation international délivré par les Italiens. Je suis d'autant plus satisfait que ce sont des éléments du rapport Pèlerin qui ont amené cette poursuite.

J'ai donné moi-même à un agent du BKA, venu spécialement à Montréal, les documents de l'enquête de la GRC nécessaires pour convaincre les autorités du bien-fondé de la requête italienne d'extradition. Mais la police allemande relâche Giuseppe Cuffaro par erreur. Deux mois plus tard, le 9 novembre, les agents du BKA réussissent à l'arrêter de nouveau. Cuffaro, pourtant si prudent d'habitude, n'avait pas quitté l'Allemagne. Finalement, les deux hommes seront extradés vers l'Italie.

Dans l'année qui suit, en 1989, Pasquale Caruana et Giuseppe Cuffaro reçoivent une sentence de 10 ans de prison. Ils seront libérés en 1998. Quelques semaines à peine après sa libération des geôles italiennes, Pasquale Caruana sera encore arrêté. Cette fois-ci au Canada dans le cadre de l'opération Omertà dont je vous parlerai plus loin.

Le juge Gioacchino Natoli à Montréal

En décembre 1990, en Italie, un procès important impliquant une quarantaine de mafieux est sur le point de s'ouvrir. Plusieurs membres de la famille Caruana-Cuntrera figurent sur la liste des accusés, mais Alfonso Caruana n'est pas mentionné. C'est à ce moment que les magistrats du tribunal de Palerme décident d'envoyer un juge à Montréal pour interroger des témoins reliés au rapport Pèlerin sur les activités financières des Caruana-Cuntrera. Comme nous l'avons vu précédemment[1], le juge enquêteur Gioacchino Natoli préside cette commission rogatoire. Il dira plus tard :

> Une des commissions rogatoires tenues à Montréal nous a permis d'entendre les employés de banque, les directeurs d'agences bancaires de certaines institutions bancaires importantes du Québec qui avaient vu, matériellement, quelques-uns des frères Caruana – en particulier Gerlando Caruana – et certains de leurs associés, de leurs acolytes, amener dans ces agences des valises pleines de dollars américains, des dollars en petites coupures[2].

Les renseignements recueillis par le juge Natoli ne sont pas suffisants pour faire arrêter, juger et condamner les membres de la famille. Par contre, les audiences de la commission permettent à la justice italienne d'en apprendre davantage sur la nature et sur l'importance des activités d'Alfonso Caruana. En réunissant les preuves obtenues de partout à travers le monde, les magistrats italiens vont étoffer leur dossier et pouvoir porter un grand coup contre Alfonso Caruana. Mais, pour l'instant, celui-ci a filé entre les gouttes et poursuit normalement ses activités au Venezuela. Il s'affaire à monter la plus importante filière de cocaïne jamais mise en place par une organisation criminelle.

L'union fait la force – Mafia + 'Ndrangheta + Camorra = Records Guinness

Pour ce faire, Alfonso Caruana convainc les chefs de la 'Ndrangheta et de la Camorra, les deux plus importants groupes du crime organisé italien avec la Mafia sicilienne, de traiter directement avec des trafiquants colombiens, une grande première dans ce domaine. Antonio Nicaso expliquera dans la série documentaire *La Famille* :

Alfonso Caruana, Oreste Pagano, l'un des chefs de la Camorra napolitaine, et Anthony Scambia, l'un des chefs de la 'Ndrangheta calabraise, se retrouvèrent dans l'île Margarita. Pour la première fois, trois représentants des trois plus importants groupes du crime organisé italien décidaient de travailler ensemble pour importer de la cocaïne du Brésil vers l'Italie. [...] Grâce à cet accord, ils furent capables d'exporter vers l'Italie plus de 10 tonnes de cocaïne dans une courte période de temps, de 1991 à 1994[3].

À partir de 1991, Alfonso Caruana organise une série d'exportations massives de cocaïne vers l'Italie. Les quantités de drogue transportées sont énormes. Certaines dépasseront les 5 tonnes. Le manège durera trois ans.

Par-delà les crimes, la faute de Salvatore Toto Riina

Mais, dès la mi-1992, l'ardeur des juges italiens va se décupler après l'assassinat des juges Falcone et Borsellino. Antonio Nicaso expliquera :

Ça a sans doute été la plus grosse faute des Corléonais et de Toto Riina parce qu'après les meurtres de Falcone et de Borsellino, l'Italie mit en œuvre des mesures de répression et commença à combattre la mafia d'une manière tout à fait efficace. La police arrêta de nombreux truands et des fugitifs en cavale. Elle combattit alors la mafia avec passion, courage et avec la manière forte[4].

En septembre 1992, les juges italiens obtiennent enfin l'extradition des trois frères Cuntrera du Venezuela. Alfonso Caruana devient alors le parrain de la famille. Comme il a échappé de peu à l'arrestation au Venezuela, il décide de revenir vivre au Canada, dont il est toujours citoyen.

Alfonso Caruana se sent à l'aise au Canada

Avec le temps, le journaliste d'enquête Lee Lamothe, coauteur avec Antonio Nicaso des *Liens du sang*, en est venu à bien connaître les

activités criminelles de la famille Caruana-Cuntrera et particulièrement celles d'Alfonso Caruana. Il déclare :

> Alfonso Caruana a toujours dit : «Je me sens en sécurité au
> Canada. Je veux retourner au Canada.» Quand l'organisation a
> été démantelée en Angleterre, il est revenu à Montréal, puis il est
> reparti au Venezuela. Quand ils ont investi sa maison au Venezuela,
> il est revenu au Canada, à Montréal, puis à Toronto[5].

Antonio Nicaso confirme ce que malheureusement je pense alors
depuis un certain temps :

> Ça indique bien qu'au Canada, les risques d'emprisonnement
> et de poursuite sont bien moins élevés que dans aucun autre
> pays du monde[6].

Des records Guinness pour Alfonso Caruana

Une fois installé de nouveau au Canada, Alfonso Caruana continue
son trafic de cocaïne vers l'Europe via l'Italie. Désormais, les livraisons
vont se calculer à la tonne. Le procédé est toujours le même. Alfonso
Caruana continue d'exploiter la filière de cocaïne d'Amérique du Sud
vers l'Italie, active depuis des années. La drogue destinée à l'Italie est
chargée dans un bateau en partance du Brésil, du Venezuela, du
Panama ou de la Colombie. La filière montée par Alfonso Caruana est
sans doute à l'époque la plus importante du monde. En 3 ans, il en-
verra 11 tonnes de cocaïne pour une valeur marchande de plus de
1,540 milliard de dollars américains de 2014. Le 5 mars 1994, les
policiers italiens saisissent sur le *Carthagena des Indias* 5,5 tonnes de
cocaïne. C'était la huitième cargaison organisée par Alfonso Caruana.
L'enquête qui suit est nommée «l'opération Carthagène». Le colonel
Benedetto Lauretti, ancien chef des carabiniers, racontera :

> À partir de là, on a pu identifier Alfonso Caruana en particulier
> comme l'un des protagonistes de ce trafic [...] et on a commencé
> une vaste enquête au niveau international pour tenter de
> l'arrêter[7].

Rien ne l'arrête... si l'on peut dire

Alfonso Caruana est poursuivi et doit subir un procès, une nouvelle fois *in absentia*. Coup dur pour la police et la justice italiennes, durant le procès ; un témoin capital refuse de se présenter à la barre. Devant l'absence de preuves, les policiers doivent retirer les accusations contre Alfonso Caruana qui, une fois de plus, échappe à la condamnation. C'est seulement en 1996, à l'issue du procès Beddia+12[8], qu'Alfonso Caruana sera enfin condamné pour la première fois avec ses trois oncles, Pasquale, Gaspare et Paolo Cuntrera. Il sera condamné, mais de nouveau *in absentia*, à 21 ans et 10 mois de prison pour association mafieuse et trafic international de drogue.

Ce n'est certes pas cette condamnation en son absence qui va empêcher Alfonso Caruana de continuer ses trafics. Il monte d'autres filières de drogue, d'autres circuits de blanchiment d'argent. Au Canada, la majorité des membres de sa famille habite Montréal, mais en 1993, après son départ définitif du Venezuela, Alfonso Caruana a décidé, pour sa sécurité, de s'installer à Woodbridge, dans la banlieue de Toronto. À sa demande et depuis quelques années, des membres de sa famille proche ont acheté des maisons et des commerces dans cette ville.

Le Combined Forces Special Enforcement Unit contre Alfonso Caruana

En Ontario, les unités policières assignées à la lutte contre le crime organisé sont en pleine restructuration. Elles fusionnent en une seule force qui devient le Combined Forces Special Enforcement Unit, le CFSEU[9], une unité spéciale chargée de la lutte contre le crime organisé. Cette unité s'installe à Newmarket, à une soixantaine de kilomètres de Toronto. Elle investit un petit immeuble neuf de trois étages aux murs extérieurs d'un blanc cassé. On dirait un immeuble à logements. Rien a priori n'indique l'importance de ce qui se passe à l'intérieur. Seul un grand mât planté devant l'entrée principale, laissant flotter au vent un drapeau unifolié, indique que l'immeuble appartient au gouvernement fédéral canadien.

Le superintendant Ben Soave et son équipe

En 1996, le superintendant Ben Soave est l'officier responsable de cette unité spéciale. Il la décrit ainsi :

> Elle est composée de la Police montée du Canada, la GRC, de la police de la province de l'Ontario, de la force de police régionale de York, du service de police de Toronto, du service de la police régionale de Peel, d'Immigration Canada, et du département de la Justice du Canada. C'est un partenariat, pour enquêter, démanteler et poursuivre les organisations criminelles[10].

Durant l'été de 1996, la police italienne demande l'assistance de l'unité de Newmarket pour retrouver Alfonso Caruana, qu'elle soupçonne d'être au Canada. Mais comment retrouver quelqu'un que l'on n'a jamais vu et dont on ne possède pas de photo ? Lee Lamothe dira :

> Gardons en mémoire qu'il était appelé « le Fantôme » en Italie parce que personne ne l'avait jamais vu[11].

C'est ainsi qu'a commencé l'opération Omertà.

Tony Saldutto et Bill Sciammarella

Tony Saldutto et Bill Sciammarella, deux enquêteurs du CFSEU, sont affectés à l'enquête. S'ils ne connaissent pas le visage d'Alfonso Caruana, ils en ont entendu parler comme d'une figure marquante du trafic de drogue international et du blanchiment d'argent. Anthony Saldutto racontera par la suite :

> Nous étions avertis qu'il y avait un mandat d'Interpol au nom d'Alfonso Caruana. Ce mandat était valide, et les autorités italiennes avaient fait des requêtes à Montréal et Toronto pour tenter de s'assurer si cette personne vivait bien à Montréal ou Toronto, ou si elle était même au Canada[12].

Photos de mariage

Les deux policiers se souviennent alors d'une opération de surveillance dont ils ont été chargés un an auparavant, en avril 1995. Ils devaient prendre des photos lors du mariage d'un jeune couple dont la famille était associée à la Mafia sicilienne. Le père de la mariée s'appelait Alfonso Caruana, mais est-ce le bon Alfonso Caruana? «Était-il possible que ce soit la même personne[13]?» dira plus tard Tony Saldutto lorsqu'il racontera cet événement. Pour l'arrêter, il faut en être absolument certain. Sinon le vrai Alfonso Caruana sera alerté et pourra une nouvelle fois disparaître. Il faut vérifier les photos prises le jour du mariage. La réception avait eu lieu dans un grand hôtel de Toronto, le Sutton Place Hotel. Pour surveiller les entrées et les sorties, Saldutto et Sciammarella s'étaient installés dans l'immeuble juste en face de l'hôtel. Ils ont pris des clichés de tous les invités. On peut dire que c'est à ce moment précis qu'a réellement commencé l'enquête pour retrouver le parrain présumé de la famille. Bill Sciammarella expliquera:

> Et ce que nous avons fait a été de revoir les photos que nous avions prises au mariage de sa fille, et l'une des photos est ressortie du lot[14].

En regardant l'Alfonso Caruana, père de la mariée, que l'on voit sur la photo, Sciammarella et Saldutto se posent des questions. Compte tenu de son âge présumé, l'Alfonso Caruana qu'ils cherchent devrait avoir les cheveux blancs, alors que ceux de l'homme de la photo sont noirs de jais. Les policiers apprendront plus tard que, pour le mariage de sa fille, Alfonso Caruana s'était fait teindre les cheveux en noir. Une autre photo montre Alfonso Caruana sortant d'une Mercedes, dont on peut lire très nettement la plaque d'immatriculation. Tony Saldutto racontera:

> Nous avons commencé à faire des recherches et nous avons trouvé que cette voiture était immatriculée à une adresse à Woodbridge[15].

L'étau se resserre

À Woodbridge, exactement sur Goldpark Court. Après une rapide enquête, les policiers découvrent qu'un Alfonso Caruana habite bien à cette adresse. Dès cet instant, ils vont suivre cet Alfonso Caruana à la trace. L'enquête se traduira par des centaines d'heures d'écoutes électroniques, des milliers de pages de transcriptions, des centaines de documents administratifs et légaux à rédiger, et des milliers de kilomètres parcourus en filature. Mais, d'abord, les agents du CFSEU doivent s'assurer que l'individu est le bon Alfonso Caruana, celui qu'ils recherchent. Pour s'assurer de l'identité du suspect, les policiers arrêtent la voiture d'Alfonso Caruana sous un banal prétexte lié à la circulation. La scène est filmée discrètement. Un agent fait signe à la voiture de se garer et, fait rarissime, laisse Alfonso Caruana en descendre. On le voit attendre patiemment à côté de son véhicule. Lorsqu'un policier lui demande ses papiers, l'homme lui présente un permis de conduire au nom d'Alfonso Caruana. Mais, encore là, ce n'est pas une preuve suffisante ; il reste un doute. Tony Saldutto dira :

> Notre plus grande peur était que nous n'étions toujours pas certains à cent pour cent que c'était bien la bonne personne[16].

Empreintes digitales et téléphones publics

La preuve d'identité que doivent absolument obtenir les policiers, ce sont les empreintes digitales de l'individu suspecté d'être l'Alfonso Caruana recherché. La police italienne possède un jeu d'empreintes digitales d'Alfonso Caruana que lui a communiqué à sa demande le service des passeports vénézuélien. Les Italiens les ont fait suivre au Canada. Les policiers commencent à prendre Alfonso Caruana en filature à la journée longue dans l'attente de la bonne occasion. Mais l'homme est si prudent qu'il est impossible de récupérer ses empreintes. En le suivant constamment, les policiers s'aperçoivent qu'Alfonso Caurana va de téléphone public en téléphone public pour téléphoner. Se doutant que le téléphone de sa résidence est sur écoute, il ne travaille qu'à partir de téléphones publics. Lee Lamothe précisera :

> En fait, quand il téléphonait depuis sa résidence ou depuis son lieu de travail, il en disait le moins possible. Mais quand il utilisait un téléphone payant, il parlait librement parce qu'il ne pouvait pas imaginer que la police était capable de l'écouter[17].

Mais Caruana est très prudent : jamais deux conversations de suite avec le même téléphone.

De téléphone payant en téléphone payant

Le sergent Larry Tronstad est le supérieur de Bill Sciammarella et de Tony Saldutto. Il dira :

> Et c'est devenu un cauchemar logistique. Il y avait des téléphones payants à tous les coins de rue, dans les lieux de travail, dans les restaurants[18].

Lee Lamothe ajoutera :

> Il utilisait les téléphones payants mais, je ne sais pas, en fait personne ne sait combien il en utilisait, sans doute, plusieurs douzaines[19].

Et les distances ne rebutent pas le mafioso : il peut traverser toute la ville pour utiliser un téléphone.

Après de nombreuses filatures, les policiers repèrent un certain nombre de téléphones publics dont se sert régulièrement Alfonso Caruana. Il suffirait de placer ces appareils sur écoute permanente et d'enregistrer et d'écouter les bandes juste lorsque Alfonso Caruana utilise le téléphone.

Mais gros handicap pour les policiers, la loi interdit d'écouter un appareil en permanence ; on ne peut écouter et enregistrer tout le monde. La loi n'autorise que l'enregistrement de la personne pour laquelle un mandat a été délivré par un juge. Tous les appareils dont peut se servir Alfonso Caruana sont prêts à être enregistrés. Mais l'enregistrement ne peut commencer que lorsque Alfonso Caruana utilise le téléphone. Les policiers ont noté tous les numéros. Quand Alfonso Caruana utilise un appareil, ils signalent immédiatement au service d'écoute le numéro du poste. La conversation peut alors être enregistrée.

C'est ainsi que le CFSEU peut connaître l'endroit où s'est réfugié Pasquale Cuntrera avec son épouse à Fuengirola, sur la Costa del Sol, et en informer les polices espagnole et italienne.

Pour Larry Tronstad et ses hommes, c'est loin d'être amusant

Mais, pour les policiers de Newmarket, le cauchemar est quotidien. Larry Tronstad racontera :

> À une occasion, dans un centre commercial, nous avions mis absolument tous les téléphones payants sur écoute. Nous surveillions Alfonso Caruana, et il allait d'un bloc de téléphones à l'autre sans rien faire. Et finalement, il est entré dans une parfumerie et a demandé s'il pouvait utiliser le téléphone. Pensez un peu comme nous étions frustrés[20].

On comprend le policier : ce téléphone-là n'était pas sur la liste des appareils à écouter. Ne perdons pas de vue que la mission première de Tony Saldutto et de Bill Sciammarella est de recueillir les empreintes digitales du présumé vrai Alfonso Caruana. Pour se servir des téléphones publics, celui-ci n'utilise pas de pièces de monnaie mais des cartes d'appel prépayées de la compagnie Bell Téléphone.

La chance tourne... enfin

La chance est enfin en faveur des policiers dans leur quête des empreintes digitales du mafioso. Un banal oubli va leur permettre d'identifier cet Alfonso Caruana. Bill Sciammarella expliquera :

> À un moment, après avoir téléphoné, Alfonso Caruana a laissé sur place une carte d'appel. Un des membres de notre équipe de surveillance a récupéré la carte avec des empreintes digitales. Et le laboratoire de la GRC a comparé les empreintes de la carte Bell avec celles que nous avaient envoyées les Italiens. C'est ainsi que nous nous sommes assurés que le vrai Alfonso Caruana vivait bien dans la région de Woodbridge[21].

Après plusieurs mois, la phase finale de l'opération Omertà peut enfin commencer. La mission du CFSEU sera d'intercepter une transaction de drogue commandée par le mafioso pour pouvoir enfin l'inculper sans qu'il puisse s'en sortir.

À la recherche de la clé pour décoder les numéros de téléphone

Un autre casse-tête se présente aux enquêteurs. Au cours de ses conversations avec ses interlocuteurs, Alfonso Caruana donne ou reçoit des numéros de téléphone. Mais les policiers vont rapidement se rendre compte que ces numéros sont codés. Les numéros de téléphone ou bien n'existent pas, ou bien correspondent à des gens ou à des institutions totalement étrangers au crime organisé. Il faut une clé pour rendre compréhensibles les numéros de téléphone.

Le décodage des numéros va prendre du temps. Tout est soigneusement épluché. Les faits et gestes des proches, des complices, des partenaires d'Alfonso Caruana sont examinés avec minutie. Le hasard et l'obstination vont une fois de plus servir les policiers. Ils savent qu'Alfonso Caruana est de nouveau en contact avec Oreste Pagano, le boss de la Camorra napolitaine et son partenaire dans la filière de cocaïne en Amérique du Sud.

Oreste Pagano aime jouer au baccara

Le rôle d'Oreste Pagano est de passer les commandes de drogue aux fournisseurs sud-américains. Il habite à Cancun au Mexique ou à Miami en Floride, mais vient régulièrement à Toronto. Chaque fois qu'il y séjourne, les policiers de Newmarket suivent Oreste Pagano jusqu'à Niagara Falls, à une bonne centaine de kilomètres de Toronto, où il aime aller au casino et jouer au baccara. Au baccara, le chiffre de base est le 9. Faisant flèche de tout bois, les policiers de Newmarket essayent d'utiliser le chiffre 9 pour décoder les numéros de téléphone secrets.

Euréka!

Pourquoi pas? Bill Sciammarella exposera ainsi la façon dont ils ont procédé:

> Prenons un numéro de téléphone donné ou reçu par Alfonso Caruana. Par exemple, 209-8746. Ce que nous avons à faire, c'est de soustraire chaque chiffre du numéro de téléphone du

chiffre 9. Donc, 9 moins 2 donne 7 ; puis 9 moins 0 donne 9 ; ensuite, 9 moins 9 donne 0 ; 9 moins 8, c'est 1 ; 9 moins 7, c'est 2 ; 9 moins 4 donne 5 ; enfin, 9 moins 6, c'est 3. Le numéro de téléphone est donc 790-1253[22].

Larry Tronstad ajoutera :

Et après cette découverte, l'enquête est devenue beaucoup plus simple pour nous[23].

Les policiers peuvent enfin identifier les correspondants d'Alfonso Caruana et établir un solide dossier pour coincer toute la bande.

Prêt pour la dernière ligne droite

La phase finale de l'opération Omertà peut commencer. Dès la fin de l'année 1996, l'enquête s'étend jusqu'à Montréal. La GRC désigne des agents pour suivre l'affaire. Un des enquêteurs, qui doit garder l'anonymat, est chargé de surveiller le frère d'Alfonso Caruana, Gerlando Caruana, et le fils de celui-ci, Giuseppe Caruana. Il racontera par la suite :

La surveillance et les écoutes électroniques ont duré deux ans. Pendant ces deux ans, nous n'avons enregistré qu'une seule conversation entre Gerlando Caruana à Montréal et son frère Alfonso à Toronto. Ils n'ont parlé que de choses privées sans rapport avec leurs trafics. Les messages importants étaient uniquement faits face à face et de vive voix par le fils Giuseppe Caruana qui se déplaçait souvent pour aller à Toronto.

Nunzio Larosa entre en scène

Pendant qu'Alfonso Caruana dirige les opérations de son domicile de Woodbridge, dans la banlieue de Toronto, son frère Gerlando Caruana, à Montréal, est chargé d'envoyer l'argent sur les lieux de livraison de drogue. Il travaille avec un complice, Nunzio Larosa, qui s'occupe d'organiser le transport de la drogue et de l'argent. L'enquêteur de la GRC dira :

Monsieur Nunzio Larosa a été mis sous surveillance et sur écoute. Nous avons pu établir qu'il avait deux complices qui travaillaient pour lui. Ils s'occupaient plus particulièrement du transport des stupéfiants et de l'argent. Ils s'appelaient John Hill et Richard Court.

Richard Court habite à Montréal; John Hill, à Sault-Sainte-Marie en Ontario, près de la frontière américaine.

Donc pour lui, c'était très facile de passer les douanes avec sa camionnette parce qu'il y passait régulièrement et qu'il était connu des douaniers canadiens et américains. Il était moins susceptible de subir une fouille complète lors de ses passages. Donc, c'était une personne importante pour l'organisation Caruana-Pagano.

La dernière livraison

En mai 1998, Oreste Pagano a préparé pour Alfonso Caruana une livraison de 200 kilos de cocaïne. John Hill et Richard Court doivent se rendre à Houston, au Texas, pour rapporter le chargement. Richard Court rejoint John Hill à Sault-Sainte-Marie. Pour éviter une filature aléatoire sur les autoroutes américaines et la fatigue du voyage, les policiers canadiens ont placé un GPS dans la camionnette. À ce moment, le GPS n'est pas encore très utilisé pour les autos. Pour éviter toute erreur, Larry Tronstad a fait acheter un véhicule identique à la camionnette de Hill. Il l'a fait démonter afin de trouver l'endroit idéal pour cacher le GPS, celui-ci devant être en même temps invisible et en communication directe avec le satellite sans aucun obstacle entre les deux. Une fois la cachette trouvée et vérifiée, une équipe de techniciens du CFSEU s'est rendue à Sault-Sainte-Marie au domicile de Hill. Au milieu de la nuit, elle a placé le GPS au même endroit sur la camionnette de John Hill, garée à la place réservée devant sa résidence.

Larry Tronstad à Houston, Texas

Le 9 mai, Larry Tronstad se déplace avec quelques-uns de ses hommes à Houston. Ils vont rencontrer des agents du FBI, de la DEA et des douanes américaines ainsi que des responsables de la police du Texas. Larry Tronstad voudrait suivre la cargaison de drogue jusqu'au Canada et la laisser passer la frontière. Les Américains préféreraient arrêter le véhicule en flagrant délit sur le territoire du Texas.

200 kilos de drogue embarqués

Entre-temps, Richard Court et John Hill sont partis de Sault-Sainte-Marie pour Houston dans la camionnette de John Hill. Le véhicule est un pick-up vert avec une cabine où il y a un large espace vide derrière les sièges avant. À Houston, les sacs contenant au total les 200 kilos de cocaïne sont chargés, empilés dans la cabine, à l'arrière des sièges. Le véhicule va rester garé en plein soleil une partie de la journée dans le stationnement de l'hôtel où les deux hommes sont descendus. Larry Tronstad racontera :

> Je pense que la température devait tourner autour de 100 degrés Fahrenheit[24] si ce n'est plus. Et la cocaïne était dans des sacs à vidange scellés dans le fond de la cabine de la camionnette dont les fenêtres étaient très hermétiquement fermées. Et tout ceci jouera un rôle capital dans la suite de l'enquête[25].

Un solide parfum de cocaïne

Le 15 mai 1998, Hill et Court quittent Houston pour Montréal à bord de la camionnette chargée de drogue. À quelques dizaines de kilomètres au nord de Houston, sur l'autoroute 59, des policiers les arrêtent. Larry Tronstad précisera :

> Je crois que c'était un dangereux changement de voie ou quelque chose comme ça. Clairement, quelque chose contre le code de la route du Texas[26].

Mais une surprise attend non seulement les policiers américains, mais aussi Richard Court et John Hill, poursuivra Larry Tronstad.

> La cocaïne avait été si longtemps enfermée dans la camionnette que son odeur chimique avait tout imprégné dans la cabine.

L'officier l'a réalisé dès qu'ils ont ouvert la fenêtre pour lui parler et, à sa réaction quand l'odeur lui a sauté au visage, nous avons alors réalisé que nous avions notre cocaïne[27].

Les policiers arrêtent Richard Court et John Hill. Mais les responsables de l'opération Omertà savent maintenant qu'ils doivent agir vite s'ils veulent arrêter Alfonso Caruana.

Les projets d'Alfonso Caruana sont contrariés

Les conversations enregistrées montrent qu'Alfonso Caruana et Oreste Pagano commencent à craindre le pire. Alfonso Caruana confiera plus tard qu'il pressentait que son arrestation devenait imminente et qu'il ne voulait surtout pas être extradé en Italie où il avait été condamné à 21 ans et 10 mois de prison *in absentia*. Le superintendant Ben Soave dira pour sa part:

Alfonso avait prévu de quitter le Canada. Il s'occupait à obtenir un passeport pour peut-être retourner au Venezuela ou ailleurs[28].

Mais Alfonso Caruana n'aura pas le temps de réaliser ses projets. Le Canada, les États-Unis et le Mexique décident de déclencher l'acte final ce 15 juillet 1998. Les écoutes téléphoniques ont permis aux policiers de monter un dossier de preuve inattaquable contre Alfonso Caruana et ses complices. La police envahit Goldpark Court à Woodbridge, une rue jalonnée de belles maisons unifamiliales, modernes, cossues et bourgeoises, toutes très semblables mais légèrement différentes à la fois.

À Antimina «Mina» Alborino l'honneur d'arrêter Alfonso Caruana

Le 15 mai 1998, les policiers du CFSEU sonnent à la porte de la maison. Giuseppina Caruana laisse entrer les policiers. Ils se retrouvent devant Alfonso Caruana. Antimina Alborino, membre du CFSEU, prononce alors les mots que toutes les polices du monde rêvent de prononcer depuis des années:

— Je vous arrête pour délits contre la loi sur les stupéfiants[29].

Elle informe ensuite Alfonso Caruana que tout ce qu'il dira pourra être retenu contre lui et qu'il a droit à un avocat. Antimina Alborino racontera plus tard:

> Il paraissait très calme. Nous nous sommes immédiatement identifiés et lui avons signifié qu'il était en état d'arrestation. À ce moment, je lui ai lu ses droits et les lui ai expliqués en italien. Il a répondu «*si*» en italien, ce qui m'indiquait qu'il avait compris. Il a aussi hoché la tête à ma question: «Avez-vous compris?» Il a répondu oui de la tête en disant encore «*si*» [30].

Un matin tranquille

Lee Lamothe était présent lors de l'arrestation d'Alfonso Caruana à Woodbridge:

> Et, quand il fut temps de l'escorter dehors, le policier qui l'emmenait, lui dit: «Les médias sont dehors, voulez-vous vous couvrir la tête?» Il répondit simplement: «Non.» Et quand il sortit, il marcha avec une grande dignité. Il ne paraissait ni en colère ni réagissant mauvaisement contre les médias ou la police. Il est sorti extrêmement calme [31].

Finalement, l'arrestation d'un des criminels les plus recherchés du monde s'est passée dans un calme étonnant, presque festif, selon Lee Lamothe:

> Quand la GRC et toutes les autres forces de police firent leur incursion, la rue a été remplie de voitures de police. Après que la dernière voiture de police fut entrée dans la rue, la rue a été bloquée et son accès interdit aux journalistes et aux photographes. Si bien qu'il y eut un moment amusant où journalistes et photographes couraient à l'arrière des maisons, grimpaient par-dessus des haies, traversaient les piscines pour tenter de trouver des places pour pouvoir prendre des photos. Les voisins étaient très sympas. C'était un peu comme un party du matin. Ces gens-là nous apportaient des gâteaux et du café et les journalistes étaient assis un peu partout. C'était vraiment un petit party de rue [32].

Soulagement au Canada

À Woodbridge, la police arrête également Giuseppe Caruana, le fils de Gerlando Caruana. Au même moment, Oreste Pagano est arrêté au Mexique. À Montréal, Gerlando Caruana, Nunzio Larosa et d'autres complices subissent le même sort. Le superintendant Ben Soave dira par la suite :

> Aussi, quand c'est arrivé et que nous avons appris que Pagano avait été arrêté avec son groupe, il y eut un vrai sentiment de victoire. Ça changeait des nombreuses fois où la police avait surtout fait l'expérience de l'échec. Tous les regards étaient tournés vers le Canada. Un petit groupe d'enquêteurs à Toronto et à Montréal mettant à bas cette énorme organisation, aussi y avait-il tout de même un profond sentiment de soulagement[33].

Plaider coupable

Après son arrestation, Oreste Pagano devient délateur. Les informations qu'il donne ne laissent aucune chance aux Caruana. En février 2000, Alfonso Caruana et ses deux frères plaident coupables de trafic de drogue. Ils ne subiront pas de procès, et n'auront pas à témoigner de leurs activités devant la justice. Les secrets de la famille ne seront pas dévoilés. Alfonso et Gerlando Caruana sont condamnés à 18 ans de prison. Alfonso Caruana n'a aucun antécédent judiciaire au Canada ; il pourrait ainsi bénéficier d'une libération conditionnelle en février 2003, après avoir purgé un sixième de la peine.

Le travail est loin d'être fini

Le superintendant Ben Soave en est bien conscient :

> Je crois que bien que nous ayons arrêté quelques-uns des principaux membres de l'organisation Caruana-Cuntrera, c'est loin d'être fini. [...] Il reste les fils et les enfants du groupe. Il y a aussi les autres membres des autres organisations criminelles, les cartels colombiens, la 'Ndrangheta, la Camorra, et les autres organisations comme les gangs de motards hors la loi. Les

connexions sont toujours en place, leurs activités criminelles toujours en action. Ils ont toujours leurs ressources financières planquées dans le monde entier. Aussi, c'est loin d'être la fin pour eux[34].

Alfonso Caruana se sacrifie

Après de longues tractations, Alfonso Caruana acceptera d'être extradé en Italie, où l'attendent 21 ans et quelques mois de prison, à la suite du verdict du procès en appel de Beddia+12. Il le fait par esprit de famille, une valeur forte de la Mafia sicilienne. Alfonso protège ainsi son neveu Giuseppe Caruana, le fils de son frère aîné Gerlando. Giuseppe a été arrêté en même temps qu'Alfonso Caruana dans la résidence de Goldpark Court à Woodbridge. Le jeune homme bénéficiera d'une relative indulgence. Alfonso Caruana sera finalement extradé en Italie le 29 janvier 2008.

André Cédilot écrit alors dans le quotidien *La Presse* :

Incarcéré depuis 10 ans dans un pénitencier de la région de Kingston, en Ontario, Caruana, 62 ans, a été renvoyé du Canada en fin de journée, mardi. Des carabiniers italiens prêtés à Interpol sont venus le cueillir à l'aéroport Lester B. Pearson, où il avait été amené sous forte escorte par la Gendarmerie royale du Canada.

Mark Bourque ne connaîtra jamais cette fin heureuse de son enquête Pèlerin. Il a été tué par des bandits à Haïti le 20 décembre 2005[35].

CHAPITRE 10

À qui profite le crime?

Nul n'est prophète en son pays

La présidence des États-Unis et la présidence du Venezuela m'ont tour à tour aidé dans mon dossier[1]. À l'étranger, j'ai été très bien reçu. J'ai été félicité en Italie, où les juges ont été impressionnés par la qualité des renseignements, la qualité de la preuve, puis la qualité des témoignages. Plus j'avançais, plus je me rendais compte que j'avais entre les mains un dossier explosif, politiquement explosif. Rien que pour le Canada, l'enquête impliquait des trafics incroyables qui traitaient de tonnes de drogue. Encore plus incroyable, une partie importante de l'argent généré par la drogue, des centaines de millions de dollars, avait été blanchie avec la complicité de la loi.

Disons par euphémisme, et pour ne provoquer aucun incident, que les autorités canadiennes ne paraissaient pas avoir saisi la dimension du problème. En tout cas, j'ai eu beaucoup de difficultés à terminer mon rapport, le rapport Pèlerin.

Maintenant, il faut écrire le rapport d'enquête

Après un premier tri fait avec mes complices de Revenu Canada, René Gagnière et Gaétan Côté, j'ai récupéré tous les documents et continué le travail tout seul. Pour écrire ma preuve et établir un précis judiciaire, il me restait à peu près 3600 pages de documents à mettre en ordre. J'ai oublié de dire que, pendant que je préparais mon rapport, je m'occupais, avec mon unique collègue de l'Unité des produits de la criminalité de la GRC, d'une bonne trentaine d'autres dossiers.

Juste pour montrer la croissance des efforts consentis à la lutte et aux enquêtes sur les produits de la criminalité, aujourd'hui, à la GRC il y a plusieurs dizaines de policiers qui font ce type d'enquête. Mais, à l'époque de Pèlerin, nous n'étions que deux à Westmount à nous en occuper.

Autrement dit, parce que le volume d'ouvrage était très lourd, je travaillais sur Pèlerin, en quelque sorte, à temps perdu. En plus, la plupart de mes supérieurs n'avaient jamais réalisé ou dirigé ce type d'enquête. Il était donc difficile d'avoir ne serait-ce qu'un petit peu d'encouragement et je perdais un temps fou à essayer de les convaincre du bien-fondé de mon travail. Si bien que le soutien et l'aide n'étaient vraiment pas au rendez-vous. Mon patron me criait sans cesse : « Quand est-ce que tu vas me produire ton rapport sur Pèlerin ? » Alors, je lui répondais : « Débranchons le téléphone, fermons la porte à clé et, dans six mois, je vais te donner quelque chose. »

Mais, comme on ne pouvait pas faire ça, ça m'a pris un certain temps pour mettre en ordre les éléments de preuve dans Pèlerin avant que je puisse commencer à rédiger le rapport final. Et quand est enfin arrivé le temps de l'écriture, alors là, j'ai disparu pendant six mois.

Un long travail de moine

A commencé alors pour moi un vrai et long travail monacal. Il fallait que je trie les traites et les papiers bancaires, que je les classe. Ensuite, j'ai étudié toutes les traites, une à une, en notant toutes les indications : les sommes, les noms des bénéficiaires, les lieux de paiement, etc. Pour préparer un procès, il me fallait 10 exemplaires du dossier complet. Parce que je savais qu'avec toutes les procédures judiciaires, un juge en voudrait un, les procureurs de la Couronne, les avocats en voudraient un, le greffe aussi, et c'est pour ça que, dès le départ, j'en ai fait 10 copies.

Pour les textes, pas de problème, les machines à photocopier ont fait le travail. Mais il y avait plusieurs dizaines de traites bancaires dont je voulais les reproductions recto verso et en couleurs, pour qu'on voie bien les différents tampons, les encres utilisées. J'ai fait photographier toutes les traites dont j'avais besoin, recto verso. Il y en avait 200 ; recto verso, ça faisait 400 photos. Comme j'avais besoin de 10 jeux complets, il me fallait 4000 photos que je voulais exactement de même format que les originaux. À l'époque, la photocopie couleurs n'existait pas ; seules les photographies couleurs pouvaient donner le résultat que j'attendais.

Des photos à tout prix

J'ai donc envoyé ma commande au photographe de la GRC. Quand il l'a reçue, il m'a fait venir d'urgence dans son bureau et il m'a dit :
— Quatre mille photos, t'es pas fou ? J'peux pas faire ça.
— Et pourquoi donc ?
— Ben, y en a pour au moins 35 ou 40 000 dollars[2].
— D'accord, écoute bien, regarde les montants sur les traites : un demi-million, trois quarts de million ou un même plus d'un million, il y en a pour 36 millions américains[3] en tout. Penses-tu qu'on peut dépenser 35 ou 40 000 dollars pour essayer de les coincer ? Si je n'ai pas assez de poids pour décider ça tout seul, alors je vais te trouver quelqu'un de plus haut gradé que moi qui va t'appeler... Comme ça, ça t'irait ? Mais j'ai absolument besoin de ces photos.
— Bon, OK, OK, j'vas t'les faire.

Le travail de moine continue

Quand j'ai eu les photos, juste pour découper les documents, coller les rectos sur les versos pour avoir les traites au même format, pour 40 000 photos, ça m'a pris 2 mois, 2 mois d'ouvrage à temps plein pour faire tout ça. Il fallait que je vérifie soigneusement avec l'original avant de coller les deux parties ensemble. Ensuite je devais placer les traites reconstituées dans des pellicules transparentes. Une fois cela fait, il a fallu que je classe l'ensemble, puis que je confectionne des albums avec les traites que j'ai étudiées, une à une, et les documents officiels des banques correspondants. Après, j'ai commencé à écrire mon rapport en partant des déclarations des quelque 300 témoins.

L'enquête Pèlerin portera bien son nom jusqu'à la fin

À la GRC à Westmount, l'espace réservé à mon bureau était bien trop petit pour étaler tous les documents que j'avais réunis. Il y avait déjà des documents, des feuilles de papier, des morceaux de papier, des traites, qui traînaient partout sur mon bureau, sur le sol, accrochés avec du papier collant sur les murs, sur les dessus de filières. J'avais du mal à m'y retrouver ; il me fallait plus d'espace. Comme, au même moment, les quatre derniers étages de l'immeuble étaient en complète rénovation, il y avait des bureaux vides et je me suis débrouillé pour squatter des espaces dans les étages en réfection. J'avais besoin d'un bon bout de plancher pour placer mes boîtes de documents et étaler ces derniers. J'avais trouvé un chariot à roulettes, je mettais mes boîtes de documents dessus, puis je partais à la recherche d'un bureau sans ouvrier. Je trouvais une table et une chaise pour écrire mon dossier et, si je n'en trouvais pas, j'allais en chercher. Pendant deux, trois semaines, je travaillais dans une pièce, je préparais mon dossier et rédigeais mon rapport jusqu'à ce que les ouvriers arrivent pour rénover et me disent :

— Désolé, il va falloir que tu déménages un peu plus loin.

Et je déménageais, je changeais de pièce et même d'étage. Je me promenais avec mon chariot à roulettes et mes boîtes de documents et mes dossiers avec de plus en plus de Post-it collés un peu partout à l'intérieur. Je n'ai jamais pu avoir un bureau décent pour travailler sur le plus important dossier que j'ai eu à traiter pour la GRC. Il a fallu que je me balade sur trois étages. Décidément, l'enquête Pèlerin méritait bien son nom. Et c'est dans ces conditions que j'ai pu finalement écrire le précis judiciaire destiné à un procès à venir; ça a duré plus de six mois. Quand j'ai eu rassemblé toutes les données, mis toutes les pièces du puzzle ensemble, j'ai fait une présentation au ministère provincial de la Justice. Les gens du ministère de la Justice m'ont dit qu'ils n'avaient pas les moyens, n'avaient pas les ressources pour monter un dossier de cette envergure. Ils m'ont autorisé à aller voir au-dessus, au fédéral. Ils m'ont signé une autorisation pour aller à Ottawa. Au fédéral, on m'a fait longuement patienter avant de me donner une réponse définitive.

C'était non ! – *That's it*[4] !

Un dernier mot

Michel Auger, l'un des quelques rares journalistes spécialistes du crime organisé à bien connaître à la fois Mark Bourque et toute cette histoire, m'a expliqué dans un courriel, après lecture de ce chapitre, qu'il y avait une sérieuse raison pécuniaire officielle au refus du fédéral de poursuivre l'affaire jusqu'au procès.

> Malgré la déception de Mark sur la fin abrupte de son enquête et l'absence de procès, il ne faut pas oublier la réalité que notre ami n'a jamais voulu envisager. Au Canada, il aurait fallu faire venir de l'étranger des dizaines et probablement près d'une centaine de témoins devant un juge local à un coût astronomique.

Il est certain que le « coût astronomique » avait de quoi faire réfléchir. Cependant, dans sa critique amicale, Auger ajoute :

> Mais chose plutôt plate, aucune saisie majeure de dollars n'a été réalisée ici, à part des broutilles de centaines de milliers de dollars comparativement aux millions que Mark avait suivis à la trace.

Si les saisies légitimes mais obérées par la loi même avaient été effectuées, les millions de dollars recueillis auraient couvert largement les frais de l'enquête et d'un méga-procès.

Le fond du problème est donc bien celui que soulevait courageusement Mark Bourque à l'époque : « À qui profite le crime ? » Certes, la loi a été modifiée, mais il s'agit d'un changement plus cosmétique que fondamental si l'on lit bien le livre essentiel du professeur Alain Deneault : *Paradis fiscaux, la filière canadienne*[1].

« Il faut que tout change pour que rien ne change[2]. »

DANIEL CREUSOT

Annexe 1

Mini-biographie de Mark Bourque

Mon ami Mark.

Le téléphone sonne. Je décroche. C'est Vincent Gabriele, le président de Sovimage, l'une des plus importantes maisons de production du Québec. Vincent produit des émissions de fiction et des documentaires pour les différentes télévisions francophones. Je viens de terminer pour lui l'écriture et la réalisation d'une série documentaire de trois heures sur la vie de Jean Drapeau, le maire mythique de Montréal. La réception par la critique est unanimement positive et l'accueil du public suit, 600 000 téléspectatrices et téléspectateurs en moyenne par heure dont la première à plus de 700 000.

— Allô.

— Allô, Daniel, c'est Vincent. Pourrais-tu venir cette semaine ? J'aimerais que tu rencontres Mark Bourque, un policier, un sergent de la GRC. Radio-Canada souhaiterait que l'on réalise une série en partant d'une enquête qu'il a menée pour la GRC. Si tu es d'accord, j'aimerais avoir ton emploi du temps pour cette semaine.

— Oui, bien sûr. C'est quand tu veux. Je m'arrangerai. C'est quoi, le sujet ?

— D'après Bourque, c'est une très longue enquête sur la famille peut-être la plus importante de la Mafia des années 1970-1990.

— Excuse-moi, mais je ne suis pas du tout spécialiste. C'est quoi, leur nom ?

- Les Cuntrera et les Caruana.

— Ah, ce sont des Hispanos…

Vincent rit. D'origine italienne, il met les pendules à l'heure :

— Non, non, ce sont des Italiens, plus précisément des Siciliens.

Lorsque le jour et l'heure du rendez-vous sont décidés, je raccroche. C'est la première fois que je suis appelé à travailler sur une série «policière». C'est la première fois surtout que j'entends parler de Mark Bourque. Quelques jours plus tard, quand j'entre dans la salle de réunion avec Vincent, Mark est déjà là. Il est habillé en civil, costume clair, chemise bleu foncé, il porte une cravate. Il est debout devant un tableau de feuilles blanches, prêt à les attaquer avec le gros feutre noir qu'il tient dans sa main. Il le pose pour me dire bonjour. La poignée est ferme. Le regard précis. L'homme est grand et fort, un peu arrondi. Avec le temps, j'apprendrai, en déjeunant, dînant et soupant avec lui, qu'il a un solide coup de fourchette. Mais il bouge beaucoup physiquement, joue régulièrement au badminton et est un passionné de chasse et de pêche. En plus, il aide les professionnels du bâtiment à construire une maison, sa maison dans la région de Québec. Et Mark prend à la lettre l'adage anglais selon lequel la maison d'un Anglais est son château[1]. La maison de Mark a vraiment l'allure d'un château avec même une petite tour; elle sera magnifique. André Cédilot, le journaliste spécialiste du crime organisé du journal *La Presse*, est également présent à cette rencontre. Il sera l'un des deux experts-conseils pour la série.

L'autre conseiller est absent. Il s'agit d'Antonio Nicaso. Antonio est journaliste et expert du crime organisé de renommée mondiale. C'est un spécialiste de la Mafia sicilienne. Il habite Toronto; il sera présent lors de prochaines réunions. Mark commence à parler. Il explique, écrit des noms sur le tableau blanc, il y en a beaucoup : Caruana, Cuntrera, Cuffaro, Pasquale, Alfonso, Paolo, Agostino, Gaspare, Gerlando, Giuseppe et j'en passe. Ça se déroule très vite. Visiblement, Mark connaît son sujet et veut nous transmettre le plus rapidement possible un maximum d'informations. Pour l'instant, seul André Cédilot semble suivre parfaitement son discours. Je prends des notes. Il faudra que je les relise, les remette en ordre, téléphone à Mark et à André plusieurs fois pour avoir un portrait plus affiné de ce que Mark nous a exposé.

Les deux prochaines réunions se tiendront au même endroit, chez Sovimage. Antonio Nicaso sera présent. Il apportera les précisions qui manquent à Mark sur la famille Caruana-Cuntrera. Antonio a suivi toute l'histoire de cette famille depuis que ses membres ont commencé à être repérés par diverses polices. Il a écrit, avec son complice le journaliste et écrivain Lee Lamothe, le livre le plus complet sur cette famille[2].

Assez rapidement, un lien d'amitié se nouera entre Mark et moi. Je me souviens du premier dîner que nous avons partagé. C'est là qu'il a commencé à se confier et à raconter son histoire. Ça se passe au restaurant le Paris-Beurre, rue Van-Horne[3]. La commande est rapide, deux cuisses de canard confites et deux verres de vin rouge de la réserve maison. Nous nous apercevons vite que, l'un comme l'autre, nous aimons les contacts directs informels où nous pouvons parler de tout et de rien tout en abordant le sujet principal de la rencontre. Nous ne nous connaissons ni l'un ni l'autre. Nous ne tardons pas à décider de nous tutoyer pour casser les barrières et faciliter la confidence.

Pour Mark, c'est un peu plus facile que pour moi. Au Québec, le rapide tutoiement fait partie de la culture. C'est le moment d'aller un peu plus loin. Je commence, une question me taraude. Je suis arrivé au Québec à l'âge adulte, mais, vu de loin, vu de France surtout, le Canada, c'est un paquet d'images mythiques et d'idées reçues. Les espaces, les Rocheuses, les « quelques arpents de neige » chers à Voltaire. C'est aussi le « Vive le Québec libre » de Charles de Gaulle. Tout cela est enregistré, digéré. Ça fait plus de 15 ans que je suis installé à Montréal. Mais c'est la toute première fois que je suis en contact direct avec un membre de la GRC

L'une des images les plus marquantes du Canada, l'une des plus impressionnantes pour les enfants, c'est celle des Tuniques rouges, des membres de la police montée de la Gendarmerie royale du Canada. Enfant et ado, j'étais un passionné des aventures en bandes dessinées de Dave King, le roi de la police montée, de Red Ryder et de Petit Castor (Little Beaver). Pour moi, la GRC, c'était la police montée, les grands espaces, la neige et la tunique rouge.

— Comment entre-t-on à la GRC ? Comment devient-on une Tunique rouge ? Et est-ce qu'il faut savoir obligatoirement monter à cheval ?

Mark éclate de rire.

— D'abord la tunique rouge, c'est l'uniforme de cérémonie. On ne la sort que pour les grandes occasions. Moi, mon uniforme de travail, ce sont les chemises à carreaux, j'en ai toute une collection. Mais attention, ce sont des chemises de grande marque. Quant à la police montée, c'est un peu du folklore. Je ne suis jamais monté à cheval à la GRC. On ne passe pas tous par le carrousel pour donner des spectacles équestres un peu partout à travers le pays. Une sélection est faite parmi les meilleurs cavaliers. J'aurais eu bien du mal à en faire partie.

— C'est sans doute aussi bien pour les chevaux que tu aurais pu monter.

— C'est vrai. Jusqu'à la motorisation, j'aurais eu beaucoup de mal à faire partie de la GRC.

— Ou tu aurais dû faire des efforts.

— C'est vrai, savoir monter était, à l'époque, une obligation. N'oublie pas que le Canada est un vaste pays. Jusqu'à l'arrivée des engins motorisés et des routes praticables, le seul moyen de transport sur les routes cahoteuses et dans les chemins, c'était le cheval. Et avec la neige, le traîneau à chiens. L'oncle paternel de Lise... Lise, c'est ma femme... il avait bien réussi et possédait quelques chevaux qu'il montait régulièrement. La première fois que nous sommes allés chez lui, il m'a proposé de faire une promenade à cheval. Quand je lui ai dit que je ne montais pas, il ne m'a pas cru. Il a insisté et moi aussi, et je ne suis pas monté. Le *mounted police* est devenu un grand sujet de plaisanterie dans la famille. Cependant... cependant, tu connais la force de persuasion des femmes...

— Oui, et alors ?...

– Alors, Lise qui aimait beaucoup monter m'a... obligé... le mot est peut-être un peu fort... m'a amené à monter à cheval. J'étais pas un grand cavalier, mais j'ai fini par me débrouiller.

— Ce n'est pas mon royaume pour un cheval, mais c'est mon mariage pour un cheval, aurait dit Richard III.

Il rit.

— Shakespeare.

— *Yes, Sir*...

— Mais en tout cas, pas de carrousel.

— Et toi, comment es-tu arrivé ici ? demande Mark en souriant. Ton accent dit que tu n'arrives pas du lac Saint-Jean.

— Je suis venu ici en 1983, pour deux ans. Ça m'a plu et je suis resté. Nous sommes aujourd'hui en 1999. Tu connais la devinette un peu xénophobe sur les Français : « Quelle est la différence entre un Français et un maudit Français ? »

— Je crois que c'est : le Français, y r'part pour la France.

— Ouais...

— Mais la plus connue, elle est un peu méchante, c'est : « Comment faire une fortune avec un Français ? »

— Oui, celle-là, on me l'a faite dès le premier jour ou presque : tu l'achètes au prix qu'il vaut et tu le revends au prix qu'il dit valoir. C'est d'ailleurs ce que j'ai fait, je suis resté, je me suis racheté et j'ai bien fait, ça a plutôt bien marché pour moi ici. Je n'ai pas à regretter d'être resté. Cela dit, je suis là pour mieux te connaître, pas pour parler de moi. Raconte-moi un peu comment tu es arrivé à la GRC. D'abord, commençons par le commencement : où es-tu né ?

— À Québec, exactement le jeudi 4 mars 1948. Mon père s'appelait Orville, c'était un francophone du Manitoba, et maman... Rose-Marie...

maman s'appelait Gerwing, elle avait une double ascendance allemande et irlandaise. Dès mon enfance, j'ai parlé aussi bien le français
que l'anglais. Je suis parfaitement bilingue et ça m'a bien servi par la
suite. Mon père a d'abord été professeur tous niveaux dans une école
de rang. Puis il a travaillé comme civil pour l'armée au Centre de recherche de la Défense à Valcartier, près de Québec. On s'est alors installés à Loretteville. Nous étions cinq enfants, quatre garçons et une
fille.

— À l'école, t'étais un bon élève ?

— Euh… enfin, ça allait, mais je n'aimais pas beaucoup l'école. J'ai
fréquenté l'école primaire de Saint-Viateur, à Loretteville. Par contre,
j'aimais beaucoup lire, les livres sur l'histoire, sur la géographie, sur la
nature, ça, j'aimais bien.

— Et qu'est-ce que tu faisais en dehors des classes ?

— J'ai fait une multitude de petits boulots. J'ai été camelot pour *Le
Soleil*[4]. Je me levais très tôt pour aller distribuer le journal. La ville était
alors en pleine expansion. Ça me faisait beaucoup d'ouvrage.

— Y compris en hiver ?

— Bien sûr. L'hiver en plus, je pelletais la neige pour les voisins
dans le quartier. J'ai travaillé aussi au service d'entretien et de maintenance de l'hôpital de Loretteville. J'ai bien réussi dans la pratique de
la moppe[5]. À l'intérieur du service, j'étais devenu le roi de la moppe,
Tu sais ce que c'est, une moppe ?

— Quand même, ça fait un moment que je suis ici. En France, on
dit une serpillière, mais ce n'est pas tout à fait la même chose. Et la
maîtrise de la moppe, ça t'a rendu riche ?

Mark se met à rire.

— Non, pas riche, mais avec ce que j'ai gagné, j'ai pu entretenir mes
deux passions, la chasse et la pêche. Je me suis acheté un .12, un fusil
de chasse avec des cartouches, et puis aussi du matériel pour aller à la
pêche. Plus tard, j'ai fabriqué moi-même mes cartouches et monté mes
mouches pour la pêche. Actuellement, j'utilise les longs poils de ma
chienne Cendrillon, c'est un lévrier irlandais. Je te donnerai un hameçon[6]. Je rêvais d'avoir mon matériel et mon fusil depuis mon plus
jeune âge. J'ai… tu sais, ce qu'on appelle une qualité-défaut…

— Oui et réciproquement…

— Quand j'ai une idée dans la tête, je fais tout ce que je peux pour
la réaliser. Le rêve se transforme en réalité. J'allais à la chasse et à la
pêche, et je rapportais du gibier, des lièvres, des perdrix et des poissons.
Je tirais plutôt bien et je faisais un pêcheur acceptable.

— Et tes parents, qu'est-ce qu'ils disaient ?

— Ils aimaient ben ça. Ils étaient pas mal contents. Surtout ma mère pour le gibier et les poissons. Tu sais, quand il y a sept bouches à nourrir…

— L'école secondaire ?

— À l'école Saint-Joseph dirigée par les frères des écoles chrétiennes. En sortant, j'ai voulu essayer l'armée. Ç'a été une catastrophe.

— C'est-à-dire ?

— C'est-à-dire que j'étais trop jeune. On m'avait donné la responsabilité de diriger quelques hommes. Mais j'avais 18 ans à peine, j'étais trop jeune pour cette tâche et ça n'a pas fitté[7]. Si bien que je n'ai pas été incorporé. J'étais déçu, mais finalement ç'a été mieux comme ça.

— Comment t'es-tu retrouvé à la GRC ?

– Grâce à maman. Elle avait vu une annonce pour un recrutement pour la GRC. Elle m'en a parlé et je me suis inscrit et j'ai été pris.

— Qu'est-ce qui se passe alors ? Tu suis une formation ?

— Oui, pendant six mois, j'ai suivi une formation à l'Académie de la GRC à Regina, en Saskatchewan. Je voulais absolument réussir. Ç'aurait été une catastrophe si j'avais échoué. J'ai vraiment tout fait pour réussir. Quand les autres élèves sortaient le samedi et le dimanche, je restais travailler et étudier à la caserne. Je me consacrais totalement et exclusivement à mes études. J'avais tout de même quelques copains. Il y avait surtout Laurie. C'est lui qui m'a fait rencontrer Lise.

— Voilà qui est intéressant. Tu peux compléter ?

— Je suis toujours discret sur ma vie privée et je veux le rester. Mais, en deux mots, je peux te parler des trois trésors de ma vie. D'abord Lise, ma femme. Notre première rencontre, c'est une sorte de *blind date*.

Je m'offusque.

— Comment ? une *blind date* ? à cette époque ?

Mark rit.

— Oui, enfin si on veut. Après la fin de l'Académie, une fin de semaine, j'avais invité mon chum Laurie chez mes parents à Loretteville. En chemin, il me dit qu'il a rencontré, quelques années auparavant, une jeune fille qui habite à Québec. Elle s'appelle Rina. À l'arrivée à Loretteville, il se débrouille pour la joindre et prend rendez-vous avec elle pour le soir même. Mais il lui dit qu'il est avec un copain et il lui demande si elle n'aurait pas une amie pour le copain.

— Le copain, c'est toi ?

— Qui penses-tu d'autre ?

— Pardon.

— Rina lui dit que oui, elle a une chum, mais elle doit lui demander si elle est libre et si elle veut bien sortir avec un gars qu'elle ne connaît pas. Mais, en principe, ça ne devrait pas poser de problème. La réponse de sa chum, c'est : « Oui, mais… »

— Mais ?

— « Mais… est-ce qu'il est grand ? Je ne veux pas d'un gars trop p'tit. Je ne veux pas si l'on va danser avoir sa tête dans ma poitrine comme c'est déjà arrivé. » Rina lui dit de ne pas s'inquiéter. Il s'appelle Mark et fait partie de la GRC, il doit donc mesurer au moins cinq pieds huit[8]. Cinq pieds huit pouces, c'était alors la taille minimum pour rentrer à la GRC. À l'époque, il n'y avait pas de femmes dans la GRC, à part les secrétaires. Après 1976, après l'entrée des femmes dans la GRC, la taille minimum a été rectifiée à la baisse. En tout cas, le message est transmis à la copine de Rina et c'est ainsi que je me suis retrouvé à Québec avec Laurie, Rina et…

— Lise.

— Tu te trouves drôle ? Ce qui est certain, c'est que quelque chose s'est passé ce jour-là parce que, par la suite, dès que je le pouvais, je faisais le voyage à Québec. Au bout de presque trois ans, j'ai finalement marié Lise à la chapelle de la basilique-cathédrale de Québec, le samedi 27 mars 1971.

— Un souvenir particulier ?

— Il y en a des centaines, mais, parmi les musiques jouées dans la cathédrale, il y avait *Jésus que ma joie demeure* de Jean-Sébastien Bach, et c'est resté comme notre… j'allais dire « chanson préférée », mais tout de même comme notre musique à nous.

— Tu as parlé de trois trésors. Lise, ça fait un. Quels sont les deux autres ?

— D'abord Maxim, il est arrivé le 8 septembre 1972. Et puis, Shane, le 30 octobre 1975.

— Maxim, on comprend, c'est un prénom rare mais connu. Mais Shane, ce n'est pas très commun…

— C'est à cause de l'acteur Alan Ladd, le héros du western *Shane*[9]. Alan Ladd est aujourd'hui à peu près inconnu, mais c'était une énorme vedette à l'époque. Et il ne laissait pas Lise indifférente.

— Tu n'étais pas jaloux ?

— Non, Lise n'était pas la seule à le trouver beau, il y avait pas mal de concurrence, y compris chez les gays. Et puis, il ne mesurait que cinq pieds cinq pouces[10].

— Oui, alors là, je comprends. Non seulement il était un peu petit pour Lise, mais en plus il n'aurait même pas pu entrer à la GRC.

— C'est ça, répond Mark en riant pour clore ce sujet de conversation débile. Il n'y avait aucune raison de jalousie de ma part. Shane est né en 1975 et Alan Ladd est mort en 1964.

— En effet, il n'y avait vraiment aucune raison pour être jaloux.

— Aucune.

— Bon, et après ?

Depuis plus d'une heure que je suis assis en face de lui et au fur et à mesure qu'avance notre discussion, je suis de plus en plus agréablement surpris par cet homme plein d'humour et de bonhomie. D'un ton dégagé, amical, il me déballe, sans réticence apparente, l'essentiel de son enfance, de ses amours, de ses premières armes. On est loin de l'image du super-agent, méthodique, froid, avare de ses mots. Ce jour-là, un courant amical, je peux même dire complice, s'établit entre nous. Il ne cessera jamais. Mon « et après ? » ne fait que l'encourager à poursuivre sur le même ton de confiance et de confidence.

— Quand je suis sorti de l'Académie en avril 1968, j'ai été muté au quartier général de la GRC à Montréal. À l'époque, c'était sur Sainte-Catherine à Westmount.

— Et tu y fais quoi ?

— Je suis enquêteur à la Brigade de la contrefaçon. Les copies de produits de marque.

— Tu y restes longtemps ?

— J'y suis resté plus d'un an à mon premier séjour, jusqu'en juin 1969. Je vais ensuite être nommé ailleurs. Mais je reviendrai à plusieurs reprises à Westmount. En juillet 1969, je suis nommé enquêteur au poste de la GRC de Saint-Jean-sur-Richelieu. C'est la routine. Je n'ai pas de souvenirs marquants de cette période. On a coincé quelques petits dealers et réglé des problèmes courants de criminalité. Le point le plus notable aurait servi à des scénarios se passant aux États-Unis pendant la Prohibition. Nous allions à la chasse à l'alambic.

— C'est quoi, ça ?

— À la campagne, des fermiers ou des agriculteurs fabriquaient eux-mêmes de l'alcool. Ils cachaient des alambics dans toutes sortes d'endroits et nous allions à la chasse à l'alambic. Parfois, c'était sur dénonciation. Parfois, c'était… comment dirais-je ?… à vue de nez. Le vent rabattait des odeurs d'alcool qui pouvaient atteindre nos narines.

— Et qu'est-ce qui se passait?

— Nous arrêtions les gens sur place. Parfois, nous remontions jusqu'au donneur d'ordre. Mais, chaque fois, nous détruisions le stock d'alcool et mettions l'alambic hors d'usage.

— Ça a duré longtemps?

— Je suis resté en poste à Saint-Jean-sur-Richelieu jusqu'en 1974.

— Et, là, où vas-tu?

— Je retourne à Westmount, au quartier général. Je suis alors enquêteur à l'Unité des renseignements criminels. Je m'occupe particulièrement du crime organisé italien. La drogue ou plutôt les drogues et le blanchiment d'argent me deviennent plus familiers. Mais je ne reste pas longtemps au quartier général. Je suis promu caporal en mai 1975.

— Tu as quel âge?

— Vingt-sept ans, et je suis nommé responsable du poste de la GRC de Granby. J'avais six hommes sous mes ordres, plus une secrétaire. À sept, nous devions surveiller, patrouiller, enquêter un territoire de 4000 kilomètres carrés avec 41 kilomètres de frontières avec les États-Unis.

— C'est énorme.

— C'était, et c'est toujours, une zone ultrasensible pour la contrebande de produits de toutes natures.

— Particulièrement les stupéfiants?

— Oui, particulièrement les stupéfiants, mais surtout dans le sens du Québec vers les États-Unis.

— Je suppose que vous n'avez pas arrêté grand monde?

— On en a pris quelques-uns tout de même. Mais c'étaient des passeurs, des seconds couteaux.

— Tu habites alors à Granby?

— Oui, un peu à l'extérieur avec Lise et les garçons.

— Et après?

— J'ai appris beaucoup pendant les quatre ans que j'ai passés là-bas. Sur la drogue, sur la contrebande en général. En tout cas, assez pour que je sois rappelé au QG de la GRC à Westmount en 1979. Après quelques semaines, nous déménageons avec Lise et les enfants à Richelieu. À Richelieu, je trouve celui qui va devenir l'un de mes meilleurs amis, Gérald Perreault. C'est notre voisin immédiat. Il est habile de ses mains et m'a beaucoup aidé pour la maison. Au début surtout, pour de sérieux problèmes d'étanchéité du sous-sol. Mais, surtout, nous avons les mêmes passions pour la pêche et pour la chasse. Nous nous payons de temps en temps une virée de quelques jours dans une pour-voirie de pêche au saumon en Gaspésie. Ou alors, on va passer une couple d'heures dans les rapides de Lachine pour pêcher la truite. Ça, c'est fantastique pour se détendre… Bon alors, où en étions-nous ?

— Tu reviens à Westmount. J'imagine qu'après ton séjour à Granby, tu vas t'occuper de drogue ?

— Exactement, je deviens adjoint à la Brigade des stupéfiants. C'est pendant cette période, au début des années 1980, que j'ai eu à diriger l'enquête du dossier Salim Bitar[11].

— Ce n'est pas dans cette période qu'est créée l'Unité de la criminalité ?

— Des produits… l'Unité des PRODUITS de la criminalité !

— Oh, excusez… Oui, alors, c'est quoi exactement ?

— En février 1984, la GRC a accepté une de mes propositions. Ils ont mis en place l'Unité des produits de la criminalité et j'en ai pris la direction.

— Elle s'occupe de drogue ?

— Non, elle s'occupe d'argent, d'argent illégal et de biens illégale-ment acquis. Les agents attachés à l'Unité enquêtent sur les origines des sommes d'argent souvent considérables, et sur les biens acquis grâce aux vols, aux escroqueries et aux trafics divers et notamment à ceux hyper lucratifs de la drogue et du blanchiment d'argent sale.

— Et c'est rentable ?

— Ah, je comprends que c'est rentable ! Pendant les cinq premières années, l'Unité a débusqué des blanchiments d'argent pour plus d'un milliard de dollars[12].

— C'est énorme.

— Et encore, ça ne constitue que la pointe de l'iceberg de ce trafic particulièrement dommageable pour les économies provinciales et fédérale.

— Et toutes ces enquêtes se font uniquement à Montréal ?

— Non, il faut travailler avec les polices de nombreux pays. L'argent circule vite et change aussi vite de pays.

— Tu as toi-même voyagé ?

— Oui, les enquêtes m'ont mené en France, en Suisse, en Italie, aux Pays-Bas, en Grande-Bretagne, au Liechtenstein et maintes fois aux États-Unis. L'un des tout derniers dossiers que j'ai dirigés pour l'Unité est celui de l'enquête Pèlerin[13]. L'enquête sur la famille Caruana-Cuntrera pour laquelle nous préparons le tournage du documentaire.

Mark reste silencieux pendant quelques secondes, puis il dit :

— Je voudrais ajouter quelque chose, Daniel. Quelque chose que se répètent 99 % des policiers entre eux.

— Oui ?

— L'un des obstacles les plus sérieux au combat contre les grands criminels vient de la Charte des droits et libertés. Tous les policiers connaissent cette phrase : « Avant la Charte des droits et libertés, aucun citoyen ne se plaignait de sa non-existence. Depuis la Charte, aucun criminel ne se plaint de son existence. » La Charte oblige les corps policiers à donner à la partie adverse la totalité de la preuve recueillie pendant l'enquête, quel que soit le crime commis. Or, pour certains crimes, économiques particulièrement, la connaissance de la preuve recueillie peut permettre aux avocats de trouver une porte de sortie et ainsi d'échapper à toute poursuite. Si bien que lorsque nous arrivons devant des avocats de grands trafiquants qui ont beaucoup de moyens – crois-moi, beaucoup de moyens –, il n'y a plus de surprise, et les complices contre lesquels la preuve n'est pas encore totalement établie ont déjà eu le temps de déguerpir.

Alors que, par son expérience et ses réussites, Mark Bourque est considéré comme l'un des meilleurs spécialistes en matière de drogue et de blanchiment d'argent, en décembre 1989, il a commis une grosse imprudence. Ce policier intègre et respecté a beaucoup de mal à retenir son franc-parler. Ça lui a déjà coûté quelques mésententes avec sa hiérarchie et certains collègues. Cette fois-ci, la sanction est tombée : il a été retiré de l'Unité des produits de la criminalité. La cause de cette « mutation » : des propos tenus à un journaliste qui lui demandait quelles étaient, à son avis, les causes principales de la grande criminalité et à qui il avait répondu : « Parmi les plus grands promoteurs de criminalité au pays, il y a les avocats de la défense et le système bancaire. » Le lendemain de cette affirmation, il était retiré de l'Unité des produits de la criminalité et muté dans un autre service.

L'un des meilleurs enquêteurs canadiens, spécialiste du crime organisé et surtout du blanchiment d'argent, a été définitivement mis sur la touche des enquêtes sensibles. Malgré son caractère bien trempé, Bourque considère cette sanction comme une injuste rétrogradation. Il ne s'en est jamais réellement remis et est resté profondément meurtri et humilié. Il y a un peu de quoi. Parce que, qu'elles l'aient aimé ou non, toutes les personnes qui ont travaillé avec lui reconnaissent qu'il est un enquêteur remarquable et tenace. Pour dire le moindre, l'efficacité de la police n'en a pas été renforcée. Seuls les bandits s'en sont frotté les mains.

Après sa mutation en décembre 1989, Bourque est nommé à un poste important mais moins sensible. Il y restera jusqu'en décembre 1994. Il devient l'un des responsables de la Section des douanes et accises de Montréal. En fonction des enquêtes, de 35 à 70 policiers travaillent sous ses ordres. Le travail ne manque pas. Le Canada importe quotidiennement dans les 5000 produits différents. Il y a de la magouille dans beaucoup de domaines. En 1992-1993, les revenus légaux perdus par le Canada tournent autour de 6 milliards de dollars[14] par an. Et ces chiffres ne concernent que les produits de contrebande qui ont été saisis. Chaque enquêteur a de 30 à 40 dossiers devant les tribunaux. À de nombreuses occasions, Mark Bourque doit rester au bureau jusqu'à minuit, 1 h du matin plusieurs soirs par semaine. Les dossiers s'empilent sur son bureau au rythme de 300 à 400 par semaine. Il y a du travail pour tous les autres services de la GRC parce qu'à la contrebande s'ajoutent souvent une foule de crimes tels les vols, les vols qualifiés, les actes d'intimidation, les assassinats, les fusillades, les enlèvements, les séquestrations, les fraudes, etc.

En 1995, comme pour atténuer l'affront qu'il a subi, on nomme Mark adjoint responsable à un poste plus prestigieux : il devient membre de la Section de la protection des personnes de marque, des VIP. C'est une équipe de 32 policiers assurant, lors d'événements particuliers, la sécurité du premier ministre, du gouverneur général du Canada, des membres du Parlement et des chefs d'État, dignitaires et diplomates internationaux. Bourque a la réputation d'être un guide attentif, prévenant et surtout rassurant. En octobre 2001, il est chargé de la sécurité du G-20, qui se tient au Centre Sheraton de Montréal. Il dirige 135 policiers affectés au service de sécurité, 24 heures sur 24, de quelque 760 dignitaires et délégués, canadiens et étrangers. En 2002, il est nommé coordonnateur divisionnaire de la sécurité du G-8 qui a lieu à Kananaskis en Alberta.

Mark Bourque prend sa retraite en 2003, mais reste actif dans le domaine de la sécurité publique par divers contrats privés à durée déterminée. Son dernier contrat est pour l'ONU en 2005. En signant, Mark se met à la disposition d'une mission temporaire des Nations Unies en Haïti jusqu'aux élections de janvier 2006. La mission n'est pas sans risque, mais il l'accepte en connaissance de cause.

Le 20 décembre 2005, venant de son lieu d'affectation de Las Cayes à 200 kilomètres de Port-au-Prince, au volant d'une voiture de location, Mark Bourque conduit à l'aéroport son collègue de la GRC Pierre Perreault, qui part pour quelques jours à Montréal. Le véhicule longe la Cité Soleil, la zone la plus dangereuse de Port-au-Prince où des bandes armées sèment la terreur. Soudain, un groupe de bandits se dressent devant l'auto. Ils sont armés de fusils de guerre. Ils tirent sur la voiture non pas pour tuer, mais pour intimider le chauffeur et l'obliger à s'arrêter. L'une des balles frappe le bas de la portière du conducteur et, après avoir bifurqué en touchant la tôle, blesse grièvement Mark Bourque à la jambe gauche, à la hauteur du mollet. L'artère fémorale est touchée. Mark s'effondre sur le volant, inconscient. Le véhicule s'immobilise. Devant une situation qu'ils n'avaient pas prévue, les bandits fuient. Pierre Perreault sort rapidement de la voiture et, après beaucoup d'efforts, tire Mark Bourque inanimé de l'habitacle et l'allonge sur le sol. La jambe saigne énormément. Perreault prend sa ceinture et pose un garrot. Mark a déjà perdu beaucoup de sang; il faut l'emmener le plus vite possible à l'hôpital. Des soldats jordaniens des forces de l'ONU sont postés non loin avec un blindé léger. Ils approchent l'engin pour protéger Mark Bourque d'autres tirs possibles venant de Cité Soleil. Celui-ci est toujours allongé à même le sol. Pierre Perreault demande aux soldats de conduire son ami, avec leur blindé, à l'hôpital le plus proche, à quelques kilomètres de là. Les soldats refusent. Perreault insiste, supplie, rien n'y fait. Les soldats refusent toujours de conduire Mark à l'hôpital. Ils doivent rester sur place, ce sont les ordres. Ils interdisent également à Pierre Perreault de conduire son ami grièvement blessé à l'hôpital avec la voiture de location qui, malgré les trous causés par les balles dans la carrosserie, fonctionne parfaitement. Mark va rester près de 30 minutes allongé sur le sol à se vider lentement de son sang.

Une ambulance rapplique enfin. Elle emmène Mark toujours inconscient à l'hôpital. Il lui faudra encore près de 25 minutes pour arriver là. Quand elle atteint l'hôpital, Mark est encore vivant, mais il est déjà trop tard. Pendant que, sur la table d'opération, les médecins sont à soigner sa jambe, le cœur s'arrête. On tente de le ranimer, mais, un peu plus d'une heure après qu'il a été blessé, ce 20 décembre 2005, le médecin responsable constate officiellement la mort de Mark Bourque : « Heure du décès, 11 h 08. »

Une centaine de policiers en tunique rouge de la Gendarmerie royale du Canada assisteront à ses funérailles le 28 décembre 2005 en présence de la très honorable Michaëlle Jean, alors gouverneure générale du Canada. Tragique coïncidence, les funérailles de Mark ont lieu à la basilique-cathédrale Notre-Dame de Québec alors que son mariage avait été célébré dans la chapelle de la même cathédrale.

Mark ne restera pas oublié. D'abord en Haïti, en 2006, une école primaire a été inaugurée dans le quartier Debussy de la petite commune de Sarazin, sur le flanc de la montagne, pas très loin de Port-au-Prince. En hommage à Mark, elle a été baptisée « école Mark-Bourque ». D'autre part, la ville de Richelieu, où ont habité les Bourque pendant de longues années, a donné le nom de Mark Bourque à l'une de ses places.

Avec le temps, nous avons pu nous connaître et vraiment nous apprécier. Nous avions en commun une passion, celle de la justice. Les quelques pages qui précèdent traduisent mal le travail effectué par Mark pour aller dans ce sens. Les deux histoires qui forment la trame de ce livre révèlent mieux que tout le personnage d'exception qu'il était.

En Haïti, sa mémoire est préservée dans un milieu auquel il était particulièrement sensible, une école.

L'école Mark-Bourque de Haïti

C'est à l'initiative de Jean Rousselle, un policier retraité de la ville de Laval, que l'école a été construite dans la petite commune de Sarazin, non loin de Port-au-Prince, par les habitants de l'endroit avec le financement de policiers canadiens en mission sur place. L'école est inaugurée en février 2006. Jean Rousselle a alors l'idée de lui donner le nom de Mark Bourque, assassiné deux mois auparavant.

Au début, il ne s'agit que d'une petite école mixte abritant sous le même toit une trentaine d'élèves de tous niveaux. Après le départ de Jean Rousselle, Marie-Josée Audet, qui travaille pour le PNUD[15], assure la relève du projet en continuant d'amasser des fonds. Les policiers canadiens contribuent principalement au financement des professeurs et de la maintenance. Un policier de la ville de Québec, Robert Lessard, fait des levées de fonds et s'occupe à distance de la gestion de l'école. Il est en Haïti le jour de l'an 2010. Ce jour-là, il visite l'école en compagnie d'une amie, la docteure Clertida Lamothe Cassamajor. C'est pour elle un véritable coup de foudre. Et comme l'école est déjà en assez mauvais état, Robert Lessard et Clertida Lamothe Cassamajor préparent un plan pour sa rénovation. La docteure décide qu'elle soignera gratuitement les enfants de l'école.

Mais 12 jours après, le 12 janvier 2010 à 16 h 53, un séisme d'une magnitude de plus de 7 sur l'échelle de Richter ravage l'île. Comme par miracle, l'école en sort indemne. Mais la presque totalité des écoles proches sont détruites. On dresse de grandes tentes pour recevoir des élèves venus des environs. Plus de 300 élèves seront ainsi accueillis, instruits, soignés et nourris. Mais il faut aussi sortir de la précarité et agrandir l'école Mark-Bourque. Par des levées de fonds et par leur travail sur place, des policiers québécois et des pompiers de Montréal participent à la construction en dur de nouveaux bâtiments aptes à recevoir en permanence 150 élèves. L'Expémission aide et treck Haïti, une association civile organisée par François-Guy Thivierge, parraine et aide financièrement l'école en 2010. De leur côté, Robert Lessard, les policiers et les pompiers québécois et canadiens ne cessent de se démener pour trouver l'argent et les aides nécessaires pour que l'école Mark-Bourque continue sa précieuse mission.

Mark en eût été très fier.

Annexe 2

Organigramme de la famille Caruana-Cuntrera

ARBRE GÉNÉALOGIQUE

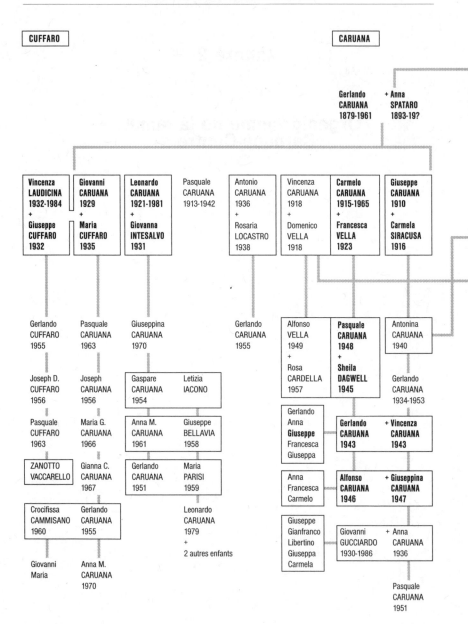

Source: Italienne Police (1992).

CUNTRERA-CARUANA-VELLA

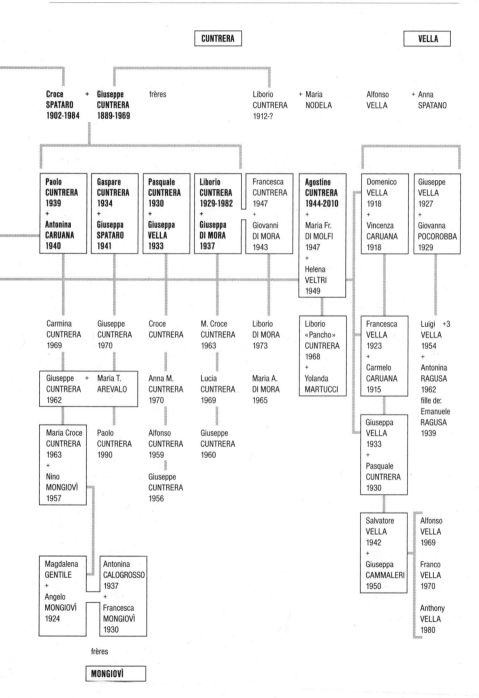

Sources

Pour le contenu de ce livre, je me suis servi des très nombreuses conversations et des courriels[1] que nous avons échangés, Mark et moi, ainsi que des longues interviews audio et filmées pour trois des documentaires que j'ai écrits et réalisés d'après ses enquêtes et auxquels il a participé.

Documentaires
Pour «La filière libanaise»

Source principale: *Pour un X de trop: une enquête de la GRC*, série de trois épisodes diffusée à la télévision de Radio-Canada, scénario et réalisation Daniel Creusot, production Avanti Ciné Vidéo, Luc Wiseman.
Le scénario, écrit avant la mort de Mark, avait été revu et accepté par lui.

Intervenants

Abdo, Johnny, chef du Deuxième Bureau, le service de renseignement du président libanais Elias Sarkis – conversation avec l'auteur.
Auger, Michel, journaliste – participation au documentaire et conversations avec l'auteur.
Auque, Roger, journaliste spécialiste du Liban (décédé en septembre 2014) – participation au documentaire et conversations avec l'auteur.
Bourque, Mark – conversations et séances de travail avec l'auteur pour l'élaboration du scénario.
Ladki, Sana, interprète judiciaire – conversations avec l'auteur.
Pagel, Lee, lieutenant du Texas Department of Public Safety – participation au documentaire et conversations avec Mark Bourque et avec l'auteur.

Pour « L'enquête Pèlerin »

Source principale : *La Famille*, série de trois épisodes diffusée à la télévision de Radio-Canada, scénario et réalisation Daniel Creusot, production Sovimage, Vincent Gabriele et Sophie Deschênes.

Intervenants

Abraços, João Carlos, ancien enquêteur de la police fédérale brésilienne – participation au documentaire.

Alborino, Antimina « Mina », alors membre du CFSEU – participation au documentaire.

Auger, Michel, journaliste – participation au documentaire et conversations avec l'auteur.

Bourque, Mark – très longues entrevues audio et filmées[2] (série *La Famille*, 2e épisode : « L'essor ») et conversations avec l'auteur.

Cédilot, André, journaliste – conseiller au scénario pour la série *La Famille* et nombreuses conversations avec l'auteur.

Costanzo, John, alors agent de la DEA – participation au documentaire.

Grassi, Raffaele, alors officier de la police nationale italienne – participation au documentaire.

Guy, Lucien, surintendant de la GRC – participation au documentaire (2e épisode : « L'essor ») et conversations avec l'auteur.

Jiménez, Guillermo, ex-commissaire général de la police vénézuélienne – participation au documentaire.

Lamothe, Lee, journaliste et auteur – participation au documentaire (3e épisode : « La chute »).

Lorino, David, alors agent de la DEA – participation au documentaire.

Maillard de, Jean, entre autres, vice-président du Tribunal de grande instance de Paris, membre de l'Observatoire géopolitique des criminalités, participation au documentaire (2e épisode : « L'essor », et 3e épisode : « La chute ») et conversation avec l'auteur.

Ménard, Robert « Bob », ex-sergent-détective du Service de police de la communauté urbaine de Montréal – participation au documentaire (1er épisode : « L'éveil »).

Gioacchino, Natoli, juge italien chargé de dossiers sur la Mafia – participation au documentaire (2e épisode : « L'essor »).

Nicaso, Antonio, journaliste et auteur – participation au documentaire.

Pellegrini, Angiolo, ex-chef des enquêtes antimafia à Palerme en Sicile – participation au documentaire.

Saldutto, Tony, alors enquêteur du CFSEU – participation au documentaire.

Schmidt, Rodolfo, journaliste, analyste politique et ancien directeur du quotidien *El Diaro* de Caracas – participation au documentaire.

Sciammarella, Bill, alors enquêteur du CFSEU – participation au documentaire.

Soave, Ben, alors superintendant, officier responsable du CFSEU – participation au documentaire.

Tablante, Carlos, ancien député à l'Assemblée nationale du Venezuela –participation au documentaire.

Tronstad, Larry, alors sergent du CFSEU – participation au documentaire.

«Drogue et blanchiment d'argent», épisode de la série *Auger enquête*, documentaire diffusé à la télévision Quatre Saisons, scénario Michel Auger et Daniel Creusot, réalisation Daniel Creusot, production Orbi XXI, Jacques W. Lina.

Écrits pour les deux récits

BLICKMAN, Tom. «The Rothschild of the Mafia on Aruba», *Transnational Organized Crime*, vol. 3, n° 2, 29 mai 1997.

CÉDILOT, André et André NOËL. *Mafia Inc.: Grandeur et misère du clan sicilien au Québec*, Montréal, Éditions de l'Homme, 2010.

CHAMPLAIN, de, Pierre. *Histoire du crime organisé à Montréal de 1900 à 1980*, Montréal, Éditions de l'Homme, 2014.

CLINTON, Bill. «Letter from the President to the Chairmen and Ranking Members of the House Committee on Appropriations and International Relations and the Senate Committees on Appropriations and Foreign Relations», 2 décembre 1996.

D'ARCY, O'Connor. *La mafia irlandaise de Montréal: histoire du tristement célèbre gang de l'Ouest*, Montréal, Éditions La Presse, 2012.

DENEAULT, Alain. *Paradis fiscaux: la filière canadienne*, Montréal, Éditions Écosociété, 2013.

DICKIE, John. *Cosa Nostra: la Mafia sicilienne de 1860 à nos jours*, Paris, Éditions Perrin, coll. «Tempus», 2007.

Lamothe, Lee et Antonio Nicaso. *Les liens du sang: l'apogée et la chute d'une grande famille de la Mafia*, Montréal, Éditions de l'Homme, 2001.

LUPO, Salvatore. *Histoire de la Mafia: des origines à nos jours*, Paris, Éditions Flammarion, coll. «Champs Histoire», 1999.

NOBLET, Kevin. «The Carribean's Shady Side: Organized Crime», Associated Press, 11 mai 1993.

STERLING, Claire. *La Pieuvre: la Mafia à la conquête du monde 1945-1989*, Paris, Éditions Robert Laffont, 1990.

STERLING, Claire. *Thieves' World: The Threat of the New Global Network of Organized Crime*, New York, Simon & Schuster, 1994.

Autres sources

La Presse, Le Journal de Montréal, The Gazette, L'Orient-Le jour, Allo Police (des différentes époques).
Wikipédia pour des compléments d'informations.

Documents juridiques officiels

Canadiens: jugements des juges Benjamin Schecter, Claude Guérin et Jean-Guy Boilard.
Américains: dépositions de Jimmy Hopper devant le procureur Wayne F. Speck, le policier Lee Pagel et le grand jury de Houston; dactylographie de son polygraphe enregistré au QG du Texas Department of Public Safety à Austin.

Notes

PREMIÈRE PARTIE

Préambule
1. Voir la petite biographie de Mark Bourque en annexe.

Chapitre 1
1. Aujourd'hui le boulevard René-Lévesque.
2. Drug Enforcement Administration – Administration antidrogue américaine.
3. À l'époque, le seul aéroport pour les vols entre les USA et le Canada.
4. Central Intelligence Agency.
5. Texas Department of Public Safety.
6. « *Our office in New York was just informed that a major Lebanese heroin and hashish dealer is en route to Montreal. According to our source is one of the top supplier's out of Lebanon and worth while following. His name is Joseph Abizeid. – Joseph Abizeid ? – Yes, A-bi-ze-id.* »
7. À l'époque, il n'y a pas d'ordinateur de bureau ni de traitement de texte.
8. Pendant quatre ans, le dossier de la filière libanaise s'appellera « dossier Salim Bitar », alors qu'il va très tôt s'avérer que ce jeune homme est complètement étranger au trafic.
9. C'est sous sa présidence (1970-1976) qu'en 1975 éclate la guerre civile qui durera 15 ans.

Chapitre 2
1. Henry Laurens, professeur au Collège de France, titulaire de la chaire d'histoire contemporaine du monde arabe.
2. John Gunther Dean interviewé par Charles Stuart Kennedy, le 6 septembre 2000 (copyright 2000 ADST).
3. « *In 1975, the President of Lebanon, Suleyman Frangieh, went to New York to speak at the United Nations, and some dogs from the U.S. Customs Service did some sniffing of Frangieh's baggage and the dogs acted as if there were some drugs in the luggage. […] They thought that maybe President Frangieh had in his luggage something which might be illegal to bring into the country. It caused a major rift between the U.S. Ambassador in Beirut and the President of the Lebanese Republic. […] Frangieh, never, never forgave the Americans, and he held the U.S. Embassy in Beirut responsible for what he considered an insult.* »
4. « *Mark Bourque from the RCMP. – Nice to meet you. – Nice to meet you too.* »
5. « *Mister Bourque, here is Mister… X.* »

6. « *As I told you, Mark wanted to meet you, so you could tell him about Joseph Abizeid and your trips to Lebanon.* »
7. La poste et les douanes étatsuniennes.
8. Je n'ai jamais su son nom de famille.

Chapitre 3
1. D'Arcy O'Connor, *La mafia irlandaise de Montréal : l'histoire du tristement célèbre gang de l'Ouest*, Montréal, Éditions La Presse, 2012.
2. Environ 1,8 million de dollars actuels.
3. Environ 48 millions de dollars actuels.
4. Environ 300 000 dollars actuels.
5. Oui, encore lui !
6. Sur décision de la Cour suprême du Canada, Frank Cotroni a été envoyé aux États-Unis, à la demande des autorités américaines, pour y purger une peine de 15 ans de prison pour trafic de drogue. Il sera libéré au bout de six ans en 1979 et rentrera au Canada.
7. Sidney Leithman sera assassiné à Montréal le 13 mai 1991. Ce jour-là, il est au volant de sa voiture sport décapotable. Un tueur circulant à moto arrive à la hauteur de son véhicule immobilisé à un feu rouge et tire plusieurs balles de calibre .45 dans sa direction. Quatre projectiles l'atteignent au cou et à la tête. Il meurt sur le coup. On soupçonnera Inès Barbosa, la marraine à Montréal du cartel colombien de Cali, d'avoir commandité l'assassinat.
8. Plus de 3,6 millions de dollars actuels.

Chapitre 4
1. Environ 45 000 dollars actuels.

Chapitre 6
1. Déposition de Jimmy Hopper devant Wayne F. Speck, procureur de l'État du Texas.
2. Environ 6 millions de dollars actuels.
3. « *It was a million dollars on each person and there's two. They are brothers. The president and vice-president are brothers.* »
4. L'auteur de l'attentat, Habib Tanious Chartouni, est un chrétien maronite libanais, membre d'un parti libanais prosyrien, le Parti social-nationaliste syrien, qui n'avait pas de lien spécifique avec la famille Frangié.
5. Déclaration de Jimmy Dean Hopper aux policiers Ken Akins et Lee Pagel, p. 30.
6. North Line Shopping Center au nord de Houston.

Chapitre 7
1. Environ 24 000 dollars actuels.
2. Environ 3 552 000 dollars actuels.
3. Alors principal aéroport de Montréal pour les vols internationaux, hormis les États-Unis.

Chapitre 8

1. « *Aristotle was sending 10 new cars from New York to Tripoli. There was to be a large amount of plastic explosives concealed in 5 of theses cars.* » (Déposition de Hopper à Speck, p. 40.)
2. Voir *I soliti ignoti* (Le pigeon) de Mario Monicelli.

Chapitre 9

1. Il faut rappeler que cela se passait en 1981.
2. Environ 9 millions de dollars actuels.
3. À noter, détail amusant, que Francis Brabant va devenir le procureur, l'avocat de Johnny Skoulikas, le principal correspondant de Joseph Abizeid à Montréal, puis quelques années plus tard, conseiller juridique de la Sûreté du Québec.
4. Conformément à l'article 178.13 du code criminel.
5. Les reconductions VD 3, VD 10 et VD 11.

Chapitre 10

1. « *Sam Cammarata was leading a double life. On one side, he had criminal activities, importing huge quantities of drugs from Latin America and Lebanon. In order to maintain his power, he did not hesitate to kidnap and even to kill his rivals. On the other side, and as strange as it may seem, he was also an important and very trustworthy DEA and FBI informer.* » (Entrevue, *Pour un X de trop.*)
2. « *Hopper was very cautious to give much information because of his loyalty to Cammarata and him being scared of Cammarata's power.* » (Archives Mark Bourque.)
3. « *This crook explained to us that Cammarata had several narcotics traffickers murdered but that he had personal knowledge of two of them that were murdered: Kevin Carter and Ricky Escamilla and, further, he could take us to the body where they were buried.* » (Entrevue, *Pour un X de trop.*)
4. « *But because we didn't want to look like idiots, so we told Hopper that he had to take a polygraph test before we would proceed.* » (*Ibid.*)
5. « *Cammarata said that if Hopper developed a plan to assassinate the president and vice president while Hopper was in Lebanon to go ahead and perform the assassination. Cammarata told Hopper that the plastic explosives would be at Hopper disposal if he needed it for the assassination of Lebanon officials* ». Déposition de Jimmy Hopper au procureur Wayne F. Speck.

Chapitre 12

1. Environ 570 kilomètres.
2. Ou à cause, ça dépend du point de vue.

Chapitre 13

1. Maître Anne-Marie David.
2. Qualificatif attribué par un ancien bâtonnier de l'Ordre des avocats de Montréal.
3. Jugement 7000-27-000955-81, 19 avril 1982, p. 5-7.
4. *Ibid.*, p. 7.
5. *Ibid.*, p. 11.
6. Par le juge Zuber, dans *Vrany, Zikan and Dvorak*, rapporté dans le C.C.C. (2d), p. 14-25.

Chapitre 14

1. « *We heard that if Joseph Abizeid had not been freed in Montreal, a violent action involving hostages taking would have been launched against the Canadian Embassy in Beyruth.* »

NOTES
DEUXIÈME PARTIE

1. Production Orbi XXI, Jacques W. Lina.
2. Environ 87 millions de dollars américains actuels.

Chapitre 1

1. Devenue l'Unité mixte des produits de la criminalité lorsque la GRC s'est alliée, pour traiter ce genre de crime, avec d'autres corps policiers.
2. Il traitait plus de 3 700 000 conteneurs en 2013.
3. Environ 35 kilomètres.
4. La compagnie indienne exportatrice s'appelle Shalimar Enterprise.
5. La Cosa Nostra, « notre chose », « ce qui nous appartient », est en italien l'autre nom pour désigner la Mafia sicilienne ou son extension américaine.
6. Au 2285 Halpern.
7. Environ 100 000 dollars américains actuels.
8. Entre 9 et 11 millions de dollars américains actuels.
9. Série documentaire *La Famille*, 2ᵉ épisode, « L'essor », Production Sovimage, diffusée à la télévision de Radio-Canada.
10. Environ 200 000 dollars actuels.
11. Autour de 300 000 à 400 000 dollars actuels.
12. Environ 100 000 dollars actuels.
13. Environ 70 000 dollars actuels.
14. Banque Royale *versus* Bourque.

Chapitre 2

1. Devenue l'Unité mixte des produits de la criminalité lorsque la GRC s'est alliée, pour traiter ce genre de crime, avec d'autres corps policiers.
2. Cité par le juge français Jean de Maillard dans la série documentaire *La Famille*, 2ᵉ épisode, « L'essor », déjà citée.
3. En 2010, le blanchiment est passé à 4,5 milliards par jour.
4. Soit près de 16 400 milliards en 2010.
5. Banque Royale du Canada (RBC), Banque Toronto Dominion (TD), Banque Impériale de Commerce (CIBC), Banque de Montréal (BMO), Banque Scotia (BNS), Banque Nationale du Canada (BNC), Banque Laurentienne du Canada (BLC).
6. L'un des membres fondateurs du Bloc québécois.
7. Série documentaire *Auger enquête*, épisode « Drogue et blanchiment d'argent », 2002, TV Quatre Saisons, Production Orbi XXI.
8. Ce qu'il fallait démontrer.
9. Alain Deneault, *Paradis fiscaux, la filière canadienne*, Montréal, Écosociété, 2014. (Docteur en philosophie, l'auteur enseigne la théorie critique à l'Université de Montréal.)

10. Juge Jean de Maillard dans la série documentaire *La Famille*, 2ᵉ épisode, «L'essor», déjà citée.

Chapitre 3

1. En 1987, la Banque d'Épargne de la Cité et du District de Montréal changera de nom et deviendra la Banque Laurentienne.
2. Plus de 36 millions de dollars actuels.
3. Giuseppe Cuffaro est Canadien. Il s'est installé à Montréal. Il était marié à Vincenza Laudicina, la belle-sœur de Giovanni Caruana, un oncle paternel de Gerlando, d'Alfonso et de Pasquale Caruana.
4. Voir les copies de ces traites dans le cahier photos.
5. Voir les copies des traites aux noms d'Alfonso Caruana et de Pasquale Cuntrera dans le cahier photos.
6. Série documentaire *Auger enquête*, épisode «Drogue et blanchiment d'argent», déjà citée.
7. De 44 000 à 108 000 dollars actuels.
8. Plus de 1,7 million de dollars actuels.
9. Plus de 36 millions de dollars actuels.
10. Voir les traites de la Banque Nationale dans le cahier photos.
11. Voir le verso des traites dans le cahier photos.
12. Stefano Bontate, Salvatore Inzerillo et Gaetano Badalamente.
13. Salvatore Inzerillo, que Riina fera abattre également.
14. Environ 2,73 millions de dollars américains actuels.

Chapitre 4

1. Claire Sterling, *Octopus: The Long Reach of the International Sicilian Mafia*, New York, W. W. Norton, 1990.
2. La Petite Italie et Saint-Léonard.
3. Il n'y a pas d'accent circonflexe sur le «o».
4. Bonanno, Colombo, Genovese, Gambino et Lucchese.
5. Petit oiseau.
6. Antonio Nicaso et Lee Lamothe, *Les liens du sang: l'apogée et la chute d'une grande famille de la mafia*, Montréal, Éditions de l'Homme, 2001, p. 52.
7. Entre 40 et 44 tonnes en 1970.
8. Nick Rizzuto est le parrain de la fille de Pasquale Cuntrera, alors le parrain de la famille.

Chapitre 5

1. Littéralement traduit de l'italien: une dizaine.
2. Pierre de Champlain, *Histoire du crime organisé à Montréal de 1900 à 1980*, Montréal, Éditions de l'Homme, 2014; Jean-Pierre Charbonneau, *La Filière canadienne: le grand classique de l'histoire du crime au Québec*, Montréal, Éditions de l'Homme, 1975.
3. Armand Courville et les frères Edmond et Marius Martin.
4. De nombreux artistes français s'y produiront, parmi eux: Charles Aznavour, Tino Rossi, Bourvil, Luis Mariano, Charles Trenet, ainsi que de jeunes artistes québécois comme Raymond Lévesque, Monique Leyrac ou Denise Filiatrault.

5. Vingt dollars canadiens, soit environ 120 dollars actuels.
6. Chef-lieu de la Calabre.
7. Le magnétophone a été conservé et est exposé au Musée de la police de Montréal.
8. Des membres de l'élite de la Cosa Nostra sont choisis pour devenir des hommes d'honneur. Ils prêtent serment de fidélité inconditionnelle à la Mafia. Tout comme James Bond, les hommes d'honneur ont le permis de tuer. Mais ce n'est pas de la fiction. En général, la perpétration d'un crime de sang est le préalable exigé pour devenir homme d'honneur. Mais il ne s'agit pas d'un meurtre gratuit. L'assassinat doit être motivé par des raisons d'honneur, de non-respect aux directives ou à l'ordre établi.
9. *Ensemble! Revue annuelle de la Fraternité des policiers et policières de Montréal*, vol. 3, 2005-2006, p. 31.
10. *Ibid.*
11. Série documentaire *La Famille*, 1er épisode, « L'éveil », déjà citée.
12. *Ensemble! Revue annuelle de la Fraternité des policiers et policières de Montréal*, art. cit.
13. Les interrupteurs.
14. Voir série documentaire *La Famille*, déjà citée, et *Ensemble! Revue annuelle de la Fraternité des policiers et policières de Montréal*, art. cit.
15. La Commission d'enquête sur le crime organisé a été instituée sous le premier gouvernement de Robert Bourassa. Les audiences se sont étendues de 1973 à 1982.
16. Antonio Nicaso et Lee Lamothe, *Les liens du sang: l'apogée et la chute d'une grande famille de la mafia, op. cit.*, p. 70-71.
17. *Ensemble! Revue annuelle de la Fraternité des policiers et policières de Montréal*, art. cit.
18. *Ibid.*
19. Voir plus loin « Le Maxi-Procès de Palerme »
20. Il l'a vendu aux frères Vincenzo et Giuseppe Randisi.
21. Carmine Galante (1919-1979) succède à Joe Bonanno de 1974 à 1979. Il a été précédemment son *consigliere* jusqu'en 1964. Il sera lui-même assassiné, le 12 juillet 1979, par des membres de la famille Bonanno avec l'accord des quatre autres familles de New York.
22. Au Québec, une chienne est une combinaison de travail.
23. Peter Edward dans *Blood Brothers*, cité par Antonio Nicaso et Lee Lamothe, *Les liens du sang: l'apogée et la chute d'une grande famille de la mafia, op. cit.*, p. 74.
24. Un cousin des quatre frères Cuntrera, Liborio, Pasquale, Gaspare et Paolo.
25. Agostino Cuntrera sera lui-même assassiné à Montréal le 29 juin 2010, alors qu'il est le bras droit de Vito Rizzuto, le parrain de fait de la Mafia de Montréal.
26. Le code d'honneur des mafiosi siciliens?
27. Il est mort assassiné le 10 novembre 2010. Il a été abattu d'une balle de fusil alors qu'il se trouvait dans sa cuisine. Il avait 86 ans.
28. Stephano Bontate, Salvatore Inzerillo (tous les deux liquidés par Riina et Leggio), Salvatore Cicchiteddu Greco, associé des Caruana-Cuntrera au Venezuela, Tommaso Buscetta, etc.

29. Riina et Leggio.
30. Enregistrement des conversations du Reggio Bar.
31. En 2007, il était considéré par la Direction des enquêtes antimafia italienne comme le parrain de la famille restée à Siculiana. Voir André Cédilot et André Noël, *Mafia Inc. : grandeur et misère du clan sicilien au Québec*, Montréal, Éditions de l'Homme, 2012, p. 82.
32. Alors le véritable chef de la famille mais installé au Brésil.
33. Ancien analyste de renseignements à la Direction des renseignements criminels de la Gendarmerie royale du Canada, à Ottawa. Auteur de *Histoire du crime organisé à Montréal : de 1900 à 1980*, op. cit.
34. Courriel à l'auteur
35. Voir Chapitre 3 : Alfonso Caruana entre en scène.

Chapitre 6

1. Traditionnellement, par respect pour les anciens, les familles siciliennes utilisent souvent les mêmes prénoms de génération en génération. Les Cuntrera et les Caruana ne font pas exception, avec un ajout majeur. Comme, en fait, ils ne constituent qu'une seule et même famille, on retrouve les mêmes prénoms chez les Cuntrera et les Caruana, Paolo et Pasquale notamment. C'est pourquoi, sauf à de très rares exceptions, le patronyme est toujours ajouté au prénom.
2. Depuis, surintendant Lucien Guy.
3. Voir p. 232.
4. Voir l'extrait de l'acte de naissance d'Alfonso Caruana dans le cahier photos.
5. Antonio Nicaso et Lee Lamothe, *Les liens du sang : l'apogée et la chute d'une grande famille de la mafia*, op. cit., p. 55.
6. Giuseppe Tomasi di Lampedusa, *Le Guépard*, Paris, Éditions du Seuil, 1959. (Titre original : *Il Gattopardo*.)
7. Série documentaire *La Famille*, 2ᵉ épisode, « L'essor », déjà citée.
8. Pour mieux comprendre la composition de cette famille nombreuse, on peut consulter l'arbre généalogique montrant les liens complexes et familiaux des Cuntrera, des Caruana et des Cuffaro.
9. Giovanni Caruana est marié avec Maria Cuffaro, la sœur de Giuseppe Cuffaro, lui-même marié avec Vincenza Laudicina. Oui, je sais, ce n'est pas simple.
10. Plus de 150 000 dollars d'aujourd'hui
11. Vito Rizzuto succède à son père assassiné le 10 novembre 2010. Il meurt d'une complication liée à une pneumonie à l'hôpital de Sacré-Cœur à Montréal, le 23 décembre 2013.
12. Il faut noter l'alternance des parrains dans la famille. Un Cuntrera succédant à un Caruana et en précédant un autre. Giuseppe Caruana cédera son poste à Pasquale Cuntrera qui lui-même sera relayé par Alfonso Caruana, lui-même remplacé à la tête de la famille par Agostino Cuntrera, un cousin de Pasquale Cuntrera.
13. Il a été condamné dans le même procès que les trois frères Cuntrera, Pasquale, Gaspare et Paolo, mais eux étaient déjà en prison.
14. En Italie, lorsqu'un procès comporte de nombreux accusés, il est de coutume de donner au dossier le premier nom par ordre alphabétique + le nombre d'accusés. Ce qu'il faut noter, c'est que le Beddia en question est

Lucio Beddia, le neveu de Luciano Zambito arrêté avec Filippo Vaccarello et Gerlando Caruana en 1985, à Montréal, à la suite de la saisie de 58 kilos d'héroïne qui a déclenché toute l'enquête Pèlerin menée par Mark Bourque. Beddia a été libéré, faute de preuve.

15. Voir Chapitre 8 : La chute de Pasquale Cuntrera.

16. Série documentaire *La Famille*, 2e épisode, «L'essor», déjà citée.

17. Plus de 1,4 milliard de dollars actuels.

18. Série documentaire *La Famille*, déjà citée.

19. Antonio Nicaso et Lee Lamothe, *Les liens du sang : l'apogée et la chute d'une grande famille de la mafia, op. cit.*, p. 59.

20. Conversation enregistrée par la police de Montréal au Reggio Bar appartenant à Paolo Violi.

21. Leur accueil au Venezuela est assuré par Giuseppe Caruana.

22. Vic Cotroni meurt le 16 septembre 1984.

23. Le surnom va désormais les suivre et être employé souvent par des historiens, des chercheurs et des journalistes spécialistes de la famille et notamment Tom Blickman, un chercheur indépendant installé à Amsterdam.

24. Loi-cadre n° 645 du 10 août 1950 ; loi-cadre n° 634 du 29 juillet 1957.

25. Série documentaire *La Famille*, déjà citée.

26. *Ibid.*

27. Au 255, via Marittima.

28. Les Vella sont une branche par alliance des Caruana-Cuntrera.

29. De 3 à 12 dollars de 1973, soit de 17,56 à 70,24 dollars actuels.

30. Plus de 240 millions de dollars américains actuels.

31. Tous les extraits d'entrevues concernant le Venezuela sont tirés de la série documentaire *La Famille*, déjà citée.

32. L'Action démocratique.

33. Comité d'Organización Politica Electoral Independiente.

34. Entre 1,4 million et 1,6 million de dollars actuels.

35. Antonino Mongiovi, le gendre de Paolo Cuntrera, et Federico Del Peschio, un mafioso Montréalais associé au clan Rizzuto.

36. Environ 25 millions de dollars actuels.

37. Antonio Nicaso et Lee Lamothe, *Les liens du sang : l'apogée et la chute d'une grande famille de la mafia, op. cit.*

38. «*They were practically untouchable in Venezuela, well connected with the jetset, because they had money, and in a country where 80% of the population was poor, they, with money, could buy everything : police officers, politicians, favors, everything. So they practically became some of the most important businessmen of Venezuela.*»

39. Il sera assassiné au mariage de son fils en Sicile en 1981.

40. Les îles Bonaire, Curaçao, Saba et Saint-Eustache et la partie sud de l'île de Saint-Martin.

41. À l'époque le florin néerlandais, aujourd'hui l'euro.

42. Jan Hendrik Albert Eman.

43. Tom Blickman, «The Rothschild of the Mafia on Aruba», *Transnational Organized Crime*, vol. 3, n° 2, 29 mai 1997.

44. Né en 1957, Tom Blickman est chercheur, journaliste et spécialiste du crime organisé et du trafic de drogues. Il fait partie du Transnational Institute, un laboratoire d'idées (*think tank*) progressiste qui se trouve à Amsterdam.

45. Tom Blickman, art. cit. (Traduction : « Les Rothschild de la Mafia à Aruba ».)
46. Auteure de *Octopus : The Long Reach of the International Sicilian Mafia, op. cit.*
47. Claire Sterling, *Thieves' World : The Threat of the New Global Network of Organized Crime*, New York, Simon & Schuster, 1994.
48. Kevin Noblet, « The Carribean's Shady Side : Organized Crime », Associated Press, 11 mai 1993.
49. *« All cash-intensive businesses. »*
50. Kevin Noblet, « The Carribean's Shady Side : Organized Crime », art. cit.
51. Claire Sterling, *Thieves' World : The Threat of the New Global Network of Organized Crime, op. cit.*, p. 22.
52. Giuseppe Tomasi di Lampedusa, *Le Guépard, op. cit.* (*Le Guépard* [*Il Gattopardo*] a été adapté au cinéma par Luchino Visconti. Dans le film, c'est Tancrède [Alain Delon], le neveu du prince de Salina [Burt Lancaster], qui prononce ces mots.)
53. L'île de Saint-Martin est partagée entre la France et les Pays-Bas. La partie hollandaise est appelée Sint Maarten.
54. Tom Blickman, « The Rothschild of the Mafia on Aruba », art. cit.
55. Plus connue sous le nom de Contragate.
56. *« He learned several years ago, not to have any assets at all in his own name. The house was rented from another member of the family. His car, a brand new Cadillac was leased by a company. »* (Série documentaire *La Famille*, 3ᵉ épisode, « La chute », déjà citée.)
57. Voir Minutes du procès.
58. Nino Mongiovi est marié avec la fille de Paolo, le plus jeune des frères Cuntrera.
59. Claire Sterling, *Thieves' World : The Threat of the New Global Network of Organized Crime, op. cit.*, p. 24.
60. Environ 46 000 dollars actuels.
61. Environ 208 000 dollars actuels.
62. Environ 830 000 dollars actuels.
63. « Filiale commune entre deux ou plusieurs entreprises dans le cadre d'une coopération économique internationale. Cette technique financière est un moyen de coopération entre des sociétés qui possèdent des compétences complémentaires. » (Dictionnaire Larousse)
64. Environ 4,9 milliards de dollars actuels.
65. Dirección de los Servicios de Inteligencia y Prevención.
66. *« We have identified Aruba as a major drug-transit country. Aruba is situated on a major drug-transit route, with the vast majority of the cocaine and heroin that transits Aruba destined for the United States. […] Cocaine is smuggled by ship via Aruba, using commercial vessels, cruise ships, pleasure craft, and fishing boats. In addition, according to the Dea, traffickers use Aruba's free-zone facilities to engage in transit of bulk shipments of cocaine without scrutiny by local officials. A substantial portion of the free-zone's businesses in Aruba are owned and operated by members of the Mansur family, who have been indicted in the United States on charges of conspiracy to launder trafficking proceeds. »* (« Letter from the President to the Chairmen and Ranking Members of the House Committee on Appropriations and International Relations and the Senate Committees on Appropriations and Foreign Relations », 2 décembre 1996.)

67. Accusée par la communauté internationale de complicité dans le blanchiment d'argent, la Suisse avait plafonné par une loi le montant d'argent liquide acceptable par ses banques. Mais les dommages ainsi causés à sa principale ressource financière l'ont rapidement amenée à interpréter et à édulcorer sa nouvelle loi, au grand bénéfice des Caruana-Cuntrera et de bien d'autres personnes.
68. Soit 2,15 millions de dollars actuels.
69. « Sauf coup de théâtre, l'Union européenne devrait prendre un engagement ferme en faveur de la généralisation de l'échange automatique d'informations fiscales. Une étape dans la mise à mort du secret bancaire à des fins fiscales qui sera effective en 2016-2017. » (Christian Chavagneux, « L'Europe en passe de tuer le secret bancaire : pourquoi le Luxembourg et l'Autriche ont levé leur véto », *L'Économie politique*, mars 2014.)
70. Woking où seront arrêtés, en 1984, Francesco Siracusa et Antonino Zambito dans l'entrepôt d'Elongate Imports-Exports Ldt, en possession de 250 kilos de hachich. Voir Chapitre 3 : Alfonso Caruana entre en scène.
71. Les pays du Triangle d'or, le Laos, la Birmanie et la Thaïlande, et les pays du Croissant d'Or, la Turquie, l'Afghanistan et le Pakistan.
72. Voir Chapitre 3 : Alfonso Caruana entre en scène.
73. Antonio Nicaso, dans la série documentaire *La Famille*, 2e épisode, « L'essor », déjà citée.
74. Propaganda Due au sein du Grand Orient d'Italie.
75. Où il est décédé en 2006.
76. Voir Chapitre 1 : Un certain Gerlando Caruana.
77. Gerlando Caruana, Luciano Zambito, Filippo Vaccarello et Lucio Beddia.

Chapitre 7
1. Environ 400 000 dollars actuels.
2. Environ 1,6 million de dollars actuels.
3. Voir Chapitre 4 : Une courte histoire de la Mafia sicilienne.
4. Voir Chapitre 6 : La famille Caruana-Cuntrera.
5. C'est une image, bien sûr.

Chapitre 8
1. Voir Chapitre 1 : Un certain Gerlando Caruana.
2. Environ 2,25 millions de dollars actuels.
3. « *He told us that Mr. Bellizi claimed to have some connections to the Caruana-Cuntrera family, in particular Pasquale Cuntrera and his brothers.* » (Toutes les citations de David Lorino sont extraites de la série documentaire *La Famille*, 3e épisode, « La chute », déjà citée.)
4. « *"Wiseguy"* signifie *"gars avisé"*. C'est un terme consacré dans le langage de la Cosa Nostra new-yorkaise pour désigner un membre en règle, qui a subi les rites d'initiation de l'organisation. » (Pierre de Champlain)
5. « *Through the course of probably 35 or 40 or more undercover meetings that we had with Mr. Bellizi over about an 18-month period, which revolved around 100 and plus dollar dinners and boat excursions and trips around Miami in his Rolls Royce and you name it, we finally got his confidence enough to the point where he ultimately arranged a meeting for us.* »

6. « *And I remember Don Pasquale showing up in this little car, I mean, it was not much bigger than a small Volkswagen Beetle, if you will, and he was not dressed like I anticipated he would be. He was dressed very low-key, and – but there was also no question when he walked in the door, who he was. I mean it was, I don't know, some kind of a strange aura around this guy. And that was pretty exciting.* »
7. « *Mr. Bellizi standing up, toasting the North meeting the South, if you will, and saying that: you know, we're all going to be doing business together, we're going to make money, and all the rest of that.* »
8. « *So what we did do, instead of going, was we took 5000 dollars of DEA's money and we gave it to Bellizi and sent him to the wedding as our emissary, with the 5000 dollars wedding present for the bride. In retrospect, in looking back on it, that was the best 5000 dollars we spent in the whole case. We bought ourselves a lot of credibility by doing that.* »
9. « *Mr. Fiannaca thought we were going to go show him our office, an office where we were doing business in New York City. We actually drove the limousine to the basement of the DEA building. And as we were unloading him and ourselves out of the limousines in the basement of the DEA building, we then told him he was under arrest. He was a good deal surprised.* »
10. Président de 1989 à1993.
11. Voir Chapitre 6 : La famille Caruana-Cuntrera.
12. « *"I understand that you can tell me, that you have evidence that they received their Venezuelan citizenship fraudulently." And I said: "That's true. They are in fact here under false pretenses." And he said to us that, he said: "At 5 o'clock this afternoon, 5 or 5:30 this afternoon, I'm going to sign an order revoking their Venezuelan citizenship." […] "I'm going to put them on a 6 o'clock flight to Rome." He says: "As much as I would like to give them to you to prosecute them in the States, the law doesn't allow me to do that. If I revoke their citizenship, I must send them back to their country of origin."* »
13. Série documentaire *La Famille*, 3e épisode, « La chute », déjà citée.
14. « *I remember looking at him and him looking at me, and I don't know, I guess if his eyes were darts, he would have definitely shot them through me.* »
15. Conversation rapportée dans Antonio Nicaso et Lee Lamothe, *Les liens du sang: l'apogée et la chute d'une grande famille de la mafia*, op. cit., p. 338.
16. *Ibid.*, p. 340.
17. Antonio Nicaso et Lee Lamothe, *Les liens du sang: l'apogée et la chute d'une grande famille de la mafia*, op. cit., p. 344.

Chapitre 9

1. Voir Chapitre 3 : Alfonso Caruana entre en scène.
2. Série documentaire *La Famille*, déjà citée.
3. « *Alfonso Caruana with Oreste Pagano, boss of the Napolitan Camorra, and Anthony Scambia, boss of the Calabrian 'Ndrangheta, get together in the Margarita Island, and for the first time, three representatives of the major crime syndicates in Italy decided to work together and to import cocaine from Brazil to Italy. […] Thanks to that deal, they were capable to export in Italy more than 10 tons of cocaine in a short period of time, between 1991 and 1994.* » (Dans la série documentaire *La Famille*, 3e épisode, « La chute », déjà citée.)

4. « *That was probably the biggest mistake of the Corleonese and Toto Riina because after the murder of Falcone and Borsellino, Italy began a crackdown and began to fight the Mafia in an appropriate way, and the police arrested the many mobsters on the run, many fugitives, and start to fight the Mafia with passion, with courage and in a very strong way.* » (*Ibid.*)

5. « *Well, Alfonso Caruana always said this, that "I feel safe in Canada, I want to go back to Canada." When his organization was dismantled in England he came back to Montreal, then he went on to Venezuela. When they raided his house in Venezuela, he came back to Canada and Montreal and then in Toronto, of course.* ». (*Ibid.*)

6. « *And that gives an indication because in Canada there is lower risk of detention and prosecution than in other countries in the world.* » (*Ibid.*)

7. Série documentaire *La Famille*, 3ᵉ épisode, « La chute », déjà citée.

8. Voir Chapitre 8 : La chute des trois frères Cuntrera.

9. Unité mixte des enquêtes sur le crime organisé (UMECO).

10. « *It consists of the Royal Canadian Mounted Police, the Ontario Provincial Police, the York Regional Police Force, the Toronto Police Service, Peel Regional Police Service, Canada Immigration and Department of Justice Canada. It's a partnership that is – the mandate is to investigate, dismantle, prosecute and expose criminal organizations.* » (Série documentaire *La Famille*, 3ᵉ épisode, « La chute », déjà citée.)

11. « *Bearing in mind, he was called The Ghost in Italy, because nobody had ever seen him.* » (*Ibid.*)

12. « *We were aware that there was an Interpol warrant for a person by the name of Alfonso Caruana. This warrant was in existence and the Italian authorities had made requests to Montreal and also to Toronto, to try and ascertain if this person actually lived in Toronto or if he was even in Canada.* » (*Ibid.*)

13. « *Can is be possible that it might be the same people ?* » (*Ibid.*)

14. « *And what we did was we went back to the pictures that we took at the wedding of his daughter, and one of the pictures stood out.* » (*Ibid.*)

15. « *And we started doing some background checks on it, and found out that this vehicle was registered to an address in Woodbridge* ». (*Ibid.*)

16. « *I think our biggest fear was the fact we weren't 100 % sure if this was the right person.* » (*Ibid.*)

17. « *In fact, you can see when he is speaking from his home or he's speaking from his business, he said very little. But when he went to pay phones, he would speak freely because he didn't think that the police would be able to monitor them.* » (*Ibid.*)

18. « *And it basically became a logistical nightmare, we had pay phones on the corners of the street, we had pay phones in businesses, restaurants.* » (*Ibid.*)

19. « *He had pay phones, but I don't know, nobody really knows how many he used, but he used probably several dozen.* » (*Ibid.*)

20. « *I think in one instance, in the shopping mall, we had absolutely every pay phone in the shopping mall tapped, and we had Alfonso on surveillance in this mall, and he's walking by these different banks of phones, and he eventually walks into a beauty shop and asks to borrow the phone – just, you know, frustrating.* » (*Ibid.*)

21. « *There was one particular spot where Alfonso Caruana left a phone card, after making a phone call. One of our surveillance team members picked up the card up, and as a result, we had that card fingerprinted. And the identification, the section*

of the RCMP made a match with the fingerprints from Italy and the fingerprint we found on the Bell card. And that's how we were sure we had Alfonso Caruana living in the Woodbridge area. » (*Ibid.*)

22. « *If a telephone number was given, for example 209-8746. What we would do is subtract each of those numbers from the number 9. So 9 minus 2 would be 7; 9 minus 0 would be 9; 9 minus 9 would be 0; 9 minus 8 would be 1; and just continue right through. It would give you the number 7-9-0-1-2-5-3.* » (*Ibid.*)

23. « *And the investigation from that point became a lot simpler for us.* » (*Ibid.*)

24. Près de 38 degrés Celsius.

25. « *I think the temperatures were around the 100 degree Fahrenheit mark, if not more. And this cocaine sat in garbage bags in the back of this truck, which was sealed: the windows were rolled up tight and this was to play a significant factor later* » (Série documentaire *La Famille*, 3ᵉ épisode, « La chute », déjà citée.)

26. « *I think it was an unsafe lane change or something of that nature, but clearly something against the Texas Highway Traffic Act.* » (*Ibid.*)

27. « *The cocaine had been in the truck for so long that the smell, the chemical smell of the cocaine had permeated everything in the truck and the officers realized it as soon as they opened the window down to speak to them, that it was just sort of one of these – with the chemical smell hit their face and we realized at that point that we had our cocaine.* »

28. « *Alfonso was planning to leave Canada. He was trying to make arrangements to get passport and leave, perhaps to go back to Venezuela or wherever.* » (*Ibid.*)

29. « *I am arresting you for offenses under the Control Substances Act.* » (*Ibid.*)

30. « *He seemed very calm. We immediately identified ourselves and he was told he was under arrest. And at which point I read him his rights and I subsequently explained them in Italian and he responded "Si" in Italian, which indicated to me that he understood. He also nodded to my questions, "Do you understand?" and he responded yes by nodding as well as saying "Si".* » (*Ibid.*)

31. « *And when they were going to bring him out, the policewoman escorting him, said: "The media's outside, do you want to cover your head?" and Caruana just simply said no, and when he walked out, he walked out with a total dignity that was – he wasn't angry, he wasn't upset, he wasn't reacting badly against the media or against the police. He came out extremely calm.* » (*Ibid.*)

32. « *When the RCMP and all of the other police forces raided, this entire street was full of police cars. They came in a convoy after the last police car was in they blocked the road and allowed no reporters in. So you had the funny circumstance of reporters running behind all these houses, climbing over fences, running through swimming pools, and finding positions to shoot pictures from. The neighbours were quite nice. And it was sort of like a morning party, with the neighbours bringing out cakes and coffee and reporters were sitting on everywhere. So, it was sort of like a little street party.* » (*Ibid.*)

33. « *So when that happened and we knew he was arrested together with his group, there was a sense of victory, perhaps, for a change, because a lot of times the police forces experience failure. The eyes were on Canada, a small group of investigators in Toronto and in Montreal, taking this huge organization down. So, there was a sense of relief.* » (*Ibid.*)

34. « *Well, I believe that, although we've arrested some of the main principals of the Caruana-Cuntrera organization, it's not the end [...]. So you still have the sons and*

children of this group, you have the other colleagues from other criminal organiza-tions, from the Colombian cartels to the 'Ndrangheta to the Camorra, to the other – the outlaw motorcycle gangs. These connections are still in place. So the activities of the criminal organization will still go on. They still have their vast financial resources buried around the world. So they're not – it's not the end of them. » (*Ibid.*)

35. Voir la mini-biographie de Mark Bourque en annexe.

Chapitre 10
1. Voir Chapitre 8 : La chute des trois frères Cuntrera.
2. À peu près 77 000 dollars actuels.
3. Plus de 88 millions de dollars américains actuels.
4. Et voilà !

Un dernier mot
1. Montréal, Écosociété, 2014.
2. Giuseppe Tomasi di Lampedusa, *Le Guépard, op. cit.*

Annexe
1. *An Englishman's home is his castle.*
2. Antonio Nicaso et Lee Lamothe, *Les liens du sang : l'apogée et la chute d'une grande famille de la mafia, op. cit.*
3. Ce restaurant a fermé définitivement ses portes le 23 décembre 2014.
4. Un des deux grands quotidiens de la ville de Québec.
5. Une moppe est un balai à grandes franges dont on se sert pour laver les sols.
6. Mark m'a en effet offert une mouche montée avec les poils de Cendrillon. Était-ce un présage ? Elle était présentée dans un petit écrin de bague de bijoutier. Je la garde précieusement.
7. Fonctionné.
8. Un peu plus de 1,72 mètre.
9. Film réalisé en 1953 par George Stevens. (Version française : *L'homme des vallées perdues.*)
10. Environ 1,68 mètre.
11. Il s'agit de l'enquête sur la filière libanaise, sujet du premier récit de ce livre.
12. Plus de 2 milliards de dollars canadiens actuels.
13. C'est le sujet du deuxième récit de ce livre.
14. Environ 8,7 milliards de dollars actuels.
15. Programme des Nations-Unies pour le développement.

Sources
1. Je conserve les courriels que j'ai échangés avec Mark sur le sujet lorsqu'il était en poste en Haïti quelques jours encore avant sa mort.
2. Presque toutes les entrevues de la série *La Famille* ont été menées par Lakshmi Nguon.

Index

Remerciements

J e dois remercier pas mal de personnes pour leur aide. Je commencerai en tout premier lieu par celui sans qui ce livre ne serait pas, mon ami Mark. « Paix à ton âme. Je ne pense pas que l'au-delà existe, mais comme Lise, ton épouse (tu es si présent que je n'ose écrire ta veuve), y croit, je m'associerai à elle en souhaitant que tu sois heureux du résultat, dans la mesure, bien sûr, où tu pourrais en prendre connaissance. »

Je remercierai ensuite Lise, justement, qui très chaleureusement m'a offert son amitié et ouvert tes archives, me permettant ainsi de compléter mes informations non seulement sur tes enquêtes mais aussi sur votre vie familiale avec vos deux garçons, Maxim et Shane. Côté famille, tes frères et sœurs m'ont aussi donné un appui important. Merci également à Gérald Perreault, ton complice en rénovation et en chasse et pêche, pour ses anecdotes.

En ce qui concerne l'existence du livre proprement dit, je dois remercier mes amis André Cédilot, spécialiste du crime organisé, et Catherine Lafrance, romancière. Il et elle m'ont poussé à plonger dans un univers que je ne connaissais pas, celui du récit. Les dizaines de scénarios et les commentaires des documentaires que j'avais jusque-là écrits et réalisés n'étaient pas dans la même catégorie littéraire. La réaction de Liette Mercier, éditrice des Éditions de l'Homme, en m'accueillant chaleureusement, leur a donné raison à l'une et à l'autre. Merci à François Perreault qui aurait pu être mon tortionnaire en relisant mes textes pour le compte des Éditions de l'Homme et qui, au fil des lectures, est devenu un ami. Merci aussi à Patricia Juste, dernière et implacable relectrice. Seul mini-désaccord, pour les grammairiens rigoureux, dont elle fait partie, le futur du passé est un futur qui en fait est un... conditionnel. J'ai eu un peu de difficulté à joindre mon ami Michel Auger, lui aussi spécialiste du crime organisé. Profitant honteusement de sa retraite, il avait disparu dans le sud des États-Unis. Une fois retrouvé, il est devenu l'un de mes meilleurs conseillers et supporters, merci à lui. Merci aussi à Jean-Pierre Plante, auteur prolifique, pour ses précis commentaires sur la filière libanaise. Merci encore à Pierre de Champlain pour ses encouragements et ses précieuses informations.

Je dois également remercier les trois compagnies qui ont produit les trois documentaires que j'ai écrits et réalisés sur les enquêtes de Mark : d'abord Sovimage pour la série *La Famille* et particulièrement le regretté Vincent Gabriele et son bras droit d'alors, Sophie Deschênes, qui a pris avec brio la relève de la compagnie. Cette série n'aurait pu se faire sans l'apport essentiel d'Antonio Nicaso et de son complice Lee Lamothe et de la profonde connaissance qu'ils ont du crime organisé en général et de la famille Caruana-Cuntrera en particulier. Merci à Lucien Guy, surintendant de la GRC, acteur crucial dans l'enquête sur la famille Caruana-Cuntrera. Merci aussi à Raymond Boisvert, inspecteur de la GRC, dont la mémoire a parfaitement fonctionné pour décrire en détail ce qui s'était passé lors de la saisie d'une tonne de hachich en 1973. Pour cette série, je dois associer à mes remerciements les recherchistes Lamberto Tassinari et Carmen Garcia pour leurs recherches fondamentales et surtout pour les efforts déployés afin de retrouver les témoins importants en Italie et en Amérique latine. Leurs recherches de base ont été complétées efficacement, pour l'Italie, par Gabriel Florian et, pour l'Amérique latine (Brésil et Venezuela), par Christine Martin. La coordination de la recherche a été effectuée par la journaliste Lakshmi Nguon qui a pris en charge les entrevues au Canada, aux États-Unis, en Grande-Bretagne et en Italie. Ensuite, merci à Jacques W. Lina de Orbi XXI pour *Auger enquête – Drogue et blanchiment d'argent*. Et enfin, merci à Luc Wiseman d'Avanti Ciné Vidéo, pour *Pour un X de trop : une enquête de la GRC*. Pour cette minisérie, je veux remercier tout spécialement Sana Ladki, la précieuse collaboratrice et interprète arabe de Mark. Merci aussi à Pierre Xenopoulos, l'interprète grec pour les compléments d'information qu'il m'a fournis.

J'adjoins à mes remerciements mes amis le sergent d'état-major Yvon Gagnon, pour ses conseils, et Robert Dianoux, qui m'a encouragé depuis la France (vive le téléphone et Internet). Mon ami Roger Tétrault m'a soutenu de moins loin mais tout aussi efficacement, depuis les Cantons-de-l'Est. Et enfin, plus près de moi, mon ami Oscar Yachouchi. Nos conversations quotidiennes durant nos marches matinales au gym du Sanctuaire ont souvent provoqué des changements d'approche dans l'écriture de certains chapitres. Je remercie également mon ami le producteur Daniel Bertolino. Il m'a fait venir au Québec, en 1983, pour écrire et réaliser avec lui la série *Le Défi mondial*, je devais repartir après deux ans. Je suis resté un peu plus longtemps. Étant marié à Linda, une Américaine (*nobody's perfect*), je me dois de remercier ma famille et spécialement mes deux filles, Delphine (et mes petits-enfants Timothé et Elliott) et Mélaine, ainsi que mon fils Méline (et mes petits-enfants Léa et Vincent). Toutes et tous me donnent les raisons de laisser un témoignage sur ma vie et mes expériences ; celles avec Mark ont été capitales.

Table des matières

Suivez-nous sur le Web

Consultez nos sites Internet et inscrivez-vous à l'infolettre pour rester
informé en tout temps de nos publications et de nos concours en ligne.
Et croisez aussi vos auteurs préférés et notre équipe sur nos blogues !

EDITIONS-HOMME.COM
EDITIONS-JOUR.COM
EDITIONS-PETITHOMME.COM
EDITIONS-LAGRIFFE.COM

Achevé d'imprimer au Canada
sur papier Enviro 100 % recyclé